KU-442-866

# A DIETA DA
# MENTE

# A DIETA DA
# MENTE

## DR. DAVID PERLMUTTER

com **KRISTIN LOBERG**

---

A SURPREENDENTE VERDADE
**SOBRE O GLÚTEN E OS**
CARBOIDRATOS – OS ASSASSINOS
SILENCIOSOS DO SEU CÉREBRO

---

Tradução
ANDRÉ FONTENELLE

Copyright © 2013 by David Perlmutter, MD

A Editora Paralela é uma divisão da Editora Schwarcz S.A.

*Grafia atualizada segundo o Acordo Ortográfico
da Língua Portuguesa de 1990, que entrou em vigor
no Brasil em 2009.*

TÍTULO ORIGINAL Grain Brain : The Surprising Truth about
Wheat, Carbs, and Sugar — Your Brain's Silent Killers

CAPA Juliana Vidigal

PREPARAÇÃO Juliana Moreira

REVISÃO Thaís Totino Richter, Adriana Bairrada

ÍNDICE REMISSIVO Probo Poletti

Dados Internacionais de Catalogação na Publicação (CIP)
(Câmara Brasileira do Livro, SP, Brasil)

Perlmutter, David
    A dieta da mente : a surpreendente verdade sobre o
glúten e os carboidratos — os assassinos silenciosos do
seu cérebro / David Perlmutter com Kristin Loberg. —
1ª ed. — São Paulo : Paralela, 2014.

    Título original: Grain Brain : The Surprising Truth
    about Wheat, Carbs, and Sugar — Your Brain's
    Silent Killers.
    ISBN 978-85-65530-60-6

    1. Cérebro — Doenças — Aspectos nutricionais —
Obras de divulgação 2. Cérebro — Doenças — Prevenção
— Obras de divulgação 3. Carboidratos — Metabolismo —
Obras de divulgação 4. Metabolismo energético — Obras de
divulgação I. Loberg, Kristin. II. Título.

14-01266                                    CDD-613.28

Índice para catálogo sistemático:
1. Dieta da mente : Promoção da saúde    613.28

*19ª reimpressão*

[2019]
Todos os direitos desta edição reservados à
EDITORA SCHWARCZ S.A.
Rua Bandeira Paulista, 702, cj. 32
04532-002 — São Paulo — SP
Telefone: (11) 3707-3500
editoraparalela.com.br
atendimentoaoleitor@editoraparalela.com.br
facebook.com/editoraparalela
instagram.com/editoraparalela
twitter.com/editoraparalela

*Ao meu pai, que aos 96 anos inicia cada dia
se arrumando para examinar seus pacientes —
apesar de ter se aposentado há mais de 25 anos.*

Seu cérebro:
pesa um quilo e meio e tem 150 mil quilômetros
de vasos sanguíneos;
possui mais neurônios do que existem estrelas na Via Láctea;
é o órgão mais pesado do seu corpo;
pode estar sofrendo neste exato momento,
sem que você faça a menor ideia...

# Sumário

# Introdução
## Contra os grãos

*Manter a ordem, em vez de corrigir a desordem, é o princípio básico da sabedoria. Curar a doença depois que ela aparece é como cavar um poço quando se tem sede, ou forjar armas com a guerra iniciada.*
Nei Jing, século II a.C.

Se você perguntasse a seus avós ou bisavós do que as pessoas morriam quando eles eram crianças, provavelmente ouviria a palavra "velhice". Ou ficaria sabendo da história de alguém que pegou um germe insidioso e faleceu precocemente, de tuberculose, cólera ou disenteria. Não ouviria falar de coisas como diabetes, câncer, doenças cardíacas e demência. Na verdade, a última vez que se usou "velhice" numa certidão de óbito foi em 1951; desde então, passou-se a atribuir a causa direta da morte a uma doença determinada. Hoje, essas doenças tendem a ser do tipo que progride de forma crônica, degenerativa, envolvendo complicações múltiplas e sintomas que se acumulam ao longo do tempo. É por isso que octogenários e nonagenários não costumam morrer de um mal específico. Como numa casa antiga que decai, os materiais envelhecem e enferrujam, o encanamento e a fiação dão defeito, e as paredes começam a sofrer minúsculas e imperceptíveis fissuras. Ao longo do declínio natural de uma casa, você realiza a manutenção sempre que se faz necessário. Mas ela nunca mais será como nova, a menos que se ponha abaixo toda a estrutura e se comece do zero. Toda tentativa de emendar e consertar faz com que você ganhe tempo, mas, no fim, há por toda parte pontos que necessitam de uma remodelação total ou uma substituição completa. E, como tudo na vida, o corpo humano simplesmente se esgota. Uma doença degenerativa se instala e avança lentamente, num ritmo excruciante, até que o corpo se entrega.

Isso é particularmente verdadeiro quando se trata das desordens cerebrais, inclusive a mais temida de todas: o mal de Alzheimer, um bicho-papão moderno da medicina, que está sempre nas manchetes. Se existe um temor em relação à saúde que parece ofuscar todos os outros na velhice, é o de ser vítima do Alzheimer ou de alguma outra forma de demência que o deixe incapaz de pensar, raciocinar ou lembrar-se do passado. Estudos confirmam o quão forte essa angústia é. Em 2011, uma pesquisa realizada pelo instituto Harris Interactive para a Fundação MetLife mostrou que 31% dos americanos temiam a demência mais que o câncer ou a morte.[1] E é um medo que não afeta apenas os mais velhos.

Existem vários mitos duradouros em relação ao leque de doenças degenerativas do cérebro (incluindo o Alzheimer): *é genético, é inevitável com a idade* e *é quase certo se você chegar ou passar dos oitenta.*

Calma lá.

Estou aqui para lhe dizer que o destino de seu cérebro não está nos seus genes. Não é algo inevitável. E se você sofre de algum outro tipo de desordem cerebral, como cefaleia crônica, depressão, epilepsia ou variações extremas de humor, a culpa pode não estar no código do seu DNA.

*Está naquilo que você come.*

Sim, é isso mesmo: as disfunções cerebrais têm início no seu pão cotidiano — e eu posso lhe provar. Vou repetir, porque sei que parece absurdo: os grãos modernos estão destruindo, silenciosamente, o seu cérebro. Quando escrevo "modernos" não me refiro apenas às farinhas, massas e arrozes refinados que já foram demonizados pela turma antiobesidade; estou me referindo a todos os grãos que tantos de nós adotaram como saudáveis, como o trigo integral, os grãos integrais, os multigrãos etc. Basicamente, estou dizendo que aquilo que é, provavelmente, a mais querida base de nossa dieta não passa de um grupo terrorista que ataca nosso órgão mais precioso, o cérebro. Irei mostrar como as frutas e outros carboidratos podem se tornar ameaças à saúde, com consequências graves, não apenas atacando fisicamente o seu cérebro, mas acelerando de dentro para fora o processo de envelhecimento do corpo. Não é ficção científica; são fatos comprovados.

Meu objetivo, ao escrever *A dieta da mente*, é fornecer informações sólidas e baseadas em perspectivas científicas e psicológicas modernas e evolucionistas. Este livro foge das ideias preconcebidas — e dos interesses corporativos escusos. Propõe uma forma inteiramente nova de compreender a causa por trás das doenças do cérebro e oferece uma promissora mensagem de esperança: elas podem ser, em grande parte, evitadas. Por isso, caso você não tenha entendido até aqui, vou ser absolutamente claro: este não é apenas mais um livro de dieta ou um manual de instruções genérico sobre prevenção de doenças. Este é um livro transformador.

Todos os dias ficamos sabendo de algo novo em nossas diferentes guerras contra as doenças crônicas, especialmente no que diz respeito àquelas que, na maior parte, podem ser evitadas com a adoção de certo estilo de vida. É preciso viver em Marte para não saber que a cada ano nos tornamos mais e mais obesos, apesar de tudo que nos é dito sobre como se manter magro e em forma. Também é difícil encontrar alguém que desconheça a explosão no número de casos de diabetes tipo 2. Ou o fato de que os problemas cardíacos são a causa número um de óbitos, seguidos de perto pelo câncer.

Coma alface. Escove os dentes. Malhe de vez em quando. Descanse bastante. Não fume. Seja mais bem-humorado. Existem algumas regras de ouro de saúde que, no geral, fazem parte do senso comum e que todos nós sabemos. Mas, por algum motivo, quando se trata de manter a saúde de nosso cérebro e de nossas faculdades mentais, tendemos a pensar que isso não depende de nós — que, de alguma forma, nosso destino é desenvolver problemas cerebrais no auge da vida e nos tornarmos senis na velhice, ou escapar desse destino por ter a sorte de possuir os genes certos (ou por alguma descoberta da medicina). É claro que devemos nos manter mentalmente ativos depois da aposentadoria, preenchendo palavras cruzadas, lendo, indo a museus. E não se pode dizer que haja uma correlação clara e direta entre as disfunções cerebrais e certos hábitos pessoais, da mesma forma que há entre, por exemplo, fumar dois maços de cigarros por dia e desenvolver um câncer de pulmão, ou chafurdar em batatas fritas e se tornar obeso. Como disse, temos o costume de separar os males do cérebro dos demais, que atribuímos a hábitos inadequados. Pretendo transformar esse raciocínio enganoso, mostrando a você a relação entre seu estilo de vida e o risco de desenvolver uma série de problemas relacionados ao cérebro, alguns dos quais podem atingi-lo ainda no berço e outros que podem ser diagnosticados no final de sua existência. Acredito que a mudança em nossa dieta ocorrida nos últimos cem anos — de uma dieta rica em gordura e pobre em carboidratos para a atual, pobre em gordura e rica em carboidratos, basicamente constituída por grãos e outros carboidratos danosos — é a origem de boa parte das pragas modernas que assolam o cérebro, entre elas dores de cabeça crônicas, insônia, ansiedade, depressão, epilepsia, transtornos motores, esquizo-frenia, transtorno de déficit de atenção e hiperatividade (TDAH) e tantos outros episódios maiores que costumam ser o prenúncio de um sério declínio cognitivo e de males cerebrais importantes, irreversíveis, intratáveis e incuráveis. Revelarei a você o papel direto e profundo que os grãos podem estar exercendo em seu cérebro *neste exato momento*, sem que você sequer perceba.

O fato de que nosso cérebro é sensível àquilo que comemos vem circulando silenciosamente em nossa literatura médica de mais prestígio. É uma informação que precisa chegar ao conhecimento do público, cada vez mais enganado por uma indústria que vende alimentos considerados "nutritivos". Isso também levou médicos e cientistas a questionar aquilo que acreditamos ser "saudável". Seriam os carboidratos e os óleos vegetais poli-insaturados processados — como os de algodão, amendoim, canola, girassol, milho, cártamo e soja — os culpados pela disparada nos índices de doenças cardiovasculares, obesidade e demência? Será que uma dieta rica em gorduras saturadas e colesterol pode, na verdade, fazer bem ao coração e ao cérebro? Será que podemos transformar nosso DNA com a alimentação, apesar dos genes que herdamos? É bem sabido, hoje, que um pequeno percentual da população tem sistemas digestórios sensíveis ao glúten, a proteína encontrada no trigo, na cevada e no centeio; mas será que *todo* cérebro teria uma reação negativa a esse ingrediente?

Perguntas assim começaram a me incomodar alguns anos atrás, à medida que estudos perturbadores começaram a aparecer, e meus pacientes contraíam cada vez mais doenças. Na condição de neurologista, que cuida diariamente de pessoas em busca de respostas para problemas cerebrais degenerativos, assim como famílias que lutam para lidar com a perda das faculdades mentais de seus entes queridos, tenho obrigação de ir até o fim nessa questão. Talvez porque eu não seja apenas membro de uma sociedade de neurologia, mas também um integrante do Conselho Americano de Nutrição — o único médico dos Estados Unidos com as duas credenciais. Também sou membro fundador e integrante do Conselho Americano de Medicina Integral e Holística. Isso me permite ter uma perspectiva singular sobre a relação entre aquilo que comemos e o funcionamento de nosso cérebro. A maioria das pessoas não tem uma compreensão precisa disso, inclusive os médicos que se formaram anos antes da consolidação dessa nova ciência. Já era hora de atentarmos para o fato. Já era hora de alguém como eu sair de trás do microscópio e do consultório e falar ao público com franqueza. Afinal de contas, os números são alarmantes.

Para começo de conversa, o diabetes e as doenças do cérebro são os males mais dispendiosos e perniciosos nos Estados Unidos. São, porém, os mais fáceis de prevenir, e um está intimamente ligado ao outro: ter diabetes duplica o risco de ter o mal de Alzheimer. Na verdade, se existe uma coisa que este livro demonstra com clareza é que muitas das doenças que envolvem nosso cérebro possuem denominadores comuns. O diabetes e a demência podem não ter nenhuma relação aparente, como tampouco a sensibilidade ao glúten e a depressão, mas pretendo demonstrar como todas as disfunções cerebrais em potencial têm relação próxima com males que não consideramos "cerebrais". Também pretendo estabelecer correlações surpreendentes entre desordens cerebrais inteiramente diferentes, como o Parkinson e a propensão a agir de forma violenta, que indicam causas profundas de uma série de males ligados ao cérebro.

Embora já seja um fato estabelecido que os alimentos industrializados e os carboidratos refinados contribuíram para nossos problemas de obesidade e as chamadas alergias alimentares, ninguém até hoje soube explicar a relação entre os grãos e a saúde cerebral e, de uma forma mais geral, o DNA. É bastante simples: nossos genes determinam não apenas a forma como processamos os alimentos, mas também a forma como *reagimos* aos alimentos que ingerimos. Não resta dúvida de que um dos acontecimentos mais importantes e de maior impacto no declínio generalizado da saúde cerebral na sociedade moderna foi a introdução do grão de trigo na dieta humana. Embora seja verdade que nossos ancestrais do Neolítico consumiam muito pouco desse grão, aquilo que hoje chamamos de "trigo" tem pouca semelhança com a variedade selvagem que nossos antepassados consumiam em raras ocasiões. Com a hibridização moderna e as tecnologias de manipulação genética, os sessenta quilos de trigo que o americano consome em média a cada ano praticamente não guardam nenhuma semelhança genética, estrutural ou química com aquilo que os caçadores e coletores um dia consumiram. Aí reside o problema: cada vez mais nós vamos contra a fisiologia, usando ingredientes para os quais não fomos geneticamente preparados.

Que fique registrado: este não é um livro sobre a doença celíaca (um transtorno autoimune relacionado ao glúten que afeta um número pequeno de pessoas). Se a essa altura você está pensando que este livro não é para você porque nenhum médico o diagnosticou com qualquer mal ou transtorno, ou você nunca soube ter qualquer sensibilidade ao glúten, eu lhe peço: continue a ler. Isso diz respeito a todos nós. Eu costumo chamar o glúten de "germe silencioso", que pode lhe infligir danos permanentes sem que você se dê conta.

Para além das calorias, da gordura, das proteínas e dos macronutrientes, hoje é sabido que a alimentação é um poderoso modulador epigenético — isto é, que pode transformar nosso DNA, para melhor ou pior. Na verdade, além de servir como simples fonte de calorias, proteínas e gordura, a alimentação regula a expressão de muitos de nossos genes. E estamos só começando a entender as consequências danosas do consumo de trigo.

A maioria de nós acredita que pode levar a vida do jeito que for, e que quando sobrevier uma doença podemos recorrer ao médico, na esperança total de um conserto rápido sob a forma da mais recente e sensacional das pílulas. Esse roteiro estimula uma abordagem voltada para a doença, da parte dos médicos que desempenham o papel de fornecedores de pílulas. Mas essa abordagem possui um defeito trágico por dois motivos. Primeiro, ela foca na doença, e não na saúde. Segundo, os tratamentos propriamente ditos muitas vezes são eivados de consequências danosas. Por exemplo, vejamos um relatório recente da prestigiosa revista *Archives of Internal Medicine*, mostrando que mulheres na pós-menopausa que tomaram estatinas para reduzir o colesterol tiveram um aumento de quase 71% no risco de diabetes em comparação com aquelas que não tomaram a droga.[2] Esse simples exemplo se torna ainda mais relevante quando levamos em conta que se tornar diabético duplica o risco de sofrer de Alzheimer.

Hoje em dia assistimos a uma conscientização cada vez maior do público em relação aos efeitos do estilo de vida na saúde, assim como no risco de contrair certas doenças. Ouvimos falar o tempo todo de dietas "boas para o coração" ou conselhos para aumentar a ingestão de fibras como estratégia para reduzir o risco de câncer do cólon. Mas por que há tão pouca informação disponível sobre a melhor forma de manter nosso cérebro saudável? Será por que o cérebro está, de algum modo, vinculado à noção etérea de "mente", e isso nos induz a nos distanciar da capacidade de controlá-lo? Ou será que a indústria farmacêutica está empenhada em nos desestimular a perceber que escolhas de vida têm uma profunda influência em nossa saúde cerebral? O autor adverte: não serei gentil com a indústria farmacêutica. Conheço muito mais histórias de pessoas prejudicadas por ela do que beneficiadas. Nas páginas a seguir você conhecerá algumas dessas histórias.

Este livro trata das mudanças de estilo de vida que você pode realizar hoje para manter um cérebro saudável, vibrante e alerta, ao mesmo tempo reduzindo o risco de doenças cerebrais degenerativas no futuro. Dediquei mais de 35 anos ao estudo das doenças do cérebro. Minha rotina diária se concentra na criação de programas integrais destinados a reforçar as funções cerebrais de pessoas atingidas por males devastadores. Tenho contato diário com parentes e outros entes queridos cujas vidas foram viradas pelo avesso por causa de doenças cerebrais. É pungente para mim também. Todas as manhãs, antes de iniciar meu expediente, vou ver meu pai, que está com 96 anos. Brilhante ex-neurocirurgião, formado na prestigiosa Clínica Lahey, hoje ele vive num centro para a terceira idade, em frente ao estacionamento do meu consultório. Nem sempre ele se lembra do meu nome, mas quase nunca se esquece de me pedir para cuidar de cada um de seus pacientes. Faz mais de 25 anos que ele se aposentou.

As informações que vou lhe revelar não são apenas de tirar o fôlego: são inegavelmente conclusivas. Você deve mudar de imediato sua forma de comer. E deve olhar para si mesmo sob uma nova luz. Neste exato instante, você já deve estar se perguntando: *será que o estrago já está feito?* Assim como dizem que as queimaduras de sol na adolescência vão causar problemas muitos anos depois, seu cérebro já estaria condenado por todos esses anos comendo errado? Não entre em pânico. Acima de tudo, minha intenção com este livro é lhe dar poder, fornecendo-lhe um controle remoto para seu novo cérebro. Tudo depende daquilo que você fizer de hoje em diante.

A partir de décadas de estudos clínicos e laboratoriais (inclusive meus), assim como dos extraordinários resultados que testemunhei nas últimas três décadas, vou lhe contar tudo o que se sabe e como podemos tirar proveito desse conhecimento. Também apresentarei um plano de ação abrangente para transformar sua saúde cognitiva, acrescentando anos produtivos à sua vida. E os benefícios não se limitam à saúde cerebral. Estou em condições de prometer que esse programa ajudará em todos os pontos a seguir:

- problemas de memória e ligeira perda cognitiva, precursores frequentes do Alzheimer

- problemas de foco e concentração

- transtorno de atenção e hiperatividade

- depressão

- ansiedade e estresse crônico

- transtorno de humor

- epilepsia

- insônia

- dores de cabeça crônicas e enxaqueca

- doenças inflamatórias, inclusive artrite

- síndrome de Tourette

- problemas intestinais, inclusive doença celíaca, intolerância ao glúten e síndrome do cólon irritável

- diabetes

- sobrepeso e obesidade

Mesmo que você não sofra de nenhuma das condições acima, este livro pode ajudá-lo a preservar seu bem-estar e sua acuidade mental. Vale tanto para os idosos quanto para os jovens, inclusive mulheres que planejam ficar ou estão grávidas. No momento em que escrevo esta introdução, tomo conhecimento de mais um estudo mostrando que os recém-nascidos de mulheres intolerantes ao glúten têm mais risco de desenvolver esquizofrenia e outros transtornos psiquiátricos.[3] É uma descoberta importante e assustadora da qual toda mulher grávida precisa tomar conhecimento.

Testemunhei reviravoltas espantosas na saúde das pessoas, como o caso de um homem de 23 anos sofrendo de tremores incapacitantes, que desapareceram depois de pequenas e fáceis alterações na dieta, além de incontáveis casos de pacientes com epilepsia cujas crises acabaram no dia em que trocaram os grãos por mais gordura e proteína. Ou a mulher na casa dos trinta anos que vivenciou uma transformação extraordinária em sua saúde depois de passar por uma série de problemas sérios. Antes de se consultar comigo, ela sofria não apenas de enxaquecas arrasadoras, depressão e uma entristecedora infertilidade, mas também possuía uma doença rara, chamada distonia, que levava seus músculos a se contorcer em posições estranhas. Graças a alguns retoques simples na dieta, ela fez com que seu corpo e seu cérebro se recuperassem, desenvolvendo uma saúde... e uma gestação perfeitas. São histórias que falam por si mesmas e apenas exemplos de milhões de outras histórias, de gente que vive desnecessariamente com problemas de saúde que atrapalham suas vidas. Recebo vários pacientes que "tentaram de tudo" e passaram por todo tipo de exame ou tomografia existente na esperança de encontrar uma cura para sua condição. Com algumas receitas simples, que não exigem remédios, cirurgia nem psicoterapia, a maioria esmagadora de meus pacientes se curou e encontrou o caminho de volta para a saúde perfeita. Todas essas receitas estão aqui.

Um comentário rápido sobre a organização do livro: dividi o material em três partes, começando com um questionário abrangente, criado para lhe dar uma luz em relação a seus hábitos diários e como eles podem afetar o funcionamento e a vida de seu cérebro no longo prazo.

A primeira parte, "A verdade sobre o grão integral", leva você para um passeio pelos amigos e inimigos do seu cérebro, dos quais estes últimos o tornam vulnerável a disfunções e doenças. Virando de cabeça para baixo a tradicional pirâmide alimentar americana, vou explicar o que acontece quando o cérebro encontra ingredientes comuns como o trigo, a frutose (o açúcar natural encontrado nas frutas) e certas gorduras, provando que uma dieta extremamente pobre em carboidratos, mas rica em gordura, é ideal (estamos falando de não mais que sessenta gramas de carboidratos por dia — o equivalente a uma porção de fruta). Isso também pode parecer absurdo, mas vou recomendar que você comece a trocar seu pão de todas as manhãs por ovos na manteiga. Em breve você passará a consumir mais gorduras saturadas e colesterol, e repensar as seções que frequenta no supermercado. Aqueles que já receberam o diagnóstico de colesterol alto, e para quem já foram receitadas estatinas, vão tomar um susto: vou explicar o que realmente acontece em seu corpo e contar como remediar esse problema de uma forma fácil e deliciosa, sem remédios. Em detalhes convincentes, apoiados na ciência, vou apresentar uma nova visão a respeito dos processos inflamatórios — mostrando-lhe que, para controlar essa reação bioquímica potencialmente fatal, que é a causa central dos problemas cerebrais (sem falar em todas as doenças degenerativas, da cabeça aos pés), sua dieta vai ter que mudar. Vou mostrar como nossas escolhas alimentares podem controlar os processos inflamatórios ao mudar, na prática, a expressão de seus genes. E não adianta ingerir antioxidantes. Em vez disso, temos de comer ingredientes que ativam os próprios e poderosos processos antioxidantes e desintoxicantes do corpo. A primeira seção do livro inclui ainda uma exploração das mais recentes pesquisas a respeito da forma como podemos mudar nosso destino genético e, de fato, controlar o nosso DNA. São estudos tão fascinantes que vão inspirar até os sedentários mais fanáticos por *fast food*. A primeira parte termina com um olhar aprofundado sobre os transtornos psicológicos e comportamentais mais perniciosos, como o TDAH e a depressão, assim como as cefaleias. Explicarei como muitos desses casos podem ser tratados sem remédios.

Na segunda seção do livro, "Como curar seu cérebro", apresentarei os fundamentos científicos por trás dos hábitos que levam a um cérebro saudável. Isso implica três áreas principais: nutrição e suplementos, exercícios e sono. As lições aprendidas nessa parte o ajudarão a cumprir meu programa de um mês, descrito na terceira parte, "Diga adeus aos grãos". Ela inclui planejamento de cardápios, receitas e metas semanais. Se você necessitar de material de apoio e atualizações, entre em meu website, drperlmutter.com. Nele, você terá acesso aos estudos mais recentes, poderá ler meu blog e baixar material que o ajudará a adaptar as informações deste livro às suas preferências pessoais.

# Autoavaliação
## *Quais são os seus fatores de risco?*

Tendemos a pensar nas doenças do cérebro como algo que pode nos atingir a qualquer momento, sem razão aparente a não ser a predisposição genética. Ao contrário das doenças cardíacas, que progridem ao longo do tempo devido a uma combinação de certos fatores genéticos e de modo de vida, problemas cerebrais parecem sobrevir por acaso. Alguns de nós escapam, enquanto outros são "atingidos". Mas esse pensamento é errado. As disfunções cerebrais, na verdade, nada têm de diferente das disfunções cardíacas. Desenvolvem-se ao longo do tempo em decorrência de nosso comportamento e nossos hábitos. A boa notícia é que isso significa que podemos conscientemente prevenir os transtornos de nosso sistema nervoso, e até mesmo o declínio cognitivo, mais ou menos da mesma forma que podemos evitar problemas cardíacos: comendo do jeito certo e fazendo exercícios. A ciência atual afirma, na verdade, que muitas das doenças relacionadas ao cérebro, da depressão à demência, têm uma relação direta com nossas escolhas de alimentação e estilo de vida. Apesar disso, apenas uma em cada cem pessoas atravessará a vida sem qualquer diminuição das faculdades mentais.

Antes de mergulhar na ciência em que se baseia essa afirmação ousada, de que os transtornos cerebrais muitas vezes refletem uma nutrição inadequada, assim como outras conclusões contestadoras, vamos começar com um questionário simples que lhe dará uma ideia de quais hábitos podem estar lhe fazendo mal neste exato momento. O objetivo do questionário é medir seus fatores de risco atuais para problemas neurológicos, tanto os atuais — que podem se manifestar em enxaquecas, convulsões, transtornos motores e de humor, disfunções sexuais e TDAH — quanto um futuro declínio mental grave. Cada uma das perguntas se baseia nos estudos mais recentes e respeitados. Responda-as da forma mais franca possível. Não leve em conta a relação com as doenças do cérebro que minhas perguntas sugerem; apenas responda sinceramente "verdadeiro" ou "falso" a cada uma delas. Nos capítulos seguintes, você compreenderá por que eu fiz cada uma dessas perguntas e sua situação em relação aos fatores de risco. Caso você sinta que está no meio, entre o verdadeiro e o falso, e a resposta mais correta seria "às vezes", responda "verdadeiro".

1. Eu como pão (de qualquer tipo) — VERDADEIRO/ FALSO

2. Tomo suco de frutas (de qualquer tipo) — VERDADEIRO/ FALSO

3. Como mais de uma porção de fruta diariamente — VERDADEIRO/ FALSO

4. Troco o açúcar pelo xarope de ágave* — VERDADEIRO/ FALSO

5. Fico ofegante todos os dias ao caminhar — VERDADEIRO/ FALSO

6. Meu colesterol é inferior a 150 — VERDADEIRO/ FALSO

7. Sou diabético — VERDADEIRO/ FALSO

8. Estou acima do peso — VERDADEIRO/ FALSO

9. Como arroz, massas, cereais (de qualquer tipo) — VERDADEIRO/ FALSO

10. Tomo leite — VERDADEIRO/ FALSO

11. Não me exercito regularmente — VERDADEIRO/ FALSO

12. Tenho histórico familiar de problemas neurológicos — VERDADEIRO/ FALSO

* Nos Estados Unidos, o xarope de ágave, um adoçante natural, foi adotado por muitos consumidores como substituto do açúcar. (N. T.)

13. Não tomo suplemento de vitamina D   VERDADEIRO/ FALSO

14. Evito comer gorduras   VERDADEIRO/ FALSO

15. Tomo estatinas   VERDADEIRO/ FALSO

16. Evito alimentos ricos em colesterol   VERDADEIRO/ FALSO

17. Tomo refrigerantes (diet ou normais)   VERDADEIRO/ FALSO

18. Não tomo vinho   VERDADEIRO/ FALSO

19. Tomo cerveja   VERDADEIRO/ FALSO

20. Como cereais   VERDADEIRO/ FALSO

Resultado: a nota perfeita neste teste seria um redondo zero de alternativas verdadeiras. Se você respondeu "verdadeiro" a uma única pergunta, seu cérebro — e todo o seu sistema nervoso — corre mais risco de desenvolver doenças e transtornos do que se você tivesse marcado "falso". E quanto mais "verdadeiros" você tiver somado, maior o seu risco. Se você marcou mais de dez, está na zona de risco para sérios problemas neurológicos, que podem ser prevenidos, mas, caso sejam diagnosticados, podem não ter cura.

## TESTANDO, TESTANDO, UM, DOIS, TRÊS

"Que risco eu corro?" Muitas pessoas me fazem essa pergunta todos os dias. A boa notícia é que hoje tenho condições de estabelecer perfis médicos individualizados e determinar o risco de cada pessoa desenvolver certas doenças — do Alzheimer à obesidade (hoje um fator de risco bem documentado para problemas cerebrais) —, e acompanhá-los ao longo do tempo para avaliar a evolução de cada um. Os testes de laboratório relacionados abaixo já estão disponíveis. Em capítulos ulteriores, você saberá mais a respeito desses testes, bem como a respeito de ideias para melhorar seus resultados. Não hesite em levar esta lista consigo, em sua próxima consulta, e pedir ao seu médico que solicite os seguintes exames laboratoriais:

- **Glicemia de jejum**: ferramenta comumente usada no diagnóstico do diabetes e do pré-diabetes, é o exame que mede a taxa de açúcar (glicose) em seu sangue depois de oito horas sem comer. Um nível entre 70 e 100 miligramas por decilitro (mg/dL) é considerado normal. Acima disso, seu corpo apresenta sinais de resistência à insulina e diabetes, e um risco mais elevado de problemas cerebrais.

- **Hemoglobina Glicada (A1c)**: ao contrário do exame de açúcar no sangue, este teste revela uma taxa "média" de açúcar ao longo de um período de noventa dias, o que fornece uma indicação muito mais precisa do controle geral do açúcar no sangue. Como indica o dano às proteínas do cérebro provocado pelo açúcar, é um dos melhores preditores de atrofia cerebral.

- **Frutosamina**: similar ao exame de hemoglobina glicada, o exame de frutosamina é usado para medir o nível médio de açúcar no sangue, mas num período inferior.

- **Insulina de jejum**: muito antes de o nível de açúcar no sangue começar a se elevar, à medida que a pessoa se torna diabética, o nível de insulina de jejum começa a aumentar, indicando que o pâncreas está fazendo hora extra para lidar com o excesso de carboidratos na dieta. É um alerta precoce muito eficiente para se antecipar à curva do diabetes e tem enorme relevância na prevenção de problemas cerebrais.

- **Homocisteína**: níveis elevados desse aminoácido estão associados a várias condições, incluindo a aterosclerose (estreitamento e endurecimento das artérias), doenças cardíacas, derrames e demência; pode-se reduzi-la facilmente, em geral, com vitaminas B específicas.

- **Vitamina D**: hoje reconhecida como um hormônio cerebral crucial (não é uma vitamina).

- **PCR (proteína C-reativa)**: é um marcador de processos inflamatórios.

- **Cyrex matriz 3**: é o marcador mais abrangente disponível para o mapeamento da sensibilidade ao glúten.

- **Cyrex matriz 4 (facultativo)**: mede a sensibilidade "cruzada" a 24 alimentos em relação aos quais um indivíduo intolerante ao glúten também pode sofrer reações.

Mesmo que você opte por não realizar esses exames agora, uma compreensão geral deles e de seu significado pode ajudá-lo a aderir aos princípios deste livro. Farei referência a esses exames e o que eles implicam ao longo do texto.

PARTE I

PARTE I

# A VERDADE SOBRE O GRÃO INTEGRAL

Se lhe parece estapafúrdia a ideia de que seu cérebro sofre depois de um delicioso prato de massa ou de uma doce rabanada, prepare-se. Talvez você já saiba que o açúcar processado e os carboidratos não sejam propriamente excelentes para você, ainda mais em excesso, mas e os chamados carboidratos saudáveis, como os grãos integrais e os açúcares naturais? Bem-vindo à verdade sobre o grão integral. Nesta seção, vamos explorar o que acontece com o cérebro quando ele é bombardeado por carboidratos, muitos dos quais abarrotados de ingredientes inflamatórios, como o glúten, que podem causar irritação em seu sistema nervoso. O estrago pode começar com incômodos diários, como dores de cabeça e ansiedade sem motivo, e evoluir para transtornos mais assustadores, como a depressão e a demência.

Também vamos examinar o papel que problemas metabólicos comuns, como a resistência à insulina e o diabetes, desempenham nas disfunções neurológicas e verificar como provavelmente as epidemias de obesidade e Alzheimer se devem ao nosso amor incondicional pelos carboidratos e nosso desdém absoluto pela gordura e pelo colesterol.

No fim desta seção você verá com novos olhos uma dieta gordurosa e ficará mais bem informado a respeito da maioria dos carboidratos. Você também aprenderá o que pode ser feito para promover o crescimento de novas células cerebrais, adquirir controle sobre seu destino genético e proteger suas faculdades mentais.

# 1. A maior causa das doenças do cérebro
## O que você não sabe sobre as inflamações

*A principal função do cérebro é carregar o cérebro por toda parte.*
Thomas Alva Edison

Imagine-se transportado de volta ao período Paleolítico, quando os primeiros seres humanos viviam em cavernas e cruzavam as savanas, milhares de anos atrás. Faça de conta, por um instante, que o idioma não é uma barreira e que você pode se comunicar facilmente com eles. Você tem a oportunidade de lhes contar como é o futuro. Sentado de pernas cruzadas, no chão poeirento, na frente de uma fogueira aconchegante, você começa pela descrição das maravilhas do nosso mundo tecnológico, com seus aviões, trens, automóveis, arranha-céus, computadores, televisões, smartphones e a supervia de informação que é a internet. O ser humano já viajou à Lua — e voltou. Em algum momento, a conversa muda para outros assuntos relativos ao estilo de vida, e como é, de verdade, a vida no século XXI. Você mergulha numa descrição da medicina moderna e sua estupenda variedade de remédios para tratar problemas e combater vírus e doenças. As ameaças graves à sobrevivência são poucas e raras. Poucos são os que têm de se preocupar com predadores, fome e pestes. Você explica como é fazer compras em feiras e supermercados, conceitos inteiramente estranhos àqueles indivíduos. A comida é abundante, e você menciona coisas como cheeseburgers, batatas fritas, refrigerantes, pizzas, rosquinhas, pães, panquecas, *waffles*, bolos, massas, salgadinhos, biscoitos, cereais, sorvetes e doces. Dá para comer frutas o ano inteiro, e praticamente todo tipo de comida está disponível ao toque de um botão ou a alguns quilômetros de carro. Água mineral e sucos são transportados em garrafas. Embora você tente evitar falar em marcas, é difícil, uma vez que se tornaram parte fundamental do seu cotidiano — Starbucks, Skittles, Domino's, Subway, McDonald's, Gatorade, Häagen-Dazs, Coca-Cola, Hershey's, Budweiser. A lista não para.

Abismados, seus antepassados mal conseguem imaginar esse futuro. A maior parte das características relatadas por você é inconcebível; eles não têm sequer como visualizar um restaurante de fast-food ou uma confeitaria. É impossível expressar em palavras compreensíveis o termo "junk food". Antes mesmo que você comece a citar algumas das façanhas realizadas pela humanidade ao longo dos milênios, como a agricultura e o pastoreio, e a posterior industrialização da alimentação, os homens do Paleolítico fazem perguntas sobre os desafios enfrentados pelo homem moderno. A primeira coisa que lhe vem à mente é a epidemia de obesidade, que tem recebido tanta atenção da mídia. Não é um tema de fácil compreensão para eles, com seus corpos esguios e torneados, nem tampouco seu relato sobre as doenças crônicas que são cada vez mais comuns na humanidade — problemas cardíacos, diabetes, depressão, doenças autoimunes, câncer, demência. O que é uma "doença autoimune"? O que causa "diabetes"? O que é "demência"? Neste momento você está falando outra língua. Na verdade, à medida que faz a lista do que mata no futuro, tentando descrever cada mal da melhor maneira possível, você se depara com olhares confusos e incrédulos. Você pintou um quadro belo e exótico do futuro na mente daquelas pessoas, mas em seguida o destruiu com causas de morte mais assustadoras do que morrer de uma infecção ou devorado por um predador de nível mais alto na cadeia alimentar. A ideia de viver com uma condição crônica, que leva a uma morte lenta e dolorosa, soa terrível. E quando você tenta convencê-los de que as doenças degenerativas prolongadas podem ser o preço a se pagar para ter uma vida mais longa que a deles, seus ancestrais pré-históricos não concordam. E, então, tampouco você. Algo parece errado nesse quadro.

Como espécie, somos genética e fisiologicamente idênticos a esses humanos que viveram antes da aurora da agricultura. E somos o produto de design ideal — criado pela natureza ao longo de milhares de gerações. Não nos consideramos mais caçadores e coletores, mas nossos corpos, com certeza, ainda se comportam como tal, do ponto de vista biológico. Geneticamente, somos idênticos.

Digamos agora que durante sua viagem de volta no tempo, até os dias de hoje, você comece a refletir sobre sua experiência com nossos antepassados. É fácil ficar impressionado com o quanto progredimos, do ponto de vista tecnológico. Mas também é inevitável pensar no sofrimento desnecessário de milhões de seus contemporâneos. Você pode se sentir esmagado pelo fato de que doenças que podem ser prevenidas respondem por mais mortes no mundo inteiro, hoje, do que todas as demais doenças, somadas. É duro de engolir. O fato é que podemos estar vivendo mais tempo que nossos ancestrais, mas isso não compensa o fato de que podíamos estar vivendo muito melhor — desfrutando de nossas vidas livres de doenças —, sobretudo na segunda metade dela, quando o risco de moléstias aumenta. Embora seja verdade que vivemos mais tempo que as gerações anteriores, a maior parte desse ganho se deve à redução da mortalidade infantil e à melhora na saúde infantil. Em outras palavras, aprendemos a evitar os acidentes e as doenças da infância. Não aprendemos, infelizmente, a prevenir e combater as doenças que nos atingem quando envelhecemos. E, embora possamos argumentar que hoje existem tratamentos muito mais eficazes para vários males, isso não apaga a constatação de que milhões de pessoas sofrem desnecessariamente de condições que poderiam ter sido evitadas. Quando elogiamos a expectativa média de vida dos Estados Unidos hoje, não podemos nos esquecer da qualidade de vida.

Quando eu estava na faculdade de medicina, décadas atrás, minha formação girou em torno do diagnóstico e do tratamento das doenças, ou, conforme o caso, como curar cada mal com remédio ou terapia. Aprendi a reconhecer os sintomas e a chegar a uma solução que os atacasse. Desde então, muita coisa mudou, não só porque diminuiu a probabilidade de encontrarmos doenças de tratamento e cura fáceis, mas porque viemos a compreender muitas de nossas doenças crônicas contemporâneas pela lente de um denominador comum: o processo inflamatório. Portanto, em vez de identificar doenças infecciosas e atacar os males cujos culpados já são conhecidos — como os germes, os vírus e as bactérias —, os médicos de hoje se veem diante de um número infindável de condições para as quais eles não têm respostas claras. Não tenho como escrever uma receita para curar o câncer de alguém, superar uma dor inexplicável, reverter instantaneamente o diabetes ou restaurar um cérebro que foi apagado pelo mal de Alzheimer. Posso, certamente, tentar mitigar os sintomas e cuidar da reação do corpo. Mas existe uma grande diferença entre tratar a raiz de uma doença e apenas manter afastados os seus sintomas. Um dos meus filhos estuda medicina, e a relação com ele me faz perceber como os tempos mudaram no meio acadêmico. Os futuros médicos já não aprendem apenas como diagnosticar e tratar; eles recebem formação para *pensar* de uma maneira que ajude a lidar com as epidemias contemporâneas, muitas delas enraizadas em processos inflamatórios fora de controle.

Antes de chegar à conexão entre esses processos inflamatórios e o cérebro, proponho uma reflexão sobre aquilo que considero uma das mais monumentais descobertas de nosso tempo: a origem dos problemas cerebrais é, em muitos casos, predominantemente alimentar. Embora diversos fatores contribuam para a gênese e a evolução dos problemas cerebrais, diversos males neurológicos refletem, em grande parte, o equívoco de ingerir carboidratos em excesso e gorduras saudáveis abaixo do necessário. A melhor forma de compreender essa verdade é levar em conta o mal mais temido de todos — o Alzheimer — e enxergá-lo dentro do contexto de uma forma de diabetes desencadeada exclusivamente pela alimentação. Todos nós sabemos que uma dieta ruim pode levar à obesidade e ao diabetes. À destruição do cérebro também?

## O MAL DE ALZHEIMER — UM TERCEIRO TIPO DE DIABETES?

Volte à sua viagem no tempo com os caçadores e coletores do Paleolítico. Os cérebros deles não são muito diferentes do seu. Ambos evoluíram para procurar alimentos ricos em gordura e açúcar. Afinal de contas, trata-se de um mecanismo de sobrevivência. O problema é que seu esforço caçador não dura muito; afinal, você vive na era da abundância, e é mais provável que encontre gorduras e açúcares processados. Seus colegas das cavernas, provavelmente, perderão muito tempo nessa procura, e o máximo que encontrarão serão gorduras de animais e açúcares naturais de plantas e frutas, se estiverem na estação correta. Portanto, embora seu cérebro funcione de maneira similar, suas fontes de nutrição são tudo, menos similares. Observe, a propósito, os gráficos abaixo, que apresentam as principais diferenças entre a nossa dieta e a de nossos ancestrais:

E o que, exatamente, essa diferença de hábitos alimentares tem a ver com envelhecimento saudável e com sofrer ou não de transtornos e doenças neurológicas?

Tudo.

As pesquisas que descrevem o Alzheimer como um terceiro tipo de diabetes começaram a surgir em 2005,[1] mas a correlação entre uma dieta inadequada e o Alzheimer só veio à luz recentemente, graças a novos estudos.[2, 3] Esses estudos são assustadoramente convincentes. A ideia de poder prevenir o Alzheimer com uma simples mudança naquilo que comemos é, digamos, espantosa. Ela tem muitas consequências na prevenção não apenas do Alzheimer, mas de todos os outros transtornos cerebrais, como você descobrirá nos capítulos a seguir. Mas, antes disso, acho fundamental entender o que o diabetes e o cérebro têm em comum.

Do ponto de vista evolutivo, nosso corpo criou uma maneira brilhante de transformar o combustível dos alimentos em energia para o uso de nossas células. Durante quase toda a existência de nossa espécie, a glicose — principal fonte de energia para a maioria das células do nosso corpo — foi uma substância escassa. Isso nos levou a criar maneiras de armazená-la e de transformar outras coisas em glicose. O corpo pode fabricar glicose a partir de gorduras ou proteínas, se necessário, por meio de um processo chamado "gluconeogênese". Mas isso exige mais energia que a conversão de amido e açúcar em glicose, uma reação química mais simples.

O processo pelo qual nossas células aceitam e utilizam a glicose é complexo. As células não sugam, simplesmente, a glicose que passa por elas na corrente sanguínea. É preciso que a insulina, um hormônio produzido no pâncreas, permita o acesso dessa molécula vital às células. A insulina, como talvez você já saiba, é uma das substâncias biológicas mais importantes para o metabolismo. Seu papel é levar a glicose da corrente sanguínea para as células musculares, adiposas e hepáticas. Uma vez nelas, a glicose pode ser usada como combustível. Em geral, células saudáveis têm uma alta sensibilidade à insulina. Mas quando as células são expostas constantemente a altos níveis de insulina, como resultado de uma ingestão constante de glicose (grande parte em razão de um consumo exagerado de alimentos hiperprocessados, recheados de açúcares refinados que levam os níveis de insulina a picos acima do limite saudável), nossas células se adaptam reduzindo, na própria superfície, o número de receptores que reagem à insulina. Em outras palavras, nossas células se dessensibilizam à insulina, gerando uma condição chamada "resistência à insulina", que lhes permite ignorá-la e não absorver a glicose do sangue. Então, o pâncreas reage bombeando ainda mais insulina. Assim, para que o açúcar chegue às células, são necessários níveis elevados do hormônio. Isso cria um círculo vicioso que, por fim, culmina no diabetes tipo 2. Quem sofre de diabetes tem açúcar alto porque o corpo não consegue transportar o açúcar para as células, onde ele pode ser armazenado com segurança para gerar energia. E esse açúcar no sangue acarreta muitos problemas — mais do que é possível mencionar. Como um caco de vidro, o açúcar tóxico provoca um enorme estrago, levando à cegueira, a infecções, a danos aos nervos, a doenças cardíacas e, sim, também ao Alzheimer. Ao longo dessa cadeia de eventos, o corpo sofre diversos processos inflamatórios.

Para piorar as coisas, devo acrescentar que a insulina pode ser vista como cúmplice do que ocorre quando não é possível controlar adequadamente o açúcar no sangue. Infelizmente, a insulina não se limita a acompanhar a glicose até as células. Também é um hormônio anabólico, ou seja, estimula o crescimento, promove a formação e a retenção de gordura e é um hormônio que contribui para os processos inflamatórios. Quando o nível de insulina está elevado, outros hormônios podem ser afetados. Isso, por sua vez, leva o corpo a padrões ainda mais insalubres, que reduzem sua capacidade de restabelecer o metabolismo normal.[4]

A genética certamente tem a ver com o desenvolvimento de diabetes e também pode determinar em que momento as células deixam de tolerar o açúcar alto no sangue. Convém notar que o diabetes tipo 1 é uma doença à parte, um transtorno autoimune. Representa apenas 5% dos casos. Quem sofre de diabetes tipo 1 produz pouca ou nenhuma insulina porque o sistema imunológico ataca e destrói as células que a produzem. Por isso, injeções diárias do hormônio são necessárias para manter o nível de açúcar no sangue equilibrado. Ao contrário do tipo 2, que costuma ser diagnosticado nos adultos depois de anos e anos de consumo excessivo de glicose, o diabetes tipo 1 costuma ser detectado em crianças e adolescentes. E, ao contrário do tipo 2, que pode ser revertido por meio de dieta e mudança de hábitos pessoais, o tipo 1 não tem cura. Dito isso, é importante ter em mente que, embora os genes tenham forte influência sobre o risco de se desenvolver o diabetes tipo 1, fatores ambientais também têm seu papel. Sabe-se há muitos anos que o tipo 1 resulta de influências genéticas e ambientais, mas o aumento em sua incidência nas últimas décadas levou alguns pesquisadores a concluir que os fatores ambientais são, cada vez mais, responsáveis pelo desenvolvimento do tipo 1, mais até, talvez, que a predisposição genética.

---

**UMA TRISTE REALIDADE**

Mais de 186 mil pessoas abaixo dos vinte anos têm diabetes (seja do tipo 1 ou 2) nos Estados Unidos.[5] Não mais que uma década atrás, o diabetes tipo 2 era conhecido como um diabetes da idade adulta, mas o termo foi abandonado diante do alto número de diagnósticos entre jovens. E novos estudos mostram que a evolução da doença ocorre mais rapidamente nas crianças que nos adultos. Ela também é de tratamento mais difícil quando constatada precocemente.

---

Algo relevante que estamos começando a entender em relação à resistência à insulina é que ela desencadeia a formação das famigeradas "placas" presentes nos cérebros adoecidos pelo mal de Alzheimer. Essas placas representam o acúmulo de proteínas isoladas que, essencialmente, tomam conta do cérebro e assumem o lugar de células cerebrais saudáveis. E a constatação de que é possível associar baixos níveis de insulina com problemas cerebrais está levando o termo "diabetes tipo 3" a se consolidar entre os pesquisadores. Diz muito sobre isso o fato de que os obesos sofrem um risco muito maior de perda de funções cerebrais, e o fato de que os diabéticos têm no mínimo o dobro de chance de desenvolver Alzheimer.

Essa afirmação não significa que o diabetes seja a causa do mal de Alzheimer, mas apenas que ambas as doenças compartilham a mesma origem. Ambas advêm de alimentos que forçam o corpo a desenvolver funções biológicas que levam à disfunção e, mais adiante, à moléstia. É fato que um diabético e uma pessoa com demência parecem e agem de formas diferentes, mas têm muito mais em comum do que se acreditava.

Na década passada, testemunhamos um crescimento concomitante no número de casos de diabetes tipo 2 e de obesidade. Só agora, porém, estamos começando a identificar um padrão entre os que sofrem de demência, à medida que o índice de casos de Alzheimer aumenta em sincronia com os de diabetes tipo 2. Não acredito que essa constatação seja arbitrária. É uma realidade que precisamos encarar. Estimativas recentes indicam que o Alzheimer deverá afetar 100 milhões de pessoas em 2050, um número insuportável para nossos sistemas de saúde e que fará a atual epidemia de obesidade parecer pequena.[6] A prevalência do diabetes tipo 2, que representa 90% a 95% de todos os casos de diabetes nos Estados Unidos, triplicou nos últimos quarenta anos. Não surpreende que o governo americano esteja numa busca frenética por pesquisadores que melhorem o prognóstico e evitem essa catástrofe. E nos próximos quarenta anos esperam-se mais de 115 milhões de novos casos de Alzheimer no mundo inteiro, que custarão mais de 1 trilhão de dólares, em valores atuais.[7, 8] Segundo o Centro para o Controle e a Prevenção de Doenças, em 2010 havia 18,8 milhões de americanos com diagnóstico de diabetes, além de 7 milhões sem diagnóstico. Entre 1995 e 2010, o número de casos de diabetes diagnosticados deu um salto de 50% ou mais em 42 estados, e de 100% ou mais em dezoito estados.[9]

## UM INCÊNDIO SILENCIOSO NO CÉREBRO

Uma das perguntas que mais ouço em meu consultório, feita pelos parentes de pacientes com Alzheimer, é: "O que minha mãe [ou meu pai, meu irmão, minha irmã] fez de errado?". Procuro ter cuidado ao dar a resposta num momento tão delicado na vida de uma família. Ver meu próprio pai decair lentamente, um dia após o outro, me faz lembrar constantemente o sentimento confuso por que passam meus pacientes. A frustração se mistura com impotência, a angústia se confunde com lamento. Mas se pudesse contar a um familiar (e aí me incluo) a verdade absoluta, considerando tudo o que sabemos hoje, eu diria que o ente querido pode ter feito algo errado:

- viveu com níveis elevados de açúcar no sangue, mesmo sem ser diabético

- comeu carboidratos em excesso ao longo da vida

- optou por uma dieta pobre em gorduras, minimizando o colesterol

- tinha sensibilidade, não diagnosticada, ao glúten, proteína que encontramos no trigo, no centeio e na cevada

Quando digo às pessoas que a sensibilidade ao glúten representa a maior e mais subestimada ameaça à saúde humana, a resposta que ouço é mais ou menos a mesma: "Você está brincando. Nem todo mundo é intolerante ao glúten. Tirando, claro, quem sofre de doença celíaca". E quando lembro que todos os estudos recentes apontam que o veneno do glúten está provocando não apenas demência, mas epilepsia, dores de cabeça, depressão, esquizofrenia, TDAH e até redução na libido, costuma prevalecer o mesmo discurso: "Não entendo o que você quer dizer". Dizem isso porque tudo o que grande parte das pessoas sabe sobre o glúten diz respeito à saúde intestinal, e não ao bem-estar neurológico.

No próximo capítulo, vamos falar sobre o glúten mais detidamente. O glúten não é um problema apenas para quem sofre de doença celíaca, um transtorno autoimune que atinge uma minoria diminuta. Pelo menos 40% de nós não conseguimos processá-lo corretamente, e os 60% restantes podem estar correndo riscos sem saber. A pergunta que deveríamos estar fazendo é: *E se do ponto de vista do cérebro fôssemos todos sensíveis ao glúten?* Infelizmente, o glúten pode ser encontrado não apenas em derivados de trigo, mas nos produtos mais insuspeitados — de sorvete a cremes para as mãos. Um número cada vez maior de estudos confirma o elo entre sensibilidade ao glúten e disfunções neurológicas. É o que também observo diariamente em meu consultório. Muitos dos meus pacientes só me procuram depois que "tentaram de tudo" e visitaram vários outros médicos em busca de auxílio. Sejam dores de cabeça e enxaquecas, síndrome de Tourette, convulsões, insônia, ansiedade, TDAH, depressão ou um conjunto variado de sintomas neurológicos sem rótulo definido. Uma das primeiras coisas que faço é prescrever a eliminação total do glúten em suas dietas. E os resultados continuam me surpreendendo.

Já faz algum tempo que os pesquisadores sabem que o marco de todas as condições neurológicas, inclusive os transtornos cerebrais, são os processos inflamatórios. Mas até agora os desencadeadores desses processos inflamatórios não haviam sido estudados. E o que os estudos vêm mostrando é que o glúten e, por consequência, uma dieta rica em carboidratos estão entre os principais estimulantes de processos inflamatórios que atingem o cérebro. O que é mais perturbador nessa descoberta, porém, é que frequentemente nem ficamos sabendo que nosso cérebro está sendo negativamente afetado. Transtornos digestivos e alergias alimentares são muito mais fáceis de identificar, porque sintomas como gases, inchaço, dor, constipação e diarreia surgem de forma relativamente rápida. Mas o cérebro é um órgão muito mais esquivo. Pode estar sofrendo ataques, em nível molecular, sem que você se dê conta. A menos que você esteja tratando de uma dor de cabeça ou cuidando de um problema neurológico evidente, pode ser difícil ficar sabendo o que está ocorrendo no cérebro até quando já é tarde demais. Quando se trata de problemas cerebrais, uma vez feito o diagnóstico de algo como a demência, fica difícil fazer o relógio andar para trás.

A boa notícia é que seu destino genético pode ser controlado, mesmo que você tenha nascido com uma tendência natural a desenvolver um problema neurológico. Isso exige se libertar de alguns mitos aos quais as pessoas continuam a se agarrar. Os dois maiores:

1. uma dieta pobre em gordura e rica em carboidratos é boa; e

2. o colesterol é ruim.

A história não acaba com a eliminação do glúten. O glúten é apenas uma peça do quebra-cabeça. Nos capítulos a seguir, você compreenderá por que o colesterol desempenha um papel dos mais importantes na manutenção da saúde e das funções do cérebro. Estudos mostram que o colesterol alto reduz o risco de doenças cerebrais e aumenta a longevidade. Da mesma forma, níveis elevados de gordura (do tipo certo) na dieta se mostraram decisivos para a saúde do cérebro e para seu funcionamento ideal.

*Como assim?* Sei que você pode estar duvidando dessas afirmações porque elas vão totalmente contra aquilo que lhe fizeram crer. Um exemplo rápido: um dos estudos mais reconhecidos e respeitados já realizados nos Estados Unidos, o famoso Estudo do Coração de Framingham, continua em andamento e adicionou um enorme volume de dados à nossa compreensão de determinados fatores de risco para a saúde, incluindo mais recentemente a demência. O estudo começou em 1948 com o recrutamento de 5209 homens e mulheres, entre trinta e 62 anos, da cidade de Framingham, no estado de Massachusetts. Nenhuma delas tinha sofrido ataque cardíaco ou derrame, nem sequer desenvolvido sintomas de doenças cardiovasculares.[10] Desde então, o estudo adicionou várias gerações, descendentes do grupo original, o que permitiu aos cientistas monitorar cuidadosamente essa população e reunir pistas de condições psicológicas no contexto de inúmeros fatores — idade, sexo, perfil psicossocial, características físicas e padrões genéticos. No meio da década de 2000, pesquisadores da Universidade de Boston decidiram examinar a relação entre o nível total de colesterol e o desempenho cognitivo, e observaram 789 homens e 1105 mulheres que faziam parte do grupo original. Nenhum dos indivíduos sofria de demência ou tivera derrame no começo do estudo, e todos foram acompanhados durante dezesseis a dezoito anos. Testes cognitivos foram realizados a cada quatro ou seis anos, avaliando itens como memória, aprendizagem, formação de conceitos, concentração, atenção, raciocínio abstrato e habilidade organizacional — todas elas características que ficam comprometidas nos pacientes com Alzheimer.

Segundo o relatório do estudo, publicado em 2005, "houve uma associação linear positiva significativa entre o colesterol total e as medidas de fluência verbal, atenção/ concentração, raciocínio abstrato e um placar geral medindo múltiplas áreas cognitivas".[11] Além disso, "os participantes com o colesterol total 'desejável' (inferior a 200) se saíram pior que os participantes com níveis de colesterol total limítrofe (200 a 239) e os participantes com níveis de colesterol total elevado (superior a 240)". A conclusão do estudo era: "níveis totais de colesterol que ocorrem naturalmente estão associados a desempenho ruim nas medições cognitivas, que exigem alto raciocínio abstrato, atenção/concentração, fluência verbal e capacidade funcional de execução". Em bom português, aqueles que tinham níveis de colesterol *mais altos* tiveram resultado superior nos testes cognitivos em relação àqueles com níveis mais baixos. Fica evidente que há um fator protetor quando estamos falando de cérebro e colesterol. No capítulo 3, vamos explorar como isso pode ser possível.

Estudos continuam a surgir, em diferentes laboratórios mundo afora, virando de cabeça para baixo o senso comum. No momento em que escrevo, pesquisadores da Universidade Nacional da Austrália, em Camberra, acabam de publicar um estudo na revista *Neurology* (da Academia Americana de Neurologia), mostrando que pessoas com açúcar no sangue no extremo mais alto da faixa considerada "normal" têm um risco muito maior de diminuição do volume cerebral.[12] Isso tem a ver diretamente com a discussão sobre o "diabetes tipo 3". Há tempos se sabe que os problemas cerebrais e a demência estão associados à diminuição das funções cerebrais. Mas a descoberta de que essa diminuição pode ocorrer em razão de picos do açúcar no sangue na faixa "normal" tem importantes consequências para todos que comem alimentos que elevam esse açúcar (isto é, os carboidratos). É comum eu ouvir dos pacientes que eles estão bem, porque o açúcar no sangue está normal. Mas o que é "normal"? Um exame de laboratório pode indicar que um indivíduo está "normal", pelo padrão estabelecido, mas novos estudos estão levando a reconsiderar os parâmetros normais. Sua taxa de açúcar no sangue pode estar "normal", mas se você examinasse seu pâncreas, levaria um susto ao descobrir o esforço que ele está fazendo para bombear insulina o bastante para manter esse equilíbrio. É por isso que é crucial um exame de insulina de jejum, feito bem cedo de manhã antes da primeira refeição. Um nível de insulina elevado nesse horário é um sinal vermelho, um sinal de que algo está errado do ponto de vista metabólico. Você pode estar à beira de um diabetes e já estar privando seu cérebro de parte de sua funcionalidade futura.

O estudo australiano envolveu 249 pessoas entre sessenta e 64 anos que tinham açúcar no sangue na faixa considerada normal. Elas foram submetidas a tomografias do cérebro no início do estudo e, em média, quatro anos depois. Aqueles com níveis de açúcar no sangue dentro da faixa normal mostraram maior probabilidade de perda de volume cerebral nas regiões relacionadas à memória e às habilidades cognitivas. Os pesquisadores tiraram da conta o peso de outros fatores, como idade, pressão arterial elevada, fumo e álcool. Mesmo assim, concluíram que o açúcar elevado no sangue, no topo daquilo que é normal, é responsável por 6% a 10% do encolhimento do cérebro. Esse estudo sugere que os níveis de açúcar no sangue podem ter um impacto na saúde do cérebro mesmo entre aqueles que não são portadores de diabetes.[13]

O açúcar alto e, de maneira similar, o desequilíbrio na insulina são epidêmicos. Na próxima década, um em cada dois americanos sofrerá de "diabesidade" — termo que passou a ser usado para descrever uma série de desequilíbrios metabólicos, que vão de uma leve resistência à insulina ao diabetes, passando pelo pré-diabetes. O fato mais duro de aceitar é que incríveis 90% dessas pessoas não serão diagnosticadas. Tocarão a vida e só ficarão sabendo do problema quando for tarde demais. Minha missão é impedir esse destino infeliz. A ideia não é pôr uma tranca depois que a porta foi arrombada, mas evitar o mal antes que ele seja feito. Isso vai exigir mudanças nos hábitos alimentares.

Se a ideia de entrar numa dieta pobre em carboidratos o assusta (você já deve estar roendo as unhas ao pensar em todas aquelas comidas deliciosas que aprendeu a amar), não desista ainda. Prometo tornar isso o mais fácil possível. Posso tirar o cesto de pães, mas vou substituí-lo por outras coisas que talvez você venha evitando, por acreditar na ideia errada de que elas poderiam ser nocivas a você, como manteiga, carne, queijo, ovos e uma enorme quantidade de vegetais maravilhosamente saudáveis. A melhor de todas as notícias é que assim que você alterar o metabolismo de seu corpo, deixando de se basear nos carboidratos e mudar para gorduras e proteínas, você vai ver como será mais fácil atingir uma série de metas desejáveis, como perder peso sem esforço e de forma permanente, sentir-se com mais energia durante o dia, dormir melhor, ser mais criativo e produtivo, ter uma memória mais aguçada, um cérebro mais rápido e desfrutar de uma vida sexual melhor. Tudo isso, é claro, além de proteger seu cérebro.

## QUANDO A INFLAMAÇÃO ATINGE O CÉREBRO

Todo mundo tem uma ideia razoável do significado do termo "inflamação", em sentido amplo. Seja a vermelhidão que aparece rapidamente depois de uma picada de inseto ou a dor crônica causada por uma articulação com artrite, a maioria de nós compreende que, quando ocorre algum tipo de estresse no corpo, a reação fisiológica natural é o surgimento de inchaço e dor, marcas de um processo inflamatório. Mas uma inflamação nem sempre é uma reação negativa. Também pode funcionar como indicador de que o corpo está se defendendo de algo que considera potencialmente nocivo. Seja para neutralizar as toxinas do inseto, seja para reduzir os movimentos num tornozelo torcido, as inflamações são vitais para a nossa sobrevivência.

Problemas surgem, porém, quando uma inflamação fica fora de controle. Da mesma forma que uma taça de vinho é saudável, mas várias taças podem gerar problemas de saúde, a regra também vale para as inflamações. Em geral, seu objetivo é ser um tratamento tópico. Não pode durar períodos de tempo prolongados, tampouco para sempre. Mas é isso que tem ocorrido com milhões de pessoas. Quando o corpo sofre o ataque constante da exposição a agentes irritantes, a reação inflamatória permanece. E se espalha pelo corpo todo através da corrente sanguínea. É por isso que conseguimos detectar esse tipo de inflamação generalizada por meio de exames de sangue.

Quando um processo inflamatório sai de controle, são produzidas diversas substâncias químicas, que são diretamente tóxicas para nossas células. Isso leva a uma redução das funções celulares, seguida da destruição de células. Processos inflamatórios descontrolados se generalizaram nas sociedades ocidentais, e importantes estudos científicos

mostram que eles são uma causa fundamental de morbidade e mortalidade, associada a doenças coronarianas, câncer, diabetes, Alzheimer e
virtualmente todas as doenças crônicas que você puder imaginar.

Não é exagero examinar de que forma um processo inflamatório
que não foi dominado pode estar na origem de um problema como a
artrite, por exemplo. Afinal de contas, medicamentos comuns usados
para tratar essa condição, como o ibuprofeno e a aspirina, são vendidos
como "anti-inflamatórios". Para a asma, anti-histamínicos são usados
para combater a reação inflamatória que ocorre quando alguém é exposto a um agente irritante, desencadeador de uma reação alérgica.
Hoje em dia, cada vez mais pessoas começam a compreender que as
doenças coronarianas, causa decisiva de ataques cardíacos, podem ter
a ver muito mais com processos inflamatórios do que com colesterol
elevado. Isso explica por que a aspirina, para além de suas propriedades anticoagulantes, é útil na redução do risco não apenas de ataques
cardíacos, mas também de derrames.

Mas a correlação entre os processos inflamatórios e os problemas cerebrais, apesar de bastante descrita na literatura científica, por
algum motivo parece difícil de aceitar — e continua praticamente
desconhecida. Um dos motivos para as pessoas não conseguirem visualizar as "inflamações cerebrais" como algo envolvido com todo tipo
de problema — do Parkinson à esclerose múltipla, da epilepsia ao
autismo, do Alzheimer à depressão — é o fato de o cérebro não ter receptores para a dor, ao contrário do resto do corpo. Não conseguimos
sentir uma inflamação no cérebro.

À primeira vista, concentrar-se na redução dos processos inflamatórios parece algo deslocado numa discussão a respeito da melhoria da
saúde e das funções do cérebro. Mas embora todos nós conheçamos
as inflamações quando elas estão relacionadas a males como a artrite e a asma, os últimos dez anos produziram um extenso volume de
pesquisas que apontam o dedo claramente para a relação causal delas
com uma série de condições neurodegenerativas. Na verdade, desde
a década de 1990 estudos mostram que quem toma medicamentos
anti-inflamatórios não esteroides, como o ibuprofeno e o naproxeno,
durante dois anos ou mais, tem um risco 40% menor de desenvolver

Alzheimer e Parkinson.[14, 15] Ao mesmo tempo, outros estudos mostraram claramente um aumento acentuado nas citocinas, mediadores celulares dos processos inflamatórios, no cérebro de indivíduos que têm estes e outros transtornos cerebrais degenerativos.[16] Hoje, novas tecnologias de imagem finalmente nos permitem observar as células envolvidas na produção das citocinas inflamatórias no cérebro de pacientes com mal de Alzheimer.

Fomos obrigados a ver sob uma luz inteiramente nova os processos inflamatórios. Muito mais do que a simples causa das dores em seu joelho, eles estão na própria origem do processo de degeneração do cérebro. No fim das contas, o efeito principal das inflamações no cérebro, responsável pelo estrago, é a ativação de processos químicos que aumentam a produção de radicais livres. No cerne do processo inflamatório crônico situa-se a noção de "estresse oxidativo" — uma espécie de "ferrugem". Essa ferrugem pode se dar tanto por fora, causando rugas e envelhecimento prematuro, quanto por dentro, endurecendo os vasos sanguíneos, danificando as membranas celulares, erodindo a parede intestinal e, basicamente, destroçando tecidos e órgãos. A oxidação faz parte da vida; acontece com tudo na natureza. Ocorre no processo metabólico natural, que é nada mais nada menos que a maneira como o corpo transforma calorias (energia) a partir da alimentação e do oxigênio no ar em energia utilizável. A oxidação, portanto, é parte integral da nossa existência. Mas quando a oxidação sai de controle, sem o equilíbrio de uma ação antioxidante, ela pode se tornar nociva. A palavra "oxidação", obviamente, vem de oxigênio, mas não aquele que respiramos. O tipo de oxigênio que culpamos aqui é o "O" simples, que não vem combinado com outra molécula de oxigênio (o $O_2$).

Permita-me conduzi-lo um passo além na descrição do processo de oxidação. É preciso viver em Marte para nunca ter ouvido falar em radicais livres. São moléculas que perderam um elétron. Normalmente, os elétrons giram em pares, mas forças como o estresse, a poluição, produtos químicos, uma dieta tóxica, raios ultravioleta e a atividade normal do corpo (até mesmo a respiração) podem fazer um desses elétrons se separar. Quando isso acontece, a molécula abandona seu comportamento apropriado e começa a ricochetear por toda parte, tentando roubar elétrons de outras moléculas. Esse movimento é o processo de oxidação propriamente dito, uma cadeia de eventos que atacam as células e provocam a inflamação, que cria novos radicais livres. Como os tecidos e as células oxidados não funcionam normalmente, todo esse processo destrutivo o predispõe a um emaranhado de problemas de saúde. O corpo se coloca num estado de constante esforço para curar a si mesmo e consertar o dano ao DNA. Faltam-lhe, porém, as ferramentas adequadas para que isso ocorra de forma completa. Não é de surpreender que pessoas com altos níveis de oxidação sofram de uma extensa lista de sintomas: cansaço, confusão mental, baixa resistência a infecções, fraqueza muscular, dores nas articulações, transtornos digestivos, acne, ansiedade, dores de cabeça, depressão, irritabilidade, alergias... e por aí vai.

Como você pode supor, tudo que reduz a oxidação reduz os processos inflamatórios, e tudo que reduz esses processos reduz a oxidação. Isso explica em parte por que os antioxidantes são tão importantes. Esses nutrientes generosos (entre eles as vitaminas A, C e E) doam elétrons aos radicais livres, o que interrompe a reação em cadeia e ajuda a prevenir os danos provocados por estes últimos. Ao longo da história, o ser humano ingeriu alimentos ricos em antioxidantes, como plantas, frutos silvestres e castanhas. A indústria alimentícia atual tira de nossas dietas muitos desses nutrientes, extremamente necessários para um metabolismo saudável.

Mais adiante explicarei como desencadear um processo próprio em seu corpo, não apenas para reduzir diretamente os radicais livres, de forma natural, mas também para proteger o cérebro, reduzindo o excesso de radicais livres produzido pelos processos inflamatórios. Intervenções realizadas para reduzir as inflamações, usando substâncias naturais como a cúrcuma, foram descritas na literatura médica mais de dois mil anos atrás, mas apenas nos últimos dez anos é que começamos a entender essa bioquímica poderosa e complexa.

Outro lado bom desse processo biológico é a ativação de genes específicos que contêm o código da produção de enzimas e outras substâncias químicas que servem para destruir e eliminar diversas toxinas às quais somos expostos. Pode-se indagar por que o DNA humano conteria códigos para a produção de substâncias químicas desintoxicantes, se a exposição real a essas substâncias só começou na Era Industrial. Na verdade, o ser humano (e todo ser vivo) está exposto a diversas toxinas desde que começou a viver no planeta. Fora as toxinas que existem naturalmente no ambiente externo, como o chumbo, o arsênico e o alumínio, e também as poderosas toxinas criadas como forma de proteção por plantas e animais que consumimos, nosso corpo produz toxinas internamente durante o processo natural do metabolismo. Por isso, felizmente, os genes desintoxicantes — mais necessários hoje do que nunca — nos prestam serviço há muito tempo. Estamos apenas começando a compreender como substâncias naturais, que você pode comprar no mercado da esquina, podem atuar de forma poderosa como agentes desintoxicantes, melhorando a expressão genética.

Aquilo que comemos não é a única escolha de vida que pode mudar a expressão de nossos genes, ajudando a controlar processos inflamatórios. Estudos recentes demonstram como atuam o exercício e o sono, poderosos reguladores (leia-se: "controles remotos") do nosso DNA. Mais do que isso: você verá como criar novas células cerebrais, e só depende de você.


## ESTATINAS: IRONIA CRUEL

A dieta e os exercícios podem controlar os processos inflamatórios do nosso corpo, mas haveria algum argumento em favor de medicamentos? Longe disso. Ironicamente, as estatinas, remédios dos mais receitados (por exemplo, Lipitor, Crestor e Zocor), agora são receitadas com o objetivo de reduzir o nível geral de inflamação. Mas novas pesquisas também revelaram que as estatinas *podem reduzir as funções cerebrais e aumentar o risco de problemas cardíacos*. O motivo é simples: o cérebro precisa do colesterol para progredir, argumento que já expus, mas que devo reiterar. O colesterol é um nutriente crítico para o cérebro, essencial para o bom funcionamento dos neurônios e que desempenha um papel fundamental como tijolo construtor das membranas celulares. Tem ação antioxidante e é precursor de importantes elementos de auxílio ao cérebro, como a vitamina D, assim como hormônios relacionados aos esteroides (isto é, hormônios como a testosterona e o estrogênio). Ainda mais importante é o fato de o colesterol ser considerado um combustível importante para os neurônios. Estes últimos não são capazes de produzir colesterol em quantidade significativa; em vez disso, eles se apoiam no fornecimento de colesterol pela corrente sanguínea, através de uma proteína transportadora específica. É interessante notar que essa proteína transportadora, o LDL, recebeu o rótulo pejorativo de "colesterol ruim". Na verdade, o LDL não é uma molécula de colesterol, nem bom nem ruim. É uma lipoproteína de baixa densidade (daí a abreviatura em inglês, de *low-density lipoprotein*), e não há absolutamente nada de mau nela. O papel fundamental do LDL no cérebro, repita-se, é capturar o colesterol vital e transportá-lo ao neurônio, onde ele desempenha funções de importância crucial.

Atualmente possuímos evidências na literatura científica que provam que quando o nível de colesterol está baixo, o cérebro simplesmente não funciona direito; indivíduos com colesterol baixo têm um risco muito maior de demência e outros problemas neurológicos. Precisamos mudar nossa atitude em relação ao colesterol e ao LDL. Eles são amigos, e não inimigos.

*Mas e a relação entre o colesterol e os problemas coronarianos?* Vou abordar esse dilema no capítulo 3. Por enquanto, quero incutir no seu cérebro a ideia de que o colesterol é bom. Logo você se dará conta de que estamos enfrentando o inimigo errado — culpando o colesterol, em particular o LDL, quando os problemas coronarianos têm mais a ver com o LDL *oxidado*. E como o LDL é danificado, de maneira que não é mais capaz de transportar colesterol para o cérebro? Uma das formas mais comuns é a modificação física provocada pela glicose. As moléculas de açúcar aderem ao LDL e alteram o formato da molécula, tornando-a menos eficaz e ao mesmo tempo aumentando a produção de radicais livres.

Se essa explicação lhe pareceu rápida demais para entender, não entre em pânico. Nos próximos capítulos vou conduzi-lo passo a passo por todos esses acontecimentos biológicos. Neste capítulo, pretendi fornecer um quadro geral de uma série de questões, como um pre-lúdio para o restante do livro. As questões principais, sobre as quais quero que você reflita, são: ao adotar uma dieta pobre em gordura e rica em carboidratos, nós estamos acelerando o declínio do cérebro? É realmente possível controlar o destino do nosso cérebro com nossos hábitos pessoais, apesar do DNA que herdamos? A indústria farmacêutica tem interesses escusos para omitir o fato de que é possível prevenir, tratar e às vezes curar naturalmente — sem drogas — uma série de males relacionados ao cérebro, como TDAH, depressão, ansiedade, insônia, autismo, síndrome de Tourette, dores de cabeça e mal de Alzheimer? A resposta a essas três perguntas é um retumbante "sim". Irei ainda mais longe e sugerirei que também é possível prevenir problemas cardíacos e diabetes. O atual modelo de "tratamento" para essas doenças dá atenção demais à fumaça dos sintomas e ignora o incêndio. Essa abordagem é ineficaz e insustentável. Se quisermos avançar nas fronteiras da longevidade humana, viver bem mais de cem anos e ter algo realmente fantástico para contar a nossos ancestrais pré-históricos, vamos ter de mudar completamente nosso *modus operandi*.

O objetivo deste capítulo foi explicar a história dos processos inflamatórios e provocar uma nova forma de pensar — e ver — seu cérebro (e seu corpo). Todos nós sabemos que o sol nasce no oriente e se põe no ocidente. No dia seguinte, ele repete seu trajeto. Mas e se lhe contassem que o sol não está se movendo? Somos *nós* que estamos girando e nos movendo em torno do sol? Claro que eu sei que você sabe disso, mas a intenção da analogia é mostrar nossa tendência a nos aferrarmos mentalmente a ideias que já não são válidas.

## DA SAÚDE CEREBRAL À SAÚDE TOTAL

O fato inescapável é que o ser humano evoluiu de maneira tal que necessita de gordura para viver e ter saúde. A quantidade maciça de carboidratos que ingerimos hoje em dia alimenta um incêndio silencioso em nossos corpos e cérebros. E não estou falando apenas de substâncias refinadas e manufaturadas que, já sabemos, não vão nos valer elogios no consultório médico (muito menos na balança). Adoro a forma como o dr. William Davis coloca a questão, em seu livro fundamental, *Barriga de trigo*:[17]

> Seja um pãozinho multigrão orgânico rico em fibras ou um bolinho Ana Maria, o que você está comendo, exatamente? Todos sabemos que o bolinho não passa de um capricho processado, mas o senso comum nos diz que o primeiro é uma escolha mais saudável, fonte de fibras e vitamina B, e rico em carboidratos "complexos".
>
> Ah, mas sempre tem algo por trás da história. Vamos vê-la por trás. Vamos estudar o conteúdo desse grão e tentar entender por que — qualquer que seja a forma, a cor, o conteúdo em fibras, orgânico ou não — ele é potencialmente nocivo ao ser humano.

E é exatamente o que vamos fazer agora. Mas, ao contrário do brilhante relato de Davis sobre os grãos de hoje e a batalha contra a barriguinha, vamos avançar um passo e ver como o trigo pode gerar danos onde nunca tínhamos pensado: no cérebro.

# 2. A proteína adesiva
*O papel do glúten nos processos*
*inflamatórios cerebrais*
*(o problema não é só a sua barriga)*

*Diz-me o que comes, dir-te-ei quem és.*
Anthelme Brillat-Savarin (1755-1826)

A maioria das pessoas já sentiu uma dor de cabeça pulsante e o sofrimento de uma congestão grave. Muitas vezes conseguimos reconhecer a causa dos sintomas que nos atingem, como um dia longo na frente do computador provoca uma dor de cabeça, ou um vírus de resfriado quando temos dificuldade de engolir e o nariz se entope. Para aliviar os sintomas, costumamos recorrer a remédios de balcão de farmácia, até que o corpo retorne a seu estado normal, saudável. Mas o que fazer quando os sintomas não desaparecem e é muito mais difícil reconhecer o culpado? E se, como ocorre com muitos de meus pacientes, você se vê numa guerra interminável com dor e sofrimento persistentes, anos a fio?

Desde que se entende por gente, Fran lutou para se livrar de uma sensação de palpitação na cabeça. No dia quente de janeiro em que a examinei pela primeira vez, Fran era a pessoa mais bem-humorada possível, para uma senhora de 63 anos que sofreu a vida toda com enxaquecas diárias. Evidentemente, ela experimentou todos os medicamentos comuns para a dor de cabeça e estava tomando várias vezes por semana sumatriptano, um poderoso remédio para enxaqueca. Ao analisar seu histórico médico, notei que com vinte e poucos anos ela fora submetida a uma "cirurgia exploratória intestinal", por sofrer de "grave desconforto". Como parte de sua avaliação, testei-a para sensibilidade ao glúten. Não me surpreendeu constatar que seu resultado era fortemente positivo para oito marcadores. Receitei uma dieta sem glúten.

Quatro meses depois, recebi uma carta de Fran:

> Meus sintomas quase diários de enxaqueca diminuíram desde que tirei o glúten da minha dieta. As duas maiores mudanças foram o fim do peso na cabeça, com a consequente enxaqueca, e um enorme aumento na sensação de energia. Estou conseguindo fazer o dia render muito mais em comparação com minha vida antes de me consultar com o senhor.

Mais adiante, ela concluiu: "Obrigada, mais uma vez, por ter encontrado o que parece ser a solução para muitos anos de sofrimento". Eu bem que gostaria que ela tivesse recuperado os anos perdidos, mas pelo menos eu pude lhe oferecer um futuro sem dor.

Outra mulher que veio se consultar comigo com um conjunto de sintomas completamente diferente, mas uma história de sofrimento longa e parecida, foi Lauren. Com apenas trinta anos de idade, ela me disse sem rodeios, na primeira consulta, que estava "com problemas mentais". Lauren descreveu em detalhes os doze anos anteriores, que ela definiu como uma constante descida ladeira abaixo. Ela me contou como sua juventude foi estressante, desde que perdeu a mãe e a avó, ainda muito nova. Quando entrou na faculdade, foi várias vezes internada como "maníaca". Durante esse período, vivia episódios em que se tornava altamente verborrágica e megalomaníaca. Então comia em excesso, ganhava muito peso, mergulhava em depressão grave e pensamentos suicidas. Pouco tempo antes ela começara a tomar lítio, medicamento usado para tratar transtornos bipolares. Na família havia histórico de doenças mentais; uma irmã era esquizofrênica e o pai era bipolar. Além desse relato dramático de seus problemas mentais, o restante do histórico médico de Lauren não era digno de nota. Ela não tinha problemas intestinais, alergias alimentares nem qualquer das queixas comuns associadas à sensibilidade ao glúten.

Fui em frente e solicitei um exame de sensibilidade ao glúten. Encontramos níveis muito elevados em seis marcadores importantes. Na verdade, vários dos marcadores estavam acima do dobro do normal.

Dois meses depois de indicar a Lauren uma dieta sem glúten, ela me escreveu uma carta que refletia o que eu vinha escutando de tantos pacientes que cortaram o glúten e tiveram resultados impressionantes. Ela afirmava:

Desde que cortei o glúten, minha vida deu uma guinada de 180 graus. A primeira mudança que me vem à mente, e a mais importante, é o humor. Quando eu ingeria glúten, lutava contra a depressão. Eu me deparava o tempo todo com uma "nuvem negra sobre minha cabeça". Agora que não como glúten, não me sinto mais deprimida. A única vez que comi um pouco, por engano, me senti mal no dia seguinte. Outras mudanças que notei incluem sentir mais energia e conseguir me concentrar por períodos mais longos. Meus pensamentos estão mais aguçados do que nunca. Consigo tomar decisões e chegar a conclusões lógicas e seguras como nunca antes. Também me livrei do comportamento obsessivo-compulsivo.

Um último exemplo de caso emblemático de outro conjunto de sintomas ligado ao mesmo culpado. Kurt e sua mãe marcaram consulta comigo quando ele era um jovem de vinte anos sofrendo de transtornos motores. Segundo a mãe, seis meses antes da consulta ele começou a "ter uma espécie de arrepio". No começo, os tremores eram sutis, mas foram aumentando com o passar do tempo. Ele foi a dois neurologistas e recebeu diagnósticos diferentes: um para uma desordem chamada de "tremor essencial", outro de "distonia". Os médicos lhe receitaram um remédio para pressão arterial, o propranolol, usado para tratar alguns tipos de tremores. A outra recomendação foi injetar botox em diversos músculos dos braços e do pescoço. Isso porque a toxina botulínica paralisa temporariamente os músculos espasmódicos. Mas tanto ele quanto a mãe preferiram não usar nem as pílulas nem as injeções.

Havia duas coisas interessantes no caso de Kurt. Primeiro, quando ele estava na quarta série foi diagnosticado com um distúrbio de aprendizado; a mãe disse que "ele não conseguia lidar com o excesso de estímulos". Segundo, durante vários anos ele se queixou de dores estomacais, com diarreia, a ponto de ter ido a um gastroenterologista, que submeteu seu pequeno intestino a uma biópsia, para testar doença celíaca. O exame deu negativo.

Quando examinei Kurt, o problema dos tremores era evidente. Ele não conseguia controlar os espasmos nos braços e no pescoço, o que parecia lhe causar enorme sofrimento. Repassei seus exames laboratoriais, que, na maior parte, nada revelavam. Ele foi testado para a doença de Huntington, uma desordem hereditária conhecida por provocar um transtorno motor semelhante em jovens, e para a doença de Wilson, um defeito no metabolismo do cobre também associado a um transtorno motor. Todos deram negativo. Exames de sangue para a sensibilidade ao glúten, porém, mostraram níveis elevados de alguns anticorpos indicadores de vulnerabilidade. Expliquei a Kurt e à mãe que era importante certificar-se de que a sensibilidade ao glúten não era a causa de seu transtorno motor e dei-lhes informações sobre como adotar uma dieta sem glúten.

Várias semanas depois, recebi um telefonema da mãe de Kurt, dizendo que seus espasmos tinham indubitavelmente se acalmado. Devido à melhora, ele decidiu manter a dieta sem glúten, e depois de seis meses os movimentos anormais tinham desaparecido quase completamente. As mudanças vivenciadas por aquele jovem são espantosas, principalmente se considerarmos que uma mudança alimentar tão simples pode ter tido um impacto tão transformador em sua vida.

Artigos médicos que documentam uma correlação entre transtornos motores e a sensibilidade ao glúten estão começando a surgir, e médicos vêm identificando e tratando um punhado de indivíduos cujos transtornos motores desapareceram completamente com um programa sem glúten e para os quais nenhuma outra causa foi identificada. Mas, infelizmente, muitos médicos consagrados não têm buscado explicações alimentares para esses transtornos motores, nem têm conhecimento dos relatos mais recentes.

Esses casos não são isolados. Eles refletem padrões que testemunhei em inúmeros pacientes. São pessoas que chegam a mim com queixas médicas inteiramente diferentes, mas têm algo em comum: sensibilidade ao glúten. Acredito que o glúten seja um veneno moderno, e que as pesquisas estão levando médicos a prestar atenção e reavaliar a situação geral, no que diz respeito a transtornos e doenças do cérebro. A boa notícia é que saber desse denominador comum significa que agora é possível tratar e, em alguns casos, curar um amplo espectro de males com uma prescrição simples: a retirada do glúten da dieta.

Entre em qualquer loja de alimentos orgânicos, ou até mesmo num supermercado comum, e é garantido que você se espantará com as opções de produtos "sem glúten". Nos últimos anos, o volume de vendas de produtos sem glúten disparou; pelas últimas contas, o setor faturou 6,3 bilhões de dólares em 2011, e continua em crescimento.[1] Todo tipo de produto, de cereais para o café da manhã aos molhos para salada, foi lançado para tirar proveito do número cada vez maior de indivíduos que optam por alimentos que não contenham glúten. Por que toda essa febre?

A atenção da mídia, certamente, contribui. Um artigo de 2011 do Yahoo! Sports perguntava: "a nova dieta de Novak Djokovic, sem glúten, é responsável por sua sequência de vitórias?". A resposta: "Um simples teste de alergia pode ter levado um jogador mediano a um dos maiores períodos de hegemonia da história do tênis".[2]

Mas para além da epifania de um atleta, o que a comunidade científica tem a dizer a respeito da sensibilidade ao glúten? O que significa ser "sensível ao glúten"? Em que a sensibilidade difere da doença celíaca? O que há de tão ruim no glúten? Ele não existe desde sempre? E a que me refiro, exatamente, quando falo em "grãos modernos"? Vamos lá.


A COLA DO GLÚTEN

Glúten — ou "cola", em latim — é uma proteína composta que atua como material adesivo, aglutinando a farinha para a panificação, incluindo bolachas, biscoitos e massa de pizza. Quando você morde um *muffin* macio ou um pãozinho ou uma massa de pizza não cozida, agradeça ao glúten. Na verdade, a maior parte dos derivados de pão macios e mastigáveis hoje disponíveis no mercado deve sua consistência ao glúten. Ele desempenha um papel fundamental no processo de fermentação, fazendo o pão "crescer" quando o trigo é misturado ao fermento. Para ter nas mãos uma bola basicamente feita de glúten, basta misturar água e farinha de trigo, criar uma massa e por fim enxaguá-la sob água corrente para eliminar o amido e as fibras. O que sobra é uma mistura aglutinada de proteína.

A maioria dos americanos consome glúten no trigo, mas ele pode ser encontrado em diversos tipos de grão, como o centeio, a cevada, o kamut e o bulgur. É um dos aditivos alimentares mais comuns do mundo, usado não apenas em alimentos industrializados, mas também em produtos de higiene pessoal. Como agente estabilizador confiável, ajuda a manter a textura suave em queijos cremosos e margarinas. Condicionadores que espessam o cabelo e máscara de cílios para dar volume também dependem do glúten. Algumas pessoas são alérgicas a ele, como podem sê-lo a qualquer proteína. Mas vamos examinar mais de perto a extensão do problema.

O glúten não é uma molécula simples: é formada, na verdade, por dois grupos principais de proteínas, as *gluteninas* e as *gliadinas*. Além de uma pessoa poder ter sensibilidade a cada um desses grupos de proteínas, a gliadina consiste, por sua vez, em doze diferentes subtipos, e *cada um deles* pode provocar uma reação de intolerância que leva a um processo inflamatório.

Quando converso com pacientes a respeito da sensibilidade ao glúten, uma das primeiras coisas que eles dizem é algo como: "Bem, eu não tenho doença celíaca, eu fiz o exame!". Tento explicar, da melhor maneira possível, que há uma grande diferença entre doença celíaca e sensibilidade ao glúten. Meu objetivo é fazê-los entender que a doença celíaca, também conhecida como espru celíaco, é uma manifestação extrema da sensibilidade ao glúten. A doença celíaca é o que ocorre quando uma reação alérgica ao glúten causa danos ao intestino delgado, especificamente. É uma das reações mais graves que se pode ter ao glúten. Embora muitos especialistas supõem que uma em cada duzentas pessoas seja celíaca, essa estimativa está provavelmente mais próxima de uma em trinta, haja vista que muitos indivíduos não são diagnosticados. O número de pessoas vulnerável à doença, considerando apenas a genética, chega a uma em cada quatro. Pessoas com ascendência do norte da Europa são particularmente suscetíveis. Além disso, pode-se portar genes com o código de versões mais leves da intolerância ao glúten, o que gera um espectro amplo de sensibilidade. A doença celíaca não ataca apenas o intestino. Uma vez desencadeado o processo que provoca a doença, a sensibilidade ao glúten é uma condição que dura a vida toda, podendo afetar a pele e as membranas mucosas, assim como provocar úlceras na boca.[3]

Tirando as reações extremas que desencadeiam uma condição autoimune, como a doença celíaca, a chave para a compreensão da sensibilidade ao glúten é que ela pode atingir *qualquer* órgão do corpo, mesmo que o intestino delgado seja totalmente poupado. Por isso, mesmo que não se tenha a doença celíaca tal como ela é definida, o resto do corpo — inclusive o cérebro — corre um risco maior quando o indivíduo é sensível ao glúten.

Contribui para a compreensão do problema saber que a sensibilidade a alimentos, em geral, costuma ser uma reação do sistema imunológico. Ela também pode ocorrer quando faltam ao corpo as enzimas corretas para digerir certos ingredientes dos alimentos. No caso do glúten, sua característica "colante" interfere na quebra e na absorção dos nutrientes. Como você pode imaginar, a comida mal digerida deixa um resíduo pastoso em seu intestino, que desperta o sistema imunológico a entrar em ação, e que no final resulta num ataque ao revestimento do intestino delgado. Quem sofre seus sintomas se queixa de dores abdominais, náusea, diarreia, prisão de ventre e incômodo intestinal. Algumas pessoas, porém, não sofrem de sinais evidentes de problemas gastrointestinais, mas podem mesmo assim estar sofrendo um ataque silencioso em outra parte do corpo, como no sistema nervoso. Tenha em mente que quando o corpo reage negativamente a um alimento, ele tenta controlar os danos enviando moléculas inflamatórias mensageiras, que rotulam as partículas de alimento como inimigas. Isso, por sua vez, leva o sistema imunológico a enviar continuamente substâncias químicas inflamatórias, entre elas algumas que matam células, num esforço para exterminar os inimigos. Esse processo muitas vezes danifica os tecidos, comprometendo as paredes do intestino, um problema conhecido como "intestino permeável". Quando você sofre de intestino permeável, torna-se altamente suscetível a sensibilidades alimentares no futuro. E o surgimento de um processo inflamatório também pode aumentar o risco de sofrer de uma doença autoimune.[4]

Os processos inflamatórios, a base de muitos problemas cerebrais, podem ser iniciados quando o sistema imunológico reage a uma substância no corpo do indivíduo. Quando os anticorpos do sistema imunológico entram em contato com uma proteína ou um antígeno ao qual o indivíduo é alérgico, causam um efeito cascata inflamatório, que libera uma série de substâncias químicas nocivas chamadas citocinas. A sensibilidade ao glúten, especificamente, é causada por níveis elevados de anticorpos contra a gliadina que compõe o glúten. Quando um anticorpo se combina com essa proteína (criando um anticorpo antigliadina), genes específicos são ativados em um tipo especial de célula imunológica do corpo. Uma vez ativados esses genes, citocinas inflamatórias aumentam, podendo atacar o cérebro. As citocinas são fortes antagonistas do cérebro: danificam tecidos e tornam o cérebro vulnerável a disfunções e doenças — sobretudo se o ataque é contínuo. Outro problema dos anticorpos antigliadina é que eles podem se combinar diretamente com proteínas específicas encontradas no cérebro, que se parecem com a proteína gliadina encontrada em alimentos com glúten. Mas os anticorpos antigliadina não sabem distinguir uma da outra. Faz décadas que isso foi descoberto. Uma vez mais, isso leva à formação de novas citocinas inflamatórias.[5]

Considerando tudo isso, não é de surpreender que níveis elevados de citocina sejam encontrados no Alzheimer, no Parkinson, na esclerose múltipla e até no autismo.[6] (Pesquisas mostraram que algumas pessoas erroneamente diagnosticadas com ALS, a esclerose lateral amiotrófica, simplesmente são sensíveis ao glúten; eliminá-lo da dieta elimina os sintomas.)[7] Como relatou em 1996 num artigo da revista *Lancet* o professor inglês Marios Hadjivassiliou, do Royal Hallamshire Hospital, de Sheffield, um dos mais respeitados pesquisadores na área de cérebro e sensibilidade ao glúten: "Nossos dados sugerem que a sensibilidade ao glúten é comum em pacientes com doenças neurológicas de causa desconhecida; isso pode ter significância etiológica".[8]

A formulação do dr. Hadjivassiliou é conservadora para alguém como eu, que lida diariamente com complexos transtornos cerebrais de "causa desconhecida". Cerca de 99% das pessoas que atendo têm sistemas imunológicos que reagem negativamente ao glúten e elas nem sequer sabem disso. O dr. Hadjivassiliou afirma ainda que "a sensibilidade ao glúten pode ser primordialmente, e às vezes exclusivamente, uma doença neurológica". Em outras palavras, *quem tem sensibilidade ao glúten pode ter problemas nas funções cerebrais sem ter nenhum tipo de problema gastrointestinal.* Por essa razão, ele testa a sensibilidade ao glúten em todos os pacientes que têm transtornos neurológicos inexplicáveis. Gosto da maneira como o dr. Hadjivassiliou e seus colegas colocaram os fatos em um texto de 2002 para o *Journal of Neurology, Neurosurgery, and Psychiatry,* intitulado: "Gluten Sensitivity as a Neurological Illness" [A sensibilidade ao glúten como doença neurológica]:

> Levou-se quase 2 mil anos para se reconhecer que uma proteína alimentar comum, introduzida na dieta humana de forma relativamente tardia em termos evolutivos (cerca de 10 mil anos atrás) pode produzir doenças no ser humano não apenas no intestino, mas também na pele e no sistema nervoso. Inúmeras manifestações neurológicas de sensibilidade ao glúten podem ocorrer sem envolvimento do intestino, e por isso os neurologistas precisam se acostumar com as manifestações neurológicas mais comuns e as formas de diagnosticar a doença.[9]

Além disso, a conclusão do artigo resume de forma brilhante essas descobertas, reiterando afirmações feitas em artigos anteriores: "A sensibilidade ao glúten pode ser mais bem definida como um estado de reatividade imunológica aumentada em pessoas geneticamente suscetíveis. Essa definição não pressupõe relação com o intestino. É um conceito historicamente errado que a sensibilidade ao glúten seja vista sobretudo como uma doença do intestino delgado".

## A DOENÇA CELÍACA AO LONGO DOS SÉCULOS

Embora a relação entre a sensibilidade ao glúten e as doenças neurológicas tenha merecido pouquíssima atenção da literatura médica, podemos traçar um fio condutor de conhecimento acumulado que remonta a milhares de anos, num tempo em que a palavra glúten nem sequer fazia parte do nosso vocabulário. Percebe-se que as evidências já vinham se acumulando, mas só neste século fomos capazes de documentá-las. O fato de podermos finalmente identificar um elo entre a doença celíaca, que, repito, é a reação mais forte ao glúten, e os problemas neurológicos tem consequências para todos nós, inclusive aqueles que não sofrem da doença celíaca. O estudo de pacientes celíacos nos permitiu observar de perto os perigos reais do glúten, que permaneceram recônditos e silenciosos por tanto tempo.

A doença celíaca pode parecer "nova", mas as primeiras descrições dessa desordem datam do século I d.C., quando um dos mais notórios médicos da Grécia Antiga, Areteu da Capadócia, escreveu a respeito em um manual de medicina que abordava diversas condições, inclusive anomalias neurológicas como a epilepsia, dores de cabeça, vertigens e paralisia. Areteu também foi o primeiro a usar a palavra "celíaco", que quer dizer "abdominal" em grego. Ao descrever a doença, ele disse: "[...] o estômago, sendo o órgão digestivo, labuta na digestão, quando a diarreia domina o paciente [...] e se, além disso, o sistema geral do paciente for debilitado pela atrofia do corpo, a doença celíaca de natureza crônica é formada".[10]

No século XVII, o termo *sprue* foi introduzido na língua inglesa, vindo do holandês *sprouw*, que significa diarreia crônica — um dos sintomas clássicos da doença celíaca. O dr. Samuel J. Gee, pediatra inglês, foi um dos primeiros a reconhecer a importância da dieta no tratamento dos pacientes celíacos. Ele fez a primeira descrição moderna do problema numa palestra num hospital de Londres, em 1887, observando: "Se há uma forma de curar o paciente, deve ser por meio da dieta".

Na época, porém, ninguém era capaz de apontar qual o ingrediente culpado. Por isso, as mudanças de dieta recomendadas na busca por uma cura passavam longe do ideal. O dr. Gee, por exemplo, vetava frutas e vegetais, que não representariam problema, mas autorizava fatias finas de pão torrado. Ele ficou particularmente tocado pela cura de uma criança "alimentada com uma medida diária dos melhores mexilhões holandeses", mas que teve uma recaída quando acabou a temporada de mexilhões (talvez a criança tenha voltado a comer torradas). Nos Estados Unidos, a primeira discussão a respeito do problema foi publicada em 1908, quando o dr. Christian Herter escreveu um livro sobre crianças com doença celíaca, que ele batizou de "infantilismo intestinal". Como outros já haviam notado, ele escreveu que aquelas crianças não se desenvolviam, e acrescentou que elas toleravam gorduras muito melhor que carboidratos. Então, em 1924, Sidney V. Haas, um pediatra americano, relatou efeitos positivos de uma dieta à base de banana (obviamente, a causa da melhora não eram as bananas, e sim o fato de a dieta de bananas não conter glúten).

Embora seja difícil imaginar que tal dieta possa resistir ao teste do tempo, ela continuou popular até a causa real da doença celíaca ter sido determinada e confirmada. E isso levaria duas décadas, até os anos 1940, quando o dr. Willem Karel Dicke, um pediatra holandês, encontrou a ligação com a farinha de trigo. Àquela altura já se suspeitava havia tempo dos carboidratos em geral, mas só quando uma observação de causa e efeito pôde ser feita com o trigo, especificamente, é que se pôde ver a relação direta. E como essa descoberta foi feita? Durante a fome que grassou na Holanda em 1944, o pão e o trigo escassearam, e o dr. Dicke notou uma redução drástica da mortalidade entre crianças afetadas pela doença celíaca — de mais de 35% para praticamente zero. O dr. Dicke também relatou que, assim que o trigo voltou a ser vendido, a taxa de mortalidade ascendeu aos níveis anteriores. Por fim, em 1952, uma equipe de médicos de Birmingham, na Inglaterra, da qual o dr. Dicke fazia parte, fez o elo entre a ingestão de proteínas do trigo e a doença celíaca, ao examinar amostras da mucosa intestinal de pacientes operados. A introdução da biópsia do intestino delgado, nos anos 1950 e 60, confirmou que este era o órgão alvo da doença (a rigor, devo registrar que especialistas em história questionam se as observações empíricas anteriores de Dicke na Holanda são inteiramente precisas, uma vez que teria sido difícil para ele, senão impossível, registrar tamanha recaída quando a farinha voltou ao mercado. Mas a polêmica não minimiza a importância da identificação do trigo como culpado — a intenção é apenas ressaltar que o trigo não é o *único* culpado).

Quando, então, começou-se a notar uma correlação entre problemas celíacos e neurológicos? Uma vez mais, as pistas levam muito mais atrás do que as pessoas se dão conta. Há mais de um século, os primeiros relatos empíricos começaram a aparecer, e ao longo do século xx diversos médicos documentaram condições neurológicas em pacientes com doença celíaca. No entanto, assim que se descobriu que esses problemas neurológicos estavam relacionados à doença celíaca, considerou-se que eles representavam uma manifestação de carências nutricionais provocadas pelo problema intestinal. Em outras palavras, os médicos não pensaram que determinado ingrediente pudesse necessariamente estar perturbando o sistema nervoso; apenas imaginaram que a condição celíaca propriamente dita, que impede a absorção de nutrientes e vitaminas no intestino, levasse a deficiências que desencadeavam problemas neurológicos, como danos aos nervos e até perdas cognitivas. E estavam longe de compreender o papel dos processos inflamatórios, o que ainda não fazia parte da biblioteca do conhecimento médico. Em 1937, a revista *Archives of Internal Medicine* publicou a primeira revisão da Clínica Mayo de artigos sobre a questão neurológica nos pacientes com doença celíaca, mas nem mesmo essa pesquisa conseguiu descrever de forma precisa a sequência real de acontecimentos. Atribuiu-se o problema cerebral à "perda de eletrólitos" provocada, principalmente, pela incapacidade do intestino de digerir e absorver apropriadamente os nutrientes.[11]

Para chegar a um ponto em que pudéssemos compreender e explicar completamente o elo entre o cérebro e a sensibilidade ao glúten, ainda seriam necessários muitos avanços tecnológicos, sem contar uma compreensão maior do papel dos processos inflamatórios. Mas a guinada recente foi, de fato, espetacular. Em 2006, a Clínica Mayo, mais uma vez, publicou um relatório na revista *Archives of Neurology* sobre doença celíaca e perdas cognitivas, mas desta vez a conclusão foi revolucionária:[12] "Existe uma possível associação entre perda cognitiva progressiva e doença celíaca, devido à relação temporal e à frequência relativamente alta de ataxia e neuropatia periférica, mais comumente associadas à doença celíaca". A ataxia é a incapacidade de controlar o movimento voluntário dos músculos e manter o equilíbrio, na maior parte das vezes como resultado de transtornos cerebrais; "neuropatia periférica" é uma forma pomposa de dizer dano aos nervos. Engloba um leque variado de desordens em que os nervos atingidos fora do cérebro e da medula espinhal — nervos periféricos — causam dormência, fraqueza ou dor.

Nesse estudo específico, os pesquisadores avaliaram treze pacientes que mostravam sinais de declínio cognitivo progressivo nos dois anos que se seguiram aos sintomas iniciais da doença celíaca ou a uma piora da doença (as razões mais frequentes para que esses pacientes buscassem auxílio médico para suas deficiências cerebrais eram amnésia, confusão mental e alterações de personalidade. Os médicos confirmaram todos os casos de doença celíaca por meio de biópsias do intestino delgado; aqueles cujo declínio cognitivo pudesse ser atribuído a alguma outra causa foram descartados do estudo). Na análise, uma coisa ficou evidente, que anulava instantaneamente o que se imaginava saber antes: o declínio cognitivo não podia ser atribuído a deficiências nutricionais. Além disso, os pesquisadores perceberam que os pacientes eram relativamente jovens para sofrer de demência (a idade mediana de início da perda cognitiva era 64 anos, numa faixa que ia dos 45 aos 79). Como foi relatado nos meios de comunicação, segundo o dr. Joseph Murray, gastroenterologista da Clínica Mayo e um dos investigadores do estudo, "escreveu-se bastante sobre doença celíaca e questões neurológicas como a neuropatia periférica [...] ou problemas de equilíbrio, mas esse grau de problemas cerebrais — o declínio cognitivo que encontramos aqui — jamais fora reconhecido antes. Eu não esperava que pudesse haver tantos pacientes de doença celíaca com declínio cognitivo".

Corretamente, Murray acrescentou ser improvável que os problemas dos pacientes refletissem uma "conexão casual". Dada a associação entre o início ou a piora dos sintomas de doença celíaca e a perda cognitiva, num espaço de apenas dois anos, a probabilidade de que fosse uma ocorrência aleatória era muito pequena. Talvez a descoberta mais surpreendente de todo o estudo tenha sido que vários dos pacientes a quem se impôs uma dieta sem glúten tenham verificado uma "melhora significativa" na cognição. Quando três pacientes abandonaram completamente a ingestão de glúten, a saúde mental deles melhorou ou estabilizou-se, levando os pesquisadores a ressaltar que poderiam ter descoberto uma forma reversível de perda cognitiva. Essa é uma descoberta extremamente significativa. Por quê? Ainda não se conhecem muitas formas de demência realmente sujeitas a tratamento imediato. Por isso, se for possível parar e, em alguns casos, *reverter* o processo de demência, identificar a doença celíaca na presença de declínio cognitivo pode se tornar rotina. Além disso, tal descoberta é mais um argumento contra o acaso como explicação do elo entre a doença celíaca e o declínio cognitivo. Quando lhe perguntaram sobre o embasamento científico dessa relação, o dr. Murray mencionou o possível impacto das citocinas inflamatórias — os mensageiros químicos dos processos inflamatórios que contribuem para os problemas cerebrais.

Há mais um detalhe desse estudo para o qual eu gostaria de chamar a atenção. Quando os pesquisadores realizaram tomografias nos cérebros desses pacientes, encontram alterações perceptíveis na "substância branca", que poderiam ser facilmente confundidas com esclerose múltipla ou até pequenos derrames. Essa é a razão pela qual eu sempre peço exames de sensibilidade ao glúten nos pacientes que me consultam com um diagnóstico de esclerose múltipla; em diversos casos encontrei pacientes cujas alterações cerebrais não tinham, na verdade, qualquer relação com a esclerose múltipla, e se deviam mais provavelmente à sensibilidade ao glúten. Para sorte deles, uma dieta sem glúten reverteu os problemas.

## A QUESTÃO MAIS AMPLA

Vamos nos lembrar do jovem que mencionei no início deste capítulo, que tinha inicialmente um diagnóstico de um transtorno motor chamado "distonia". Ele não tinha controle do tônus muscular, o que resultava em espasmos repentinos e intensos no corpo todo, impedindo-o de levar uma vida normal. Embora casos assim costumem ser atribuídos a distúrbios neurológicos ou efeitos colaterais de medicamentos, acredito que muitos casos de distonia e de transtornos motores podem estar relacionados à sensibilidade ao glúten. No caso do meu paciente, assim que retiramos o glúten de sua dieta os tremores e as contrações convulsivas pararam de uma hora para outra. Outros transtornos motores, como a ataxia, que eu descrevi acima, a mioclonia e certas formas de epilepsia costumam ser objeto de diagnósticos errados: são atribuídas a um problema neurológico sem explicação, em vez de algo simples como a sensibilidade ao glúten. Vários de meus pacientes epiléticos, que chegaram a cogitar cirurgias arriscadas e regimes de medicação diária para controlar suas convulsões, tornaram-se completamente livres destas por meio de simples mudanças na dieta.

O dr. Hadjivassiliou, da mesma forma, examinou tomografias cerebrais de pacientes com cefaleia e registrou anomalias terríveis causadas pela sensibilidade ao glúten. Até o leitor leigo, cujo olhar não é treinado, é capaz de perceber facilmente o impacto. Veja este exemplo:

Ressonância magnética de cérebro com alterações relevantes na substância branca devido à sensibilidade ao glúten (à esquerda) em comparação com um cérebro normal (à direita).

Sensível ao glúten                    Normal

Durante mais de uma década o dr. Hadjivassiliou mostrou várias vezes que uma dieta sem glúten pode resultar na cura total das dores de cabeça de pacientes com sensibilidade ao glúten. Numa revisão de artigos de 2010 para a revista *The Lancet Neurology*, ele soou o toque de alerta pela mudança na forma como encaramos essa sensibilidade.[13] Para ele e seus colegas, não há nada mais crucial que espalhar a notícia da correlação entre a sensibilidade ao glúten, aparentemente invisível, e as disfunções cerebrais. Eu concordo. É impossível ignorar os relatos do dr. Hadjivassiliou, de pacientes com sinais evidentes de déficits cognitivos e sensibilidade ao glúten documentada.

Como discutimos, uma das conclusões mais importantes sobre a doença celíaca é que ela não está confinada ao intestino. Arrisco-me a ir mais longe e afirmar que a sensibilidade ao glúten *sempre* afeta o cérebro. O dr. Aristo Vojdani, um colega neurobiologista que publicou inúmeros artigos sobre sensibilidade ao glúten, diz que a incidência de sensibilidade ao glúten nos povos do Ocidente pode chegar a 30%.[14] E como a maior parte dos casos de doença celíaca passa despercebida clinicamente, hoje se reconhece que a prevalência da doença propriamente dita é vinte vezes maior do que se acreditava duas décadas atrás. Compartilho o que propôs o dr. Rodney Ford, da Clínica de Alergia e Gastroenterologia Infantil, da Nova Zelândia, num artigo de 2009, apropriadamente intitulado "The Gluten Syndrome: A Neurological Disease" [A síndrome do glúten: uma enfermidade neurológica].[15] O problema fundamental com o glúten é sua "interferência com as redes neurais do corpo [...]. O glúten está ligado a danos neurológicos nos pacientes, tanto na presença quanto na ausência de doença celíaca". Ele acrescentou: "As evidências apontam para o sistema nervoso como o sítio primordial dos danos do glúten", e concluiu de maneira assertiva que "o glúten causar danos à rede neurológica tem enormes consequências. Estimando-se que pelo menos uma pessoa em cada dez seja afetada pelo glúten, o impacto sanitário é enorme. Compreender a síndrome do glúten é importante para a saúde da comunidade global".

Embora você possa não ser sensível ao glúten da mesma maneira que um indivíduo com doença celíaca, há uma boa razão para eu tê-lo impressionado com os números: do ponto de vista neurológico, todos nós podemos ser sensíveis ao glúten. Só não sabemos disso porque não há sinais ou pistas exteriores de um problema insidioso que ocorre nas profundezas silenciosas dos confins de nosso sistema nervoso e do nosso cérebro. Lembre-se: no cerne de virtualmente todos os transtornos e doenças estão os processos inflamatórios. Quando introduzimos no corpo qualquer coisa que desencadeie uma reação inflamatória, nós nos submetemos a um risco muito maior de uma série de problemas de saúde, de incômodos crônicos cotidianos como dores de cabeça e confusão mental até males graves, como a depressão e o Alzheimer. Podemos até apresentar argumentos que relacionam a sensibilidade ao glúten a alguns dos transtornos cerebrais mais misteriosos, cuja explicação escapa há milênios aos médicos, como a esquizofrenia, a epilepsia, a depressão, o transtorno bipolar e, mais recentemente, o autismo e o TDAH.

Abordarei essas relações mais adiante. Por ora, minha intenção foi lhe dar um panorama da questão, com uma compreensão firme de que o glúten pode exercer efeito não apenas nos cérebros normais, mas também nos vulneráveis. Também é importante ter em mente que cada um de nós é único, em termos de genótipo (DNA) e fenótipo (como os genes se expressam no meio ambiente). Processos inflamatórios não tratados podem resultar em obesidade e doenças cardíacas em mim, enquanto a mesma condição pode se traduzir numa desordem autoimune em você.

Uma vez mais, recorrer à literatura sobre a doença celíaca pode nos ajudar; a ciência nos permite identificar padrões, ao longo da desordem, que podem ter consequências para qualquer pessoa que ingere glúten, mesmo sem manifestar a doença celíaca. Diversos estudos, por exemplo, mostraram que quem sofre dessa doença tem um aumento significativo na produção de radicais livres, e os danos que isso provoca afetam a gordura, as proteínas e até o DNA do corpo.[16] Como se não bastasse, também se perde a capacidade de produzir substâncias antioxidantes no corpo, devido à reação do sistema imunológico ao glúten. Caem, em especial, os níveis de glutationa, um importante antioxidante do cérebro, assim como os de vitamina E, retinol e vitamina C no sangue. Todos são fundamentais no controle dos radicais livres do corpo. É como se a presença do glúten desativasse o sistema imunológico, a ponto de ele não conseguir auxiliar as defesas naturais do corpo. Então eu pergunto: se a sensibilidade ao glúten pode comprometer o sistema imunológico, a que outras coisas ele também pode abrir as portas?

Pesquisas recentes mostraram que a reação do sistema imunológico ao glúten leva à ativação de moléculas sinalizadoras, que basicamente ativam os processos inflamatórios e, mais do que isso, estimulam uma chamada enzima cox-2, que leva a uma produção maior de substâncias químicas inflamatórias.[17] Se você já ouviu falar em remédios como Celebra, ibuprofeno ou até aspirina, já sabe o que é a enzima cox-2, responsável pela dor e pelos processos inflamatórios no corpo. Na prática, essas drogas bloqueiam a ação da enzima, reduzindo, assim, a inflamação. Níveis elevados de outra molécula inflamatória, chamada TNF alfa, também foram observados em pacientes de doença celíaca. Elevações dessa citocina são um sinal característico do Alzheimer e de praticamente todas as demais condições neurodegenerativas. Conclusão: *a sensibilidade ao glúten — com ou sem a presença de doença celíaca — aumenta a produção de citocinas inflamatórias, e estas são decisivas nas condições neurodegenerativas.* Além disso, nenhum órgão é mais suscetível aos efeitos deletérios dos processos inflamatórios que o cérebro. Embora a barreira hematoencefálica sirva como uma espécie de guardiã para que certas moléculas não passem ao cérebro pela corrente sanguínea, esse sistema não é infalível. Diversas substâncias se esgueiram por esse portal, provocando efeitos indesejáveis (adiante entrarei em maiores detalhes a respeito dessas moléculas inflamatórias e a forma como podemos usar os alimentos para combatê-las).

Já é hora de criarmos um novo padrão para aquilo que consideramos "sensível ao glúten". O problema com o glúten é muito maior do que se imagina.

## O GLÚTEN GLUTÃO NA ALIMENTAÇÃO CONTEMPORÂNEA

Se o glúten é tão ruim assim, como pudemos sobreviver tanto tempo nos alimentando dele? A resposta simples é: não comemos hoje o mesmo tipo de glúten consumido quando nossos ancestrais descobriram a forma de plantar e moer o trigo. Os grãos que comemos hoje guardam pouca semelhança com aqueles que entraram para nossa dieta cerca de 10 mil anos atrás. Desde o século XVII, quando Gregor Mendel publicou seus famosos estudos cruzando plantas diferentes para chegar a novas variedades, nós nos aprimoramos na mistura e cruzamento de cepas para criar as mais variadas progênies no que diz respeito aos grãos. E embora nossa configuração genética e nossa fisiologia não tenham mudado muito desde o tempo de nossos ancestrais, nossa cadeia alimentar passou por uma transformação rápida nos últimos cinquenta anos. A indústria alimentícia moderna, inclusive a bioengenharia genética, nos permitiu produzir grãos que contêm até *quarenta vezes* mais glúten que os grãos cultivados algumas décadas atrás.[18] Se isso foi intencional, para aumentar a produtividade, atrair o paladar do consumidor ou as duas coisas, não vou discutir. Mas uma coisa é certa: os grãos contemporâneos, repletos de glúten, são mais viciantes do que nunca.

Se você já sentiu o prazer invadi-lo ao ingerir uma rosquinha, um pãozinho ou um croissant, não está louco nem sozinho. Desde o final da década de 1970 é sabido que o glúten é decomposto no estômago e torna-se uma mistura de polipeptídios que podem atravessar a barreira hematoencefálica. Uma vez lá dentro, podem aderir ao receptor de morfina do cérebro, produzindo bem-estar. Esse é o mesmo receptor ao qual aderem as drogas opiáceas, gerando seu efeito prazeroso e viciante. A primeira cientista a descobrir essa atividade, a dra. Christine Zioudrou (e seus colegas do National Institutes of Health), batizou esses polipeptídios invasores do cérebro como "exorfinas", abreviatura para compostos exógenos similares à morfina, para distingui-los dos analgésicos naturalmente produzidos pelo corpo, as endorfinas.[19] O que é mais interessante a respeito dessas exorfinas, e que reforça o fato de terem impacto no cérebro, é que sabemos que elas podem ser barradas por drogas bloqueadoras de opiáceos, como a naloxona e a naltrexona — as mesmas usadas para reverter a ação de drogas opiáceas como a heroína, a morfina e a oxicodona. O dr. William Davis descreve esse fenômeno no livro *Barriga de trigo*:

Este é seu cérebro viciado em trigo: a digestão gera componentes similares à morfina, que aderem aos receptores opiáceos do cérebro. Isso induz uma forma de recompensa, uma euforia moderada. Quando esse efeito é bloqueado e não se consomem alimentos liberadores de exorfina, algumas pessoas sofrem de uma abstinência perceptível e desagradável.[20]

Considerando tudo o que foi dito, causa alguma surpresa que a indústria alimentícia tente enfiar a maior quantidade possível de glúten em seus produtos? E causa alguma surpresa encontrar tanta gente viciada nos alimentos repletos de glúten de hoje em dia — insuflando as chamas não apenas dos processos inflamatórios, mas da epidemia de obesidade? Acredito que não. A maioria de nós conhece e aceita o fato de que o açúcar e o álcool possam ter propriedades que causam boas sensações, que nos induzem a voltar a consumi-los. Mas alimentos que contêm glúten? Seu pão de forma integral e seus cereais instantâneos? É surpreendente a ideia de que o glúten possa mudar nossa bioquímica, chegando até o centro de prazer e vício do nosso cérebro. Surpreendente e assustadora. Significa que temos de repensar a forma como classificamos esses alimentos, caso sejam realmente os agentes modificadores de nossas mentes, como prova a ciência.

Quando vejo as pessoas devorando carboidratos repletos de glúten, é como assisti-los derramando um coquetel de gasolina em si mesmas. O glúten é o fumo da nossa geração. Não apenas a sensibilidade ao glúten é muito maior do que percebemos — causando danos em potencial, em algum grau, sem que saibamos —, mas o glúten se esconde onde menos se suspeita. Está em nossos molhos, condimentos e bebidas; e até nos cosméticos, sorvetes e cremes para as mãos. Está escondido em sabonetes, adoçantes e produtos com soja. Está presente em nossos suplementos alimentares e produtos farmacêuticos mais conhecidos. A expressão "NÃO CONTÉM GLÚTEN" está se tornando tão vaga e desprovida de sentido quanto "orgânico" e "100% natural". Para mim, não é mais um mistério por que se livrar do glúten pode ter um impacto tão positivo em nosso corpo.

Pela maior parte dos últimos 2,6 milhões de anos, a dieta de nossos ancestrais consistiu em carne de caça, vegetais da estação e frutos selvagens ocasionais. Como vimos no capítulo anterior, hoje a dieta da maior parte das pessoas é baseada em grãos e carboidratos, a maioria deles contendo glúten. Mas mesmo deixando de lado o fator glúten, devo observar que uma das principais razões pelas quais ingerir tantos grãos e carboidratos pode ser tão danoso é que eles elevam o açúcar no sangue a níveis que outros alimentos, como carnes, peixes, aves e vegetais, não fazem.

Níveis elevados de açúcar no sangue, lembre-se, produzem insulina elevada, que é liberada pelo pâncreas para que as células possam absorver o açúcar. Quanto maior o nível de açúcar no sangue, mais insulina é preciso. E quanto mais sobe a insulina, menos sensíveis a seu sinal se tornam as células. Basicamente, as células deixam de escutar a mensagem da insulina. O que o pâncreas faz, como uma pessoa que não consegue ser escutada, é falar mais alto — isto é, aumentar a produção de insulina, criando um processo que põe a vida em risco. Níveis mais altos de insulina tornam as células progressivamente menos reativas ao sinal da insulina e, para reduzir o açúcar no sangue, o pâncreas trabalha dobrado, aumentando a produção de insulina ainda mais, de novo para manter uma taxa de açúcar normal no sangue. Mesmo quando esse nível atinge o normal, o nível de insulina continua a aumentar.

Como as células se tornaram resistentes ao sinal da insulina, usamos o termo "resistência à insulina" para caracterizar esse problema de saúde. À medida que a situação evolui, o pâncreas chega à produção máxima de insulina, mas isso ainda não é suficiente. Neste momento, as células perdem a capacidade de reagir ao sinal da insulina e, por fim, o nível de açúcar no sangue começa a subir, resultando no diabetes tipo 2. Basicamente, o sistema desmoronou e passa a exigir uma fonte exterior (isto é, os remédios para diabetes) para manter equilibrado esse nível. Lembre-se, porém, de que não é preciso ser diabético para sofrer de um nível crônico elevado de açúcar no sangue.

Nas palestras que ministro em congressos médicos, uma das minhas apresentações favoritas é uma foto de quatro alimentos comuns: 1. uma fatia de pão de forma integral, 2. uma barra de chocolate, 3. uma colher de sopa de açúcar branco comum, e 4. uma banana. Peço ao público que tente adivinhar qual deles produz a maior elevação no nível de açúcar no sangue — ou qual deles tem o maior índice glicêmico (IG), um valor numérico que reflete a medida da rapidez com que o nível de açúcar no sangue sobe depois de comer determinado tipo de alimento. O índice glicêmico vai de zero a cem, sendo que os valores mais altos representam os alimentos que causam uma elevação mais rápida no nível de açúcar no sangue. O ponto de referência é a glicose pura, que tem um IG de 100.

Nove em cada dez vezes, o público escolhe o alimento errado. Não, não é o açúcar (IG = 68), não é a barra de chocolate (IG = 55), tampouco a banana (IG = 54). É a fatia de pão de forma integral, com um incrível IG de 71, o que a coloca lado a lado com o pão branco (e as pessoas ainda pensam que o pão integral é melhor que o branco). Faz mais de trinta anos que se sabe que o trigo eleva a taxa de açúcar no sangue mais que o açúcar de mesa, mas por algum motivo ainda achamos que não pode ser verdade. Vai contra o senso comum. Mas é um fato: poucos alimentos produzem uma alta na glicemia maior que aqueles que levam trigo.

É importante notar que a elevação na sensibilidade ao glúten não é apenas resultado de uma superexposição ao glúten nos alimentos processados de hoje. Também é resultado de açúcar demais e alimentos inflamatórios demais. Também é possível discutir o impacto das toxinas no meio ambiente, que podem alterar a forma como nossos genes se expressam e se sinais autoimunes começam a se manifestar. Cada um desses ingredientes — glúten, açúcar, alimentos inflamatórios e toxinas ambientais — se junta para criar uma tragédia anunciada no corpo, e sobretudo no cérebro.

Se qualquer alimento que fomenta uma tragédia biológica — apesar da presença de glúten — é arriscado para a saúde, devemos levantar outra questão crucial em termos de saúde do cérebro: os carboidratos — mesmo os "bons" — estão nos matando? Afinal de contas, eles são a fonte principal desses ingredientes antagonistas. Qualquer discussão sobre equilíbrio da glicemia, sensibilidade ao glúten e processos inflamatórios tem que girar em torno do impacto que os carboidratos possam ter no corpo e no cérebro. No próximo capítulo, vamos levar a discussão um passo adiante e observar como os carboidratos elevam os fatores de risco para problemas neurológicos, muitas vezes às custas da gordura, o único alimento que gosta de verdade do nosso cérebro. Quando ingerimos carboidratos em excesso, ingerimos menos gordura, o verdadeiro ingrediente que nosso cérebro reclama para ser saudável.

---

**SINAIS DE SENSIBILIDADE AO GLÚTEN**

A melhor forma de saber se você é sensível ao glúten é fazer um exame. Infelizmente, os exames de sangue tradicionais e as biópsias do intestino delgado nem de longe têm a precisão dos testes mais recentes, que conseguem identificar os anticorpos específicos para o glúten. Abaixo segue uma lista de sintomas e doenças associados à sensibilidade ao glúten. Ainda que não sofra de nenhuma dessas condições, aconselho que você faça os exames descritos nas páginas 25-6:

abortos

alcoolismo

ansiedade

ataxia, perda de equilíbrio

autismo

câncer

confusão mental

convulsões/ epilepsia

depressão

desejo incontrolável por
    açúcar

distúrbios digestivos (gases, inchaço, diarreia, prisão de ventre, cãibras etc.)

doenças cardíacas

dores no peito

dores ósseas/ osteopenia/
    osteoporose

enxaquecas

esclerose lateral amiotrófica (ALS)

infertilidade

intolerância à lactose

má absorção de alimentos

mal de Parkinson

mal-estar constante

náusea/ vômitos

problemas de crescimento

síndrome do intestino irritável

TDAH

transtornos autoimunes
    (diabetes, tireoide
    de Hashimoto, artrite
    reumatoide etc.)

transtornos neurológicos
    (demência, mal de
    Alzheimer, esquizofrenia
    etc.)

urticária/ erupções cutâneas

# A POLÍCIA DO GLÚTEN[21]

Os seguintes grãos e amidos contêm glúten:

| | |
|---|---|
| bulgur (triguilho) | gérmen de trigo |
| centeio | kamut |
| cevada | matzá |
| creme de semente de trigo | semolina |
| cuscuz | trigo |
| espelta (ou trigo vermelho) | triticale |
| farinha de graham | |

Os seguintes alimentos não contêm glúten:

| | |
|---|---|
| amaranto | quinoa |
| araruta | soja |
| arroz | sorgo |
| batata | tapioca |
| milhete | Teff |
| milho | trigo sarraceno |

Os seguintes alimentos costumam conter glúten:

| | |
|---|---|
| achocolatados comerciais | farinha de aveia (exceto as que possuem certificado "gluten-free") |
| almôndegas | |
| aveia (exceto as que possuem certificado "gluten-free") | feijão enlatado |
| barrinhas energéticas | frios |
| batata frita congelada (costuma ser coberta de farinha) | gorgonzola |
| | hambúrguer vegetal |
| bebidas quentes instantâneas | hóstias |
| cachorros-quentes | kani, bacon etc. |
| cafés e chás com sabores | ketchup |
| caldos comerciais | maionese |
| castanhas torradas | malte/ sabor de malte |
| cereais | marinados |
| cerveja | "mix nuts" (mistura de frutas secas e castanhas) |
| embutidos | |
| empanados | molhos em geral (para salada, para carnes etc.) |

queijos processados

recheios de frutas, pudins

seitan

shoyu e molho teriyaki

sopas

sorvetes

substitutos do creme de leite

substitutos do ovo

tabule

vegetais fritos/ tempurá

vinagre de malte

vodca

wheatgrass (grama de trigo)

xaropes

Abaixo, fontes variadas de glúten:

batons, protetores labiais

cosméticos

massinha de modelar para
   crianças

remédios

selos e envelopes de lamber

vitaminas e suplementos
   (checar o rótulo)

xampus

Os seguintes ingredientes costumam ser glúten com outro nome:

*Avena sativa*

amido modificado

ciclodextrina

complexo peptídico

corante de caramelo (em geral
   feito a partir da cevada)

dextrina

extrato de fitoesfingosina

extrato de levedura

extrato de malte hidrolisado

extratos fermentados de grãos
hidrolisado

*Hordeum distichon*

*Hordeum vulgare*

maltodextrina

proteína de soja hidrolisada

proteína vegetal hidrolisada

sabor natural

*Secale cereale*

tocoferol/ vitamina E

*Triticum aestivum*

*Triticum vulgare*

xarope de arroz integral

# 3. Cuidado, "carboólicos" e "gordurofóbicos"
## A *surpreendente verdade sobre os amigos e inimigos do seu cérebro*

*Nenhuma dieta removerá toda a gordura do seu corpo porque o cérebro é gordura pura. Sem um cérebro, você poderá ter uma boa aparência, mas tudo o que poderá fazer é se candidatar a um cargo público.*
George Bernard Shaw

Alguns dos casos mais impressionantes que conheço envolvem pessoas que transformaram suas vidas e sua saúde pela total eliminação do glúten de suas dietas e pela prioridade renovada à gordura, em detrimento dos carboidratos. Vi essa simples mudança alimentar acabar com depressões, aliviar a fadiga crônica, reverter o diabetes tipo 2, acabar com o transtorno obsessivo-compulsivo e curar muitos problemas neurológicos, da confusão mental à desordem bipolar.

Mas, para além do glúten, a questão dos carboidratos em geral e de seu impacto na saúde do cérebro é mais complexa. O glúten não é o único vilão. Para alterar a bioquímica de seu corpo, passando a queimar gordura (inclusive o tipo mais difícil, aquela que "nunca vai embora"), conter os processos inflamatórios e prevenir doenças e transtornos mentais, você precisa enfrentar outro fator importante na equação: carboidratos x gorduras. Neste capítulo, pretendo mostrar por que uma dieta extremamente pobre em carboidratos e rica em gorduras é aquilo que seu corpo pede e do que necessita fundamentalmente. Também explicarei por que a ingestão excessiva de carboidratos — inclusive aqueles que não contêm glúten — pode ser tão prejudicial.

Ironicamente, desde que tornamos a nossa nutrição "científica", nosso estado de saúde piorou. Decisões em relação àquilo que comemos e bebemos deixaram de ser hábitos culturais, herdados, e se tornaram escolhas calculadas, baseadas em teorias nutricionais de visão estreita, que não levam em conta como, antes de tudo, o ser humano chegou onde está. E não podemos esquecer todos os interesses comerciais. Você acha que os fabricantes de cereais de café da manhã, ricos em carboidratos (leia-se: um corredor inteiro de supermercado), estão mesmo preocupados com a sua saúde?

> Um dos negócios mais lucrativos para a indústria alimentícia são os cereais. É um dos poucos setores que podem transformar um ingrediente barato (isto é, os grãos processados) em uma matéria-prima cara. O departamento de pesquisa e desenvolvimento da General Mills, por exemplo, chamado Instituto da Tecnologia do Cereal e localizado em Minneapolis é o quartel-general de centenas de cientistas cujo único propósito é projetar cereais novos e saborosos, que durem muito tempo nas prateleiras e pelos quais se possa cobrar um preço alto.[1]

Pense no que vivenciou nas últimas décadas. Você testemunhou um número incontável de ideias sobre o que deve ingerir como combustível para o seu metabolismo, e logo depois lhe disseram que o contrário era verdade. Vamos pegar, por exemplo, os ovos. Antes, acreditava-se que faziam bem à saúde; depois, foram considerados ruins, por causa das gorduras saturadas; e por fim a surpresa final: "São necessárias maiores evidências para determinar o efeito dos ovos sobre a saúde". Eu sei, é injusto. Com toda essa barulheira, não admira que as pessoas se sintam permanentemente frustradas e confusas.

Este capítulo é para você. Vou salvá-lo de uma vida inteira tentando fugir da gordura e do colesterol e mostrar como esses ingredientes deliciosos preservam o funcionamento ideal do seu cérebro. Há uma boa razão para termos desenvolvido o gosto pela gordura: é a paixão secreta do nosso cérebro. Mas nas últimas décadas ela foi demonizada, como uma fonte nutritiva ruim para a saúde. Lamentavelmente, nós nos tornamos uma sociedade "gordurofóbica" e "carbofílica" (para piorar as coisas, ao ingerir muito carboidrato nós automaticamente reduzimos nossa ingestão de gordura saudável). A propaganda, a indústria da perda de peso, os supermercados e os best-sellers estão promovendo a ideia de que precisamos de uma dieta o mais pobre possível em gordura (se possível sem gordura) e em colesterol. É fato que certos tipos de gordura estão associados a problemas de saúde, e ninguém pode negar a ameaça diretamente relacionada às gorduras e aos óleos modificados comercialmente. Há evidências científicas convincentes de que as gorduras trans são tóxicas e têm ligação clara com diversas doenças crônicas. Mas o que falta nessa mensagem é simples: nossos corpos prosperam quando lhes damos "gorduras boas", e o colesterol é uma delas. E não nos saímos tão bem com grandes quantidades de carboidratos, mesmo que esses carboidratos não tenham glúten, sejam grãos integrais ou ricos em fibras.

É interessante notar que a dieta humana exige praticamente zero carboidrato; podemos sobreviver com uma quantidade mínima de carboidratos, que pode ser fornecida pelo fígado na medida do necessário. Mas não podemos ir muito longe sem gordura. Infelizmente. Muitos de nós achamos que ingerir gordura é o mesmo que ficar gordo, quando na verdade a obesidade — e suas consequências metabólicas — não tem quase nada a ver com a ingestão de gordura e tudo a ver com o vício em carboidratos. O mesmo se aplica ao colesterol: ingerir alimentos ricos em colesterol não tem impacto nos nossos níveis reais de colesterol, e a suposta relação entre colesterol elevado e risco cardíaco elevado é uma completa falácia.


## OS GENES DA GORDURA E OS MODISMOS CIENTÍFICOS

Se este livro tem uma lição que eu quero que você guarde, é a seguinte: respeite seu genoma. A gordura — e não o carboidrato — é o combustível favorito do metabolismo humano, e isso ao longo de toda a evolução. Nos últimos 2 milhões de anos, consumimos uma dieta rica em gordura, e foi apenas depois do advento da agricultura, cerca de 10 mil anos atrás, que os carboidratos se tornaram abundantes em nossa alimentação. Ainda temos um genoma de caçadores-coletores; ele é frugal, no sentido de ser programado para nos fazer engordar em períodos de abundância. A "hipótese do gene frugal" foi apresentada pela primeira vez pelo geneticista James Neel em 1962, para tentar explicar por que o diabetes tipo 2 tem uma base genética tão forte e resulta em efeitos tão negativos favorecidos pela seleção natural. Segundo essa teoria, os genes que predispõem uma pessoa ao diabetes eram historicamente vantajosos. Eles ajudavam as pessoas a engordar rapidamente quando havia comida disponível, uma vez que longos períodos de escassez de comida eram inevitáveis. Mas assim que a sociedade moderna mudou nossa forma de acesso à comida, embora os genes frugais permaneçam ativos, eles já não são necessários — pois nos preparam, essencialmente, para uma fome que nunca acontece. Acredita-se que nossos genes frugais também sejam responsáveis pela epidemia de obesidade, intimamente ligada ao diabetes.

Infelizmente, levam-se de 40 mil a 70 mil anos para que ocorram mudanças no genoma significativas o bastante para nos adaptarmos a uma mudança tão drástica em nossa dieta, e para que nossos genes frugais comecem a pensar em ignorar a instrução para "armazenar gordura". Embora alguns de nós gostemos de pensar que os genes que levam ao aumento e à retenção da gordura são um mal, que dificulta a perda de peso e a manutenção da forma, a realidade é que todos nós carregamos o "gene da gordura". É parte da nossa constituição e, durante a maior parte de nossa existência no planeta, ele nos manteve vivos.

Nossos antepassados não tiveram qualquer exposição importante aos carboidratos, exceto, talvez, no final dos verões, quando as frutas amadureciam. É interessante notar que esse tipo de carboidrato tenderia a elevar a criação e o acúmulo de gordura, de modo a sobreviver ao inverno, quando a disponibilidade de comida e calorias era menor. Agora, no entanto, estamos dando a nossos corpos a ordem de armazenar gordura 365 dias por ano. E através da ciência estamos descobrindo as consequências disso.

O Estudo do Coração de Framingham que mencionei no primeiro capítulo, no qual se examinou o declínio cognitivo dos participantes e foi identificada uma associação linear entre colesterol total e desempenho cognitivo, é apenas a ponta do iceberg. No outono de 2012, o *Journal of Alzheimer's Disease* publicou uma pesquisa da Clínica Mayo revelando que pessoas mais velhas que enchem o prato de carboidratos têm um risco quase quatro vezes maior de desenvolver dano cognitivo brando (em inglês, MCI), considerado um precursor do mal de Alzheimer. Sinais de MCI incluem dificuldades de memória, linguagem, raciocínio e julgamento. Esse estudo específico concluiu que aqueles com dietas mais ricas em gorduras saudáveis tinham um risco 42% menor de sofrer danos cognitivos; e aqueles que faziam a maior ingestão de proteínas de fontes saudáveis como frango, carnes e peixes tinham uma redução de 21% no risco.[2]

Estudos anteriores, avaliando padrões de dieta e o risco de demência, chegaram a conclusões semelhantes. Um dos primeiros estudos a efetivamente comparar a diferença em quantidade de gordura entre um cérebro com Alzheimer e um cérebro saudável foi publicado em 1998.[3] Nesse estudo post mortem, pesquisadores holandeses concluíram que os pacientes de Alzheimer tinham uma redução significativa na quantidade de gordura no fluido cerebroespinhal, sobretudo colesterol e ácidos graxos livres, se comparados ao grupo de controle. Isso ocorria independentemente da presença do gene defeituoso nos pacientes de Alzheimer, conhecido como "apoE4", que predispõe à doença.

Em 2007, o jornal *Neurology* publicou um estudo que examinou mais de 8 mil participantes de 65 anos ou mais, com funções cerebrais totalmente normais, e acompanhou-os por quatro anos. Durante esse período, aproximadamente 280 deles desenvolveram alguma forma de demência (a maioria foi diagnosticada com Alzheimer).[4] Os pesquisadores queriam identificar padrões nos hábitos alimentares, observando especialmente o nível de consumo de peixe, que contém grandes quantidades de gorduras ômega 3 saudáveis para o cérebro e o coração. Em quem nunca consumiu peixe, o risco de demência e Alzheimer no período de acompanhamento de quatro anos foi 37% maior. Em quem consumia peixe diariamente, o risco dessas doenças caiu 44%. O uso regular de manteiga não causou alteração significativa no risco de demência ou Alzheimer, mas aqueles que consumiam regularmente óleos ricos em ômega 3, como os óleos de oliva, de linhaça e de noz, tinham 60% menos probabilidade de desenvolver demência, se comparados àqueles que não consumiam regularmente esses óleos. Os pesquisadores também concluíram que aqueles que ingeriam regularmente óleos ricos em ômega 6 — típicos na dieta americana —, mas não peixes nem óleos ricos em ômega 3, tinham duas vezes mais risco de desenvolver demência do que aqueles que não consumiam óleos ricos em ômega 6 (veja o quadro a seguir para uma explicação mais detalhada a respeito dessas gorduras).

Convém notar que o relatório mostrou que o consumo de óleos ômega 3, na verdade, contrabalançou o efeito negativo dos óleos ômega 6, e advertiu para o risco de consumir óleos ômega 6 na ausência de ômega 3. Considero os resultados bastante espantosos e informativos.

---

### SÃO TANTOS ÔMEGAS: QUAIS SÃO SAUDÁVEIS?

Hoje em dia ouvimos falar muito em gorduras ômega 3 e ômega 6. No conjunto, as gorduras ômega 6 pertencem à categoria das "gorduras ruins"; em algum grau, elas favorecem inflamações, e há evidências de que um consumo elevado dessas gorduras esteja relacionado a transtornos cerebrais. Infelizmente, a dieta americana é extremamente rica em gorduras ômega 6, que são encontradas em diversos óleos vegetais, como os óleos de cártamo, de milho, de canola, de girassol e de soja. Este último representa a fonte número um de gordura na dieta do americano. Segundo estudos antropológicos, nossos antepassados caçadores-coletores consumiam gorduras ômega 6 e ômega 3 numa proporção de aproximadamente 1 : 1.[5] Hoje, consumimos dez a 25 vezes mais gorduras ômega 6 que o padrão evolutivo, e reduzimos drasticamente nossa ingestão de gorduras ômega 3, saudáveis e estimulantes para o cérebro (alguns especialistas acreditam que nosso consumo de ácidos graxos saudáveis foi responsável pela triplicação do tamanho do cérebro humano). A tabela que segue lista a quantidade de ômega 6 e ômega 3 de diversos óleos vegetais e alimentos:

| Óleo | Ômega 6 | Ômega 3 |
|---|---|---|
| algodão | 50% | 0% |
| amendoim | 32% | 0% |
| canola | 20% | 9% |
| cártamo | 75% | 0% |
| gergelim | 42% | 0% |
| girassol | 65% | 0% |
| linhaça | 14% | 57% |
| milho | 54% | 0% |
| noz | 52% | 10% |
| peixe | 0% | 100% |
| soja | 51% | 7% |

Os frutos do mar são uma excelente fonte de ácidos graxos ômega 3, e até mesmo as carnes de boi, cordeiro, veado e búfalo contêm essa fabulosa gordura. Mas há um porém a levar em conta: animais alimentados com grãos (geralmente milho e soja) não terão ômega 3 suficiente em suas dietas, e sua carne será deficiente nesses nutrientes vitais. Daí o clamor em favor do consumo de animais alimentados com grama e contra a piscicultura.

Além da demência, outras questões neurológicas têm sido associadas especificamente à baixa ingestão de gordura e aos níveis de colesterol. Em um relatório recente publicado pelo Instituto Nacional de Saúde dos Estados Unidos, pesquisadores compararam a memória de indivíduos de idade avançada e seus níveis de colesterol. Descobriram que as pessoas que não sofrem de demência tinham uma memória muito melhor quando possuíam níveis elevados de colesterol. A conclusão do relatório afirmava de maneira direta: "O colesterol alto está associado a uma memória melhor". No texto subsequente, os pesquisadores observaram: "É possível que indivíduos que sobreviveram além dos 85 anos, especialmente aqueles com colesterol alto, sejam mais robustos".[6]

O Parkinson também tem uma forte relação com níveis baixos de colesterol. Pesquisadores holandeses, em artigo no *American Journal of Epidemiology*, publicaram em 2006 que "níveis séricos elevados de colesterol total estão associados com um decréscimo significativo no risco do mal de Parkinson, com evidências de uma relação dose-efeito".[7] Na verdade, um estudo mais recente, publicado em 2008 na revista *Movement Disorders*, mostrou que aqueles com níveis mais baixos do colesterol LDL (o chamado "colesterol ruim") tinham cerca de 350% mais chance de ter Parkinson![8]

Para entender como isso pode acontecer, é bom lembrar aquilo que insinuei no primeiro capítulo: o LDL é uma proteína transportadora que não é necessariamente ruim. O papel fundamental do LDL no cérebro é capturar o colesterol vital e transportá-lo aos neurônios, onde ele desempenha funções de importância crucial. Como já vimos, quando os níveis de colesterol são reduzidos, o cérebro simplesmente não funciona bem, e em consequência disso o risco de problemas neurológicos aumenta significativamente. Mas há um porém: quando os radicais livres causam danos à molécula do LDL, ela se torna muito menos capaz de transportar colesterol ao cérebro. Além dessa oxidação, que destrói a função do LDL, o açúcar também pode torná-lo disfuncional, aderindo a ele e acelerando a oxidação. E quando isso acontece o LDL não é mais capaz de entrar no astrócito, célula encarregada de alimentar os neurônios. Nos últimos dez anos, novas pesquisas mostraram que o LDL oxidado é um fator-chave no desenvolvimento da aterosclerose. Por isso, devemos fazer tudo o que pudermos para reduzir o risco de oxidação do LDL — e não o nível de LDL propriamente dito. E não há dúvida de que altos níveis de glicose desempenham um papel preponderante nesse risco; a probabilidade de oxidação do LDL é muito maior na presença de moléculas de açúcar, que aderem a ele e mudam sua forma. Proteínas glicosiladas, produto dessa reação entre proteínas e moléculas de açúcar, estão associadas a um aumento de cinquenta vezes na formação de radicais livres, em comparação com as proteínas não glicosiladas. O inimigo não é o LDL. Os problemas ocorrem quando uma dieta rica em carboidratos gera LDL oxidado e um risco maior de aterosclerose. Além disso, se e quando o LDL se torna uma molécula glicosilada, ela não consegue levar o colesterol às células cerebrais, e as funções do cérebro sofrem.

De algum jeito nos fizeram crer que uma dieta rica em gorduras elevará nosso colesterol, o que, por sua vez, aumentará o risco de ataques cardíacos e derrames. Essa ideia continua em pauta, apesar de uma pesquisa de vinte anos atrás que prova o contrário. Em 1994, o *Journal of the American Medical Association* publicou um teste comparando adultos mais velhos com colesterol alto (nível acima de 240 mg/dl) àqueles com níveis normais (abaixo de 200 mg/dl).[9] Durante quatro anos, pesquisadores da Universidade Yale mediram o colesterol total e a lipoproteína de alta densidade (o HDL) em quase mil participantes; eles também monitoraram hospitalizações por ataque cardíaco e angina instável e os índices de fatalidades por ataque cardíaco e fatalidades por outras causas. Não foram encontradas diferenças entre os dois grupos. Quem tinha colesterol total baixo teve o mesmo número de ataques cardíacos e morreu com a mesma frequência daqueles com colesterol total elevado. E diversas revisões de estudos amplos e múltiplos foram incapazes de encontrar uma correlação entre os níveis de colesterol e as doenças cardíacas.[10] O surgimento de pesquisas como essa levou o dr. George Mann, pesquisador do Estudo do Coração de Framingham, a afirmar publicamente:

> A hipótese da dieta cardíaca, que sugere que uma ingestão elevada de gordura ou colesterol causa problemas cardíacos, mostrou-se diversas vezes falsa. Mesmo assim, por razões complexas de orgulho, ganância e preconceitos, essa hipótese continua a ser explorada por cientistas, empresas em busca de financiamento, a indústria alimentícia e até agências governamentais. O público está sendo enganado pela maior fraude sanitária do século.[11]

Nada poderia estar mais distante da verdade do que o mito de que, se baixarmos nossos níveis de colesterol, teremos uma chance maior de viver vidas mais longas e mais saudáveis. Num relatório recente publicado na prestigiosa revista de medicina *Lancet*, pesquisadores holandeses estudaram 724 idosos, cuja idade média era 89 anos, e os acompanharam durante dez anos.[12] O que eles descobriram foi verdadeiramente extraordinário. Durante o estudo, 642 participantes morreram. Cada aumento de 39 pontos no colesterol total correspondia a uma redução de 15% no risco de mortalidade. No estudo, não havia absolutamente nenhuma diferença no risco de morrer de doenças coronárias entre o grupo de colesterol alto e o de colesterol baixo, o que é, em si, extraordinário, considerando o número de pessoas idosas que tomam drogas redutoras de colesterol. Outras causas de morte dos idosos mostraram-se fortemente associadas ao colesterol baixo. Os autores escreveram:

> A mortalidade de câncer e infecções foi significativamente menor entre os participantes na categoria de colesterol total mais alto que nas outras categorias, o que explica em grande parte a menor mortalidade nesta categoria.

Na verdade, quando você compara os grupos de colesterol mais baixo e mais alto, o risco de morrer durante o estudo sofreu uma queda de espantosos 48% entre aqueles com colesterol mais alto. O colesterol alto pode aumentar a longevidade.

Talvez um dos estudos mais extraordinários sobre o impacto positivo do colesterol no sistema neurológico como um todo tenha sido um artigo publicado em 2008 na revista *Neurology*, que apresenta o colesterol alto como um fator protetor contra a esclerose lateral amiotrófica (ALS, também conhecida nos Estados Unidos como doença de Lou Gehrig).[13] Não há tratamento eficaz contra a ALS, uma doença devastadora com que lido diariamente em meu consultório. A ALS é uma desordem degenerativa crônica que afeta os neurônios motores do corpo e leva à morte dois a cinco anos depois do aparecimento. A Food and Drug Administration (FDA), agência reguladora do governo americano responsável pelo controle dos alimentos e medicamentos comercializados em território americano, aprovou um remédio, o Rilutek, que pode prolongar a sobrevivência por aproximadamente três meses, no máximo. Mas é muito caro e ataca o fígado; a maioria dos pacientes se recusa a tomá-lo. Neste estudo de pesquisadores franceses, porém, mostrou-se que aqueles que têm taxas de colesterol consideravelmente mais altas sobreviveram, em média, um ano a mais que os pacientes com níveis baixos, mesmo na comparação com um grupo de controle normal. Como afirmaram os autores:

> A hiperlipidemia (nível alto de colesterol) é um fator de prognóstico de sobrevivência significativo nos pacientes com esclerose lateral amiotrófica. Esta descoberta ressalta a importância de estratégias de intervenção nutricional sobre a evolução da doença e exige nossa atenção ao tratar estes pacientes com drogas redutoras de lipídios.

E mais, não podemos limitar nossa discussão sobre gordura apenas à saúde cerebral. Também foram escritos livros e mais livros, na literatura científica, sobre gordura e saúde cardíaca — mas não no contexto que, eu sei, você está imaginando. Vamos lá: em 2010, o *American Journal of Clinical Nutrition* publicou um surpreendente estudo que expõe a verdade por trás de lendas urbanas sobre gorduras, principalmente as saturadas, e problemas cardíacos.[14] O estudo era uma avaliação retrospectiva de 21 artigos médicos anteriores, envolvendo mais de 340 mil pacientes, acompanhados por cinco a 23 anos. Ele concluía que a "ingestão de gorduras saturadas não estava associada a um risco maior de doenças cardíacas coronarianas, derrames ou doenças cardiovasculares". Na verdade, ao comparar o nível de consumo de gorduras saturadas ao mais elevado, o risco real de doenças coronarianas foi 19% menor no grupo que consumia a maior quantidade de gordura saturada. Os autores também afirmaram: "Nossos resultados sugerem um viés de publicação, de tal modo que os estudos com associações significativas tendem a ser recebidos para publicação de forma mais favorável". O que os autores estão sugerindo é que quando outros estudos apresentavam conclusões mais parecidas com o pensamento reinante (isto é, que a gordura causa problemas cardíacos), sem mencionar mais atraentes para a indústria farmacêutica, esses estudos tendem a ser mais publicados. A realidade é que gorduras saturadas nos fazem bem. Nas palavras do dr. Michael Gurr, autor do livro *Lipid Biochemistry: An Introduction* [Bioquímica do lipídio: Uma introdução]: "Qualquer que seja a causa das doenças cardíacas, elas não se devem primordialmente a um consumo elevado de ácidos graxos saturados".[15]

Em um relatório posterior do *American Journal of Clinical Nutrition*, um painel de pesquisadores de vários países, respeitados na área de nutrição, afirmou claramente: "Atualmente não há relação clara entre a ingestão de ácidos graxos e esses eventos [obesidade, doenças cardiovasculares, incidência de câncer e osteoporose]". Os pesquisadores prosseguiram afirmando que as pesquisas devem ser voltadas para "as interações biológicas entre a resistência à insulina, refletida pela obesidade e pela inatividade física, e a qualidade e a quantidade de carboidratos".[16]

Antes de observarmos outros estudos que mostram os benefícios da gordura, principalmente os alimentos cheios de colesterol, vamos pensar até que ponto rejeitamos exatamente aquelas comidas que podem manter nossos cérebros saudáveis e abastecidos para uma vida longa e vibrante. Isso exigirá um pequeno desvio pela relação entre a gordura alimentar e a saúde cardíaca, mas a história tem relação direta com a saúde do cérebro.

## UMA PEQUENA HISTÓRIA

Se você for como a maioria, em algum momento da vida já comeu mais margarina que manteiga, teve a sensação de estar abusando quando limpou um prato de bife, ovos e queijo, e girou em torno de produtos com os dizeres "baixa gordura", "sem gordura" ou "sem colesterol". Não é culpa sua ter feito essas escolhas. Todos nós integramos uma sociedade que confia em "especialistas" para nos dizer o que é bom e o que é ruim. Nas últimas gerações, passamos por eventos históricos em nossa compreensão da saúde humana, assim como descobertas espetaculares a respeito daquilo que nos deixa doentes e sujeitos a doenças. Na verdade, a virada do século xx marcou o início de uma enorme transformação na vida americana devido aos avanços na tecnologia e na medicina. No espaço de poucas décadas, generalizou-se o acesso a antibióticos, vacinas e serviços públicos de saúde. Desapareceram, ou pelo menos passaram a ser controladas, doenças comuns da infância, que antes reduziam fortemente a expectativa média de vida. Cada vez mais pessoas se mudaram para as cidades, deixando para trás o estilo de vida rural. Tornamo-nos mais educados, mais bem informados e cada vez mais sofisticados. Mas, em vários aspectos, também nos tornamos cada vez mais impressionáveis e enganáveis por informações que ainda não foram totalmente decifradas e comprovadas. Talvez você não se lembre da época em que os médicos recomendavam, por exemplo, fumar cigarros, mas no campo da nutrição esse tipo de ignorância aconteceu, numa escala muito mais sutil. E, infelizmente, parte dele continua até hoje.

Em 1900, o homem urbano típico ingeria cerca de 2900 calorias por dia, sendo que 40% dessas calorias vinham de gorduras saturadas e insaturadas, em partes iguais (famílias rurais, que viviam e trabalhavam em fazendas, provavelmente consumiam mais calorias). Era uma dieta repleta de manteiga, ovos, carne, grãos, vegetais e frutas da estação. Poucos americanos sofriam de sobrepeso, e as causas de morte mais comuns eram pneumonia, tuberculose, diarreia e enterite.

Também foi perto da virada do século xx que o Departamento de Agricultura dos Estados Unidos começou a monitorar o "desaparecimento" de alimentos, observando uma alteração no tipo de gorduras que os americanos estavam ingerindo. Começou-se a utilizar óleos vegetais, em vez de manteiga, o que levou a indústria alimentícia a criar óleos hidrogenados, que se parecem com a manteiga. Em 1950 tínhamos passado de um consumo de oito quilos de manteiga e pouco menos de um quilo e meio de óleo vegetal por ano para um pouco mais de quatro quilos de manteiga e mais de quatro quilos de óleo vegetal. A margarina também ganhou terreno rapidamente em nossas dietas: na virada do século, representava apenas um quilo por pessoa, mas na metade do século aumentou para cerca de quatro quilos.

Embora a hipótese lipídica exista desde meados do século xix, só foi em meados do século xx que os cientistas tentaram relacionar uma dieta gordurosa com artérias gordurosas, à medida que começou a aumentar o número de mortes por doenças arteriais coronarianas (DAC). Segundo essa hipótese, a gordura animal saturada eleva o nível de colesterol no sangue, levando ao depósito de colesterol e outras gorduras nas artérias, sob a forma de placas. Para reforçar essa teoria, um especialista em saúde pública da Universidade de Minnesota, chamado Ancel Keys, mostrou uma correlação quase linear entre as calorias da gordura na alimentação e as mortes por doenças cardíacas na população de sete países (ele ignorou países que não se encaixavam nesse padrão, inclusive muitos onde as pessoas ingeriam muita gordura mas não contraíam doenças cardíacas, e outros onde as dietas são pobres em gorduras mas as populações têm uma alta incidência de ataques cardíacos fatais). Os japoneses, cuja dieta tem apenas 10% de calorias advindas da gordura, apresentaram a menor taxa de mortalidade por DAC — menos de uma pessoa em cada mil. Os Estados Unidos, no entanto, tiveram a maior mortalidade por DAC — sete em mil —, com 40% das calorias vindo da gordura.[17] Num primeiro exame, pode parecer que esses padrões apontam diretamente para a ideia de que a gordura é ruim, e que a gordura causa doenças cardíacas. Os cientistas mal poderiam supor que esses números não contavam a história completa.

Esse raciocínio errado, porém, infiltrou-se por várias décadas, com cientistas buscando por provas adicionais, que incluíam o Estudo do Coração de Framingham, que concluiu que aqueles que têm colesterol mais elevado têm maior probabilidade de ter DAC e morrer em função delas. Em 1956, a American Heart Association começou a promover a chamada "dieta prudente", que conclamava a substituir manteiga, bacon, ovos e carne de boi por margarina, óleo de milho, frango e cereais. Na década de 1970 a hipótese lipídica se tornara firmemente estabelecida. No cerne dessa hipótese estava a afirmação inarredável de que o colesterol causava doenças arteriais coronarianas.

Isso naturalmente incentivou o governo a agir, o que levou ao lançamento das "Metas Dietárias para os Estados Unidos" pelo Comitê de Nutrição e Necessidades Humanas do Senado, em 1977. Como você pode imaginar, essas metas tinham o objetivo de reduzir a ingestão de gordura e evitar alimentos ricos em colesterol. Gorduras saturadas "entupidoras de artérias" foram consideradas particularmente más. Assim, foram condenadas a carne de boi, o leite, os ovos, a manteiga, o queijo e os óleos tropicais, como o de coco e o de palma. Esse pensamento também abriu caminho para o foco bilionário da indústria farmacêutica em remédios redutores de lipídios. Ao mesmo tempo, as autoridades de saúde começaram a aconselhar as pessoas a substituir as gorduras, agora do mal, por carboidratos e óleos vegetais processados poli-insaturados, incluindo os óleos de soja, milho, algodão, canola, amendoim, cártamo e girassol. Lanchonetes de fast-food aderiram em meados dos anos 1980, passando de gordura animal e óleo de palma para óleo vegetal parcialmente hidrogenado (gordura trans) na fritura de seus alimentos. Embora de lá para cá o Departamento de Agricultura dos Estados Unidos tenha alterado seu guia alimentar, ainda divulga a ideia de que "gordura é ruim" e "carboidrato é bom". Na verdade, no novo guia nenhuma gordura aparece, o que confunde os consumidores em relação a quais gorduras, e de que tipo, cabem numa dieta saudável.[18]

O dr. Donald W. Miller, cirurgião cardíaco e professor de cirurgia na Universidade de Washington, colocou a questão em termos exatos em seu ensaio de 2010 intitulado "Health Benefits of a Low-Carboydrate, High-Saturated-Fat Diet" [Benefícios de uma dieta pobre em carboidratos e rica em gorduras saturadas]:[19]

> O reinado de sessenta anos da dieta pobre em gordura e rica em carboidratos vai acabar. Isso acontecerá quando os efeitos destrutivos à saúde do excesso de carboidratos na dieta se tornarem mais amplamente reconhecidos, e os benefícios à saúde das gorduras saturadas, mais bem conhecidos.

A hipótese lipídica dominou os círculos cardiovasculares durante décadas, apesar do fato de o número de estudos contraditórios exceder o de que lhes dão apoio. Nos últimos trinta anos, não foi publicado nenhum estudo que demonstrasse inequivocamente que a redução do colesterol sérico, por meio da ingestão de uma dieta "pobre em gordura, pobre em colesterol", previne ou reduz ataques cardíacos ou a taxa de mortalidade. E, como aponta o dr. Miller, estudos populacionais do mundo inteiro não sustentam a hipótese lipídica. Podemos percorrer estudos até o distante ano de 1968 que desmentem cabalmente a ideia de que uma dieta pobre em gordura seja ideal. Naquele ano, o Projeto Internacional de Aterosclerose examinou 22 mil cadáveres de catorze países e concluiu que não importava se as pessoas ingeriam grandes quantidades de produtos animais gordurosos ou se seguiam uma dieta majoritariamente vegetariana: a prevalência de placa arterial foi a mesma em todas as partes do mundo, tanto naquelas com altos índices de doenças cardíacas quanto em populações com pouca ou nenhuma doença cardíaca.[20] Isso significa que o espessamento da parede arterial poderia ser simplesmente um processo inevitável de envelhecimento que não tem necessariamente correlação com doenças cardíacas clínicas.

Se a ingestão de gorduras saturadas não causa doenças cardíacas, o que as causa, então? Vamos observar agora essas circunstâncias do ponto de vista do cérebro, e então completaremos o giro voltando às questões do coração. Logo você irá compreender a raiz tanto da obesidade quanto das doenças do cérebro.

## CARBOIDRATOS, DIABETES E DOENÇAS DO CÉREBRO

Como já detalhei, uma das formas pelas quais os grãos e os carboidratos põem fogo no cérebro é através de picos de açúcar no sangue. Isso tem efeitos negativos diretos no cérebro, que, por sua vez, dão início a um efeito-cascata inflamatório. A explicação científica aponta para os neurotransmissores do seu corpo. Os neurotransmissores são seus principais reguladores do cérebro e do humor. Quando o açúcar no seu sangue aumenta, há uma redução imediata dos neurotransmissores serotonina, epinefrina, norepinefrina, ácido gama-aminobutírico (GABA) e dopamina. Ao mesmo tempo, vitaminas do complexo B que são necessárias para fabricar esses neurotransmissores (e algumas centenas de outras coisas) são gastas. Os níveis de magnésio também caem, e isso enfraquece tanto o seu sistema nervoso quanto o seu fígado. Além disso, o açúcar alto no sangue desencadeia uma reação chamada "glicação", que vamos explorar em maiores detalhes no próximo capítulo. Em termos bem simples, a glicação é o processo biológico pelo qual a glicose, as proteínas e certas gorduras se enredam, fazendo com que os tecidos e as células, inclusive do cérebro, se tornem endurecidos e inflexíveis. Mais especificamente, as moléculas de açúcar e as proteínas do cérebro se combinam para criar novas estruturas, letais, que contribuem mais que qualquer outro fator para a degeneração do cérebro e de seu funcionamento. O cérebro é tremendamente vulnerável aos estragos glicantes da glicose, e isso piora quando antígenos poderosos, como o glúten, aceleram o dano. Em termos neurológicos, a glicação pode contribuir para o encolhimento de tecidos cerebrais cruciais.

Fora as bebidas adoçadas, os alimentos a base de grãos são responsáveis pelo grosso das calorias de carboidratos na dieta do americano. Seja através de massas, biscoitos, bolos, roscas ou do aparentemente saudável "pão integral", a carga de carboidratos trazida por nossas opções alimentares não nos faz bem. Se acrescentarmos a essa lista o pot-pourri de outros alimentos ricos em carboidratos, como a batata, o milho, as frutas e o arroz, não admira que os americanos sejam chamados, hoje, de pleno direito, "carboólicos". Não admira tampouco que haja uma epidemia de disfunções metabólicas e diabetes na nossa cultura.

Os dados que confirmam a relação entre o diabetes e um consumo alto de carboidratos são claros e profundos, e é convincente observar que os índices de diabetes dispararam em 1994, quando a Associação Americana de Diabetes recomendou que os americanos consumissem 60% a 70% de suas calorias a partir de carboidratos. Na verdade, o número de casos de diabetes duplicou entre 1997 e 2007 nos Estados Unidos.[21] Dê uma olhada na curva ascendente de 1980 a 2011, período durante o qual o número de americanos diagnosticados com diabetes mais que triplicou:

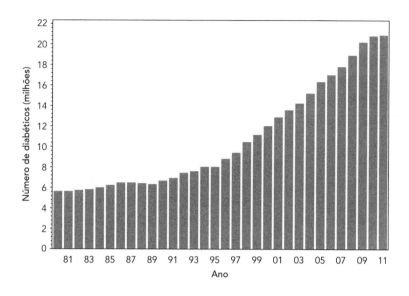

Isso é significativo, uma vez que, como você já sabe, tornar-se diabético duplica seu risco de ter Alzheimer. Mesmo ser "pré-diabético", quando seus problemas com açúcar no sangue estão apenas começando, está associado a um declínio das funções cerebrais, ao encolhimento do centro de memória do cérebro e a um fator independente de risco para o Alzheimer.

É difícil acreditar que não se pudesse saber antes dessa correlação entre o diabetes e a demência, mas levou muito tempo para ligarmos os pontos e realizar o tipo de estudo longitudinal que uma conclusão dessas exige. Também levou tempo para nos darmos conta da pergunta óbvia que decorre dessa relação: como o diabetes contribui para a demência? Em primeiro lugar, quando se é resistente à insulina, o corpo pode não ser capaz de decompor uma proteína (amiloide) que forma placas cerebrais associadas às doenças do cérebro. Em segundo lugar, o açúcar alto no sangue provoca reações biológicas ameaçadoras que fazem mal ao corpo, pela produção de certas moléculas que contêm oxigênio, danificam as células e causam processos inflamatórios. Estes, por sua vez, podem resultar no endurecimento e no estreitamento das artérias no cérebro (sem falar do resto do corpo). Essa condição, conhecida como aterosclerose, pode levar à demência vascular, que ocorre quando entupimentos e derrames matam tecidos cerebrais. Tendemos a pensar na aterosclerose em termos cardíacos, mas o cérebro pode ser afetado da mesma forma por alterações nas paredes de suas artérias. Já em 2004, pesquisadores australianos afirmaram corajosamente em uma revisão de estudos que "já há um consenso pelo qual a aterosclerose representa um estado de estresse oxidativo elevado, caracterizado pela oxidação de lipídios e proteínas na parede vascular".[22] Eles também observaram que essa oxidação é uma reação a um processo inflamatório.

Uma descoberta mais perturbadora foi feita por pesquisadores japoneses em 2011, quando eles examinaram mil homens e mulheres acima dos sessenta anos e concluíram que "pessoas com diabetes tinham duas vezes mais probabilidade que os demais participantes do estudo de desenvolver Alzheimer num período de quinze anos. Eles também eram 1,75 vez mais suscetíveis de desenvolver demência de qualquer tipo".[23] Essa relação manteve-se válida mesmo depois de levar em conta diversos fatores associados tanto ao risco de diabetes quanto ao de demência, como idade, sexo, pressão arterial e índice de massa corporal. Agora ele e outros pesquisadores estão documentando como o controle do açúcar no sangue e a redução de fatores de risco para o diabetes tipo 2 também reduzem o risco de demência.

## OS FATOS SOBRE A GORDURA: A MELHOR AMIGA DE SEU CÉREBRO

Para entender totalmente o mal que os carboidratos fazem e o bem que as gorduras fazem, compreender um pouco de biologia básica pode nos ajudar. No corpo, os carboidratos alimentares, inclusive açúcares e amidos, são convertidos em glicose, que, a esta altura você já sabe, manda o pâncreas liberar insulina para o sangue. A insulina envia glicose para as células e armazena a glicose como glicogênio no fígado e nos músculos. Também é o principal catalisador do acúmulo de gordura, convertendo a glicose em gordura corporal quando o fígado e os músculos não têm mais espaço para o glicogênio. São os carboidratos — e não as gorduras alimentares — a causa principal do ganho de peso (pense nisso: quando os fazendeiros querem engordar animais destinados ao matadouro, cevam-nos com carboidratos como o milho e grãos). Isso explica, em parte, por que a perda de peso é um dos principais efeitos de uma dieta pobre em carboidratos. Além disso, tal dieta reduz o açúcar no sangue, nos diabéticos, e melhora a sensibilidade à insulina. Na verdade, substituir os carboidratos pela gordura tem sido, cada vez mais, o método preferido de tratamento para o diabetes tipo 2.

Quando a sua dieta é continuamente rica em carboidratos, que na prática mantém em funcionamento sua bomba de insulina, você limita (para não dizer "interrompe totalmente") a decomposição da sua gordura corporal como combustível. Seu corpo se vicia nessa glicose. Você pode até gastar sua glicose, mas mesmo assim a gordura continua indisponível como combustível devido aos altos volumes de insulina. Essencialmente, o corpo se torna fisicamente faminto devido à sua dieta baseada em carboidratos. É por isso que muitos indivíduos obesos não conseguem perder peso enquanto continuam a ingerir carboidratos. Seus níveis de insulina mantêm os depósitos de gordura "reféns".

Agora vamos nos debruçar sobre a gordura. Ela é, e sempre foi, um pilar fundamental da nutrição humana. Além do fato de que o cérebro humano consiste em mais de 70% de gordura, ela desempenha um papel essencial na regulagem do sistema imunológico. Em poucas palavras, gorduras boas como o ômega 3 e as monoinsaturadas reduzem processos inflamatórios, enquanto as gorduras hidrogenadas modificadas, tão comuns nos alimentos industrializados, elevam drasticamente essas inflamações. Certas vitaminas, sobretudo as vitaminas A, D, E e K, exigem gordura para serem absorvidas adequadamente pelo corpo. É por isso que a gordura alimentar é necessária para transportar essas vitaminas "solúveis em gordura". Como essas vitaminas não se dissolvem na água, elas só podem ser absorvidas por seu intestino delgado em combinação com a gordura. São sempre graves as deficiências provocadas por uma absorção incompleta dessas vitaminas de importância vital, e qualquer uma dessas deficiências pode ter relação com males do cérebro, entre outras condições. Sem as reservas de vitamina K necessárias, por exemplo, é impossível formar coágulos sanguíneos no caso de um ferimento, e sangramentos espontâneos podem ocorrer (imagine esse problema no cérebro). A vitamina K também contribui tanto para a saúde cerebral quanto ocular, ajudando a reduzir o risco de demência e de degeneração macular relacionada a idade (e a gordura alimentar é boa contra a degeneração macular). Sem vitamina A o bastante, o cérebro não se desenvolve adequadamente; você pode ficar cego e se tornar excessivamente vulnerável a infecções. A falta de vitamina D é sabidamente associada a uma suscetibilidade maior a vários males crônicos, inclusive esquizofrenia, Alzheimer, Parkinson, desordens afetivas periódicas e diferentes doenças autoimunes, como o diabetes tipo 1.

Se você acompanha o senso comum atual, sabe que se espera que você limite sua ingestão total de gorduras a não mais de 20% de suas calorias (e isso cai para menos de 10% quando se trata das gorduras saturadas). Você também sabe que isso é difícil de conseguir (dê um suspiro de alívio: é um conselho mal dado, e no meu programa alimentar você não terá que se preocupar em contar gramas de gordura e percentuais gerais). No entanto, embora as gorduras trans sintéticas encontradas na margarina e nos alimentos industrializados sejam um veneno, agora sabemos que as gorduras monoinsaturadas — como aquelas encontradas em abacates, azeitonas e nozes — são saudáveis. Também sabemos que os ácidos graxos poli-insaturados ômega 3 dos peixes de águas frias (por exemplo, o salmão) e algumas plantas (por exemplo, o óleo de linhaça) são considerados "bons". Portanto, a gordura saturada foi vítima de uma campanha ruim. A maioria de nós nem questiona mais por que essas gorduras específicas são consideradas ruins para a saúde; simplesmente pressupomos que a pretensa ciência é verdadeira. Ou situamos essas gorduras, erroneamente, na mesma categoria das gorduras trans. Mas nós temos necessidade de gordura saturada, e nosso corpo foi projetado muito tempo atrás para lidar com o consumo de fontes naturais dessa gordura — mesmo em grandes quantidades.

Poucos entendem que a gordura saturada desempenha um papel crucial em várias equações bioquímicas que nos mantêm saudáveis. Se você foi amamentado no seio quando era bebê, gorduras saturadas eram a base de sua alimentação, já que representam 54% da gordura no leite materno. Todas as células do seu corpo têm necessidade de gorduras saturadas; elas representam 50% da membrana celular. Elas também contribuem para a estrutura e o funcionamento de seus pulmões, seu coração, seus ossos, seu fígado e seu sistema imunológico. Nos pulmões, um tipo específico de gordura saturada — o ácido palmítico C16 — cria surfactante pulmonar e reduz a tensão pulmonar, de modo que seus alvéolos — os pequenos sacos de ar que capturam o oxigênio de suas inalações e permitem que ele seja absorvido pela sua corrente sanguínea — se expandam. Sem surfactante, você não conseguiria respirar, pois a superfície úmida dos seus alvéolos pulmonares aderiria a si mesma, impedindo seus pulmões de se expandir. Uma quantidade saudável de surfactante pulmonar previne a asma e outras desordens respiratórias.

As células do músculo cardíaco preferem um tipo de gordura saturada para se alimentar, e os ossos precisam de gorduras saturadas para assimilar o cálcio de forma eficiente. Com o auxílio das gorduras saturadas, seu fígado elimina a gordura e o protege dos efeitos adversos das toxinas, inclusive o álcool e certos componentes dos remédios. Em parte, os glóbulos brancos do seu sistema imunológico devem sua capacidade de reconhecer e destruir germes invasores, assim como a de combater tumores, às gorduras encontradas na manteiga e no óleo de coco. Até seu sistema endócrino depende dos ácidos graxos saturados para comunicar a necessidade de fabricar certos hormônios, inclusive a insulina. E eles ajudam a informar ao cérebro quando você está satisfeito e pode se levantar da mesa. Minha expectativa não é que você decore toda essa biologia. Eu a menciono como forma de enfatizar sua necessidade biológica de gordura saturada. Para uma lista completa de onde encontrar essas gorduras boas (e onde se escondem as gorduras ruins), veja a tabela da p. 86.

## EM FAVOR DO COLESTEROL

Se já testaram seus níveis de colesterol, você provavelmente separou o HDL (lipoproteína de alta densidade) e o LDL (lipoproteína de baixa densidade) em duas categorias diferentes — uma "boa" e outra "ruim". Já mencionei, de passagem, esses dois rótulos para o colesterol. Mas, ao contrário do que você pode pensar, não são duas categorias diferentes de colesterol. HDL e LDL refletem dois receptáculos diferentes para o colesterol e a gordura. Cada um deles desempenha um papel bem diferente no corpo. Também existem várias outras lipoproteínas, como o VLDL (muito baixa) e o IDL (intermediária). O colesterol — pouco importa o "tipo" — não é tão terrível quanto lhe fizeram acreditar. Alguns dos mais notáveis estudos recentes sobre o valor biológico do colesterol — e especificamente nossa saúde cerebral — nos dão uma pista de como as peças desse quebra-cabeças se encaixam e nos contam uma história coerente. Como vimos, a ciência está apenas começando a descobrir que há uma grave deficiência tanto de gordura quanto de colesterol em cérebros doentes, e que níveis totais de colesterol elevados na idade avançada estão associados a uma longevidade maior.[24] O cérebro representa apenas 2% da massa do corpo, mas contém 25% do colesterol total, onde este ajuda o funcionamento e o desenvolvimento cerebrais. Um quinto do cérebro, considerando o peso, é colesterol!

O colesterol forma as membranas que envolvem as células, além de as manter permeáveis e "à prova d'água", de modo que diferentes reações químicas possam ocorrer tanto dentro quanto fora da célula. Na verdade, já se determinou que a capacidade de criar novas sinapses no cérebro depende da disponibilidade de colesterol, que mantém unidas as membranas celulares, de maneira que os sinais possam passar facilmente na sinapse. Também é um componente crucial da camada de mielina que envolve o neurônio, permitindo uma transmissão rápida de informações. Um neurônio incapaz de transmitir mensagens é um neurônio inútil, e a única coisa que faz sentido é jogá-lo fora, como lixo. Esses restos são o marco da doença cerebral. Essencialmente, o colesterol age como um facilitador para que o cérebro se comunique e funcione adequadamente.

Além disso, o colesterol serve como um poderoso antioxidante no cérebro. Ele protege o cérebro contra os efeitos danosos dos radicais livres. O colesterol é um precursor de importantes hormônios esteroides, como o estrogênio e os androgênios, assim como a vitamina D, um antioxidante solúvel em gordura e de importância crucial. A vitamina D também serve como um poderoso anti-inflamatório e ajuda a livrar o corpo de agentes infecciosos que podem levar a doenças que põem a vida em risco. Na verdade, a vitamina D não é realmente uma vitamina, mas age no corpo mais como um esteroide ou um hormônio. Considerando que a vitamina D é formada diretamente a partir do colesterol, não surpreende saber que os níveis de vitamina D são baixos em quem sofre de doenças neurodegenerativas variadas como Parkinson, Alzheimer e esclerose múltipla. Em geral, à medida que envelhecemos, os níveis de colesterol aumentam no corpo. Isso é bom, pois, no envelhecimento, a produção de radicais livres também aumenta. O colesterol pode oferecer certo grau de proteção contra esses radicais livres.

E para além do cérebro o colesterol desempenha outros papéis vitais na saúde e na fisiologia humanas. Os sais biliares liberados pela vesícula biliar, fundamentalmente importantes para a digestão de gordura e, portanto, para a absorção de vitaminas solúveis em gordura como A, D e K, são feitos de colesterol. Assim, estar com um nível baixo de colesterol no corpo compromete a capacidade de digerir gordura. Também solapa o delicado equilíbrio dos eletrólitos em seu corpo, que o colesterol ajuda a gerir. Na verdade, o corpo tanto enxerga o colesterol como um importante colaborador que todas as células têm um jeito de obter seu próprio estoque.

O que isso significa, então, no que diz respeito às recomendações alimentares? Durante anos disseram que devíamos nos concentrar em alimentos de "baixo colesterol", mas na verdade alimentos ricos em colesterol, como os ovos, também são de grande ajuda e devem ser considerados "alimentos para o cérebro". Durante mais de 2 milhões de anos ingerimos alimentos ricos em colesterol. Como a esta altura você já sabe, o verdadeiro culpado, no que diz respeito à saúde e às funções cerebrais, são os alimentos de alto índice glicêmico — basicamente, ricos em carboidratos.

Um dos mitos mais persistentes que eu não me canso de desmentir é a ideia de que o cérebro prefere a glicose como combustível. Nada poderia estar mais longe da verdade. O cérebro usa gordura excepcionalmente bem; ela é considerada o "supercombustível" do cérebro. É por isso que usamos uma dieta baseada em gordura como terapia contra todo tipo de doença neurodegenerativa (no capítulo 7 será descrito em detalhes como o cérebro busca a gordura como combustível, e o que isso representa para a saúde e para a montagem da dieta perfeita).

Parte da razão pela qual eu me concentro em gordura, e no colesterol mais especificamente, não é simplesmente por esses ingredientes terem tudo a ver com a saúde do cérebro, mas porque vivemos numa sociedade que continua a demonizá-los como se se tratasse de cianureto, e a gigantesca indústria farmacêutica se aproveita da desinformação do público e perpetua inverdades, muitas das quais podem nos destruir fisicamente. Para entender realmente aonde quero chegar, vamos analisar uma questão problemática: a epidemia de estatinas.

## A EPIDEMIA DE ESTATINAS E O ELO COM AS DISFUNÇÕES CEREBRAIS

A compreensão de como o colesterol é crucial para a saúde do cérebro levou-me, e a muitos outros na minha área, a crer que as estatinas — as drogas best-seller receitadas para reduzir o colesterol — podem causar ou exacerbar transtornos cerebrais e doenças.

Disfunções de memória são um efeito colateral sabido das estatinas. O dr. Duane Graveline, ex-médico de astronautas da Nasa, o que lhe valeu o apelido de "Spacedoc", sempre foi um feroz opositor das estatinas. Desde que ele passou por uma perda total de memória que ele atribui às estatinas que estava tomando na época, ele reúne evidências de seus efeitos colaterais em pacientes do mundo inteiro. Ele já escreveu três livros sobre o assunto, o mais famoso deles intitulado *Lipitor, Thief of Memory* [Lipitor: Ladrão de memória].[25]

Em fevereiro de 2012, a Food and Drug Administration divulgou uma declaração segundo a qual as estatinas podem causar efeitos colaterais cognitivos, como confusão e lapsos de memória. Um estudo recente realizado por ninguém menos que a Associação Médica Americana, publicado em janeiro de 2012 na revista *Archives of Internal Medicine*, demonstrou um impressionante aumento de 71% no risco de diabetes entre as mulheres que tomam remédios com estatina.[26]

Era um estudo grande — mais de 160 mil mulheres pós-menopausa. Por isso, não dá para ignorar sua importância e sua gravidade. Se reconhecermos que o diabetes tipo 2 é um poderoso fator de risco para o Alzheimer, é fácil entender a relação entre as estatinas e o declínio das funções cognitivas.

Em 2009, Stephanie Seneff, pesquisadora sênior do Laboratório de Informática e Inteligência Artificial do Instituto de Tecnologia de Massachusetts (MIT, na sigla em inglês) que tem se interessado pelos efeitos dos remédios e da alimentação na saúde, publicou um convincente ensaio explicando por que as estatinas e uma dieta pobre em gordura podem causar Alzheimer.[27] No ensaio, ela descreve aquilo que já sabemos a respeito dos efeitos colaterais das estatinas e pinta um quadro impressionante de como o cérebro sofre na presença delas. Ela também resume as descobertas científicas mais recentes e as contribuições de outros especialistas nessa área. Como explica a dra. Seneff, uma das principais razões pelas quais as estatinas provocam transtornos cerebrais é o fato de prejudicarem a capacidade do fígado de produzir colesterol. Em consequência, o nível de LDL no sangue cai significativamente. Como acabei de explicar, o colesterol desempenha um papel vital no cérebro, possibilitando a comunicação entre os neurônios e incentivando o crescimento de novas células cerebrais. Ironicamente, a indústria das estatinas propagandeia seus produtos dizendo que eles interferem na produção de colesterol, tanto no cérebro quanto no fígado.

O dr. Yeon-Kyun Shin, professor de biofísica na Universidade Estadual de Iowa, é uma autoridade reconhecida na área do funcionamento do colesterol como transmissor de mensagens em redes neurais. Ele colocou a questão em termos sucintos numa entrevista para um repórter do site ScienceDaily:[28]

> Quando você priva o cérebro de colesterol, está afetando diretamente a engrenagem que desencadeia a liberação de neurotransmissores. Estes afetam as funções de processamento de dados e memória. Em outras palavras: sua inteligência e sua capacidade de lembrar-se direito das coisas. Quando você tenta reduzir o colesterol tomando remédios que atacam a engrenagem de síntese de colesterol no fígado, esses remédios também vão para o cérebro. Então, eles reduzem a síntese de colesterol. Nosso estudo mostra que há uma relação direta entre o colesterol e a liberação de neurotransmissores, e conhecemos com precisão a mecânica molecular do que ocorre nas células. O colesterol altera a forma das proteínas para estimular a memória e o raciocínio.

Em 2009, uma revisão atualizada de dois grandes estudos terminados em 2001, sobre estatinas tomadas por mais de 26 mil indivíduos em grupo de risco para demência e Alzheimer, mostrou que as estatinas não protegem contra o Alzheimer, o que contradiz aquilo que se imaginava antes. A principal autora do estudo, Bernadette McGuinness, disse ao site ScienceDaily: "A partir desses testes, que envolveram um grande número de pessoas e são considerados padrão, tudo indica que as estatinas ministradas a indivíduos de idade avançada com risco de doenças vasculares não previnem contra a demência".[29] Quando pediram à pesquisadora Beatrice Golomb, da Universidade da Califórnia, em Los Angeles, para comentar o assunto, ela disse: "Em relação às estatinas como medicamentos preventivos, há diversas notificações de casos e séries de casos, reprodutíveis, em que a cognição é claramente afetada de modo adverso pelas estatinas".[30] Golomb acrescentou que diversos estudos demonstraram que ou as estatinas afetam negativamente a cognição ou são neutras, e que nenhum teste jamais apresentou um desfecho positivo.

Além do impacto direto das estatinas no colesterol, elas têm um efeito indireto no fornecimento de ácidos graxos e antioxidantes. Não apenas elas reduzem a quantidade de colesterol contida nas partículas de LDL, mas reduzem o número total de partículas LDL propriamente ditas. Portanto, além de diminuir o colesterol, limitam o estoque disponível para o cérebro tanto de ácidos graxos quanto de antioxidantes, que também são carregados pelas partículas LDL. O funcionamento correto do cérebro depende de todas essas três substâncias.[31]

Outra maneira pela qual as estatinas podem contribuir para o Alzheimer, descrita de forma maravilhosa pela dra. Seneff,[32] é paralisando a capacidade das células de produzir a coenzima Q10, uma substância similar às vitaminas encontrada em todo o corpo. A coenzima desempenha um papel importante como antioxidante e na produção de energia para as células. Como ela possui o mesmo processo metabólico do colesterol, sua síntese é prejudicada pelas estatinas, e o corpo e o cérebro ficam privados dela. Alguns dos efeitos colaterais observados depois do uso de estatinas, como cansaço, fôlego curto, problemas motores e de equilíbrio, dores musculares, fraqueza e atrofia, estão relacionados à perda da CoQ10 nos músculos e a uma redução da capacidade de produzir energia. No limite, quem tem reações fortes à estatina sofre danos sérios nos músculos esqueléticos. Uma deficiência de CoQ10 também tem sido relacionada à insuficiência cardíaca, à hipertensão e ao Parkinson. Considerando todos esses efeitos, fica fácil compreender por que a CoQ10 foi proposta como tratamento para o Alzheimer.

Por fim, as estatinas podem ter um efeito indireto sobre a vitamina D. O corpo produz vitamina D a partir do colesterol na pele, com a exposição aos raios ultravioleta do sol. Na verdade, se você observar a fórmula química da vitamina D, terá dificuldade em distingui-la da fórmula do colesterol; elas parecem idênticas. "Quando os níveis de LDL são mantidos baixos artificialmente", escreve a dra. Seneff, "o corpo não consegue repor uma quantidade adequada de colesterol para repor o estoque na pele, depois que ele foi gasto. Isso leva a uma deficiência de vitamina D, problema generalizado nos Estados Unidos."[33] A deficiência de vitamina D não acarreta apenas um risco maior de ossos fracos e moles e, no limite, de raquitismo; está associada a muitas condições que elevam o risco de demência, entre elas o diabetes, a depressão e doenças cardiovasculares.

Os benefícios das estatinas são questionáveis. Estudos importantes não conseguiram mostrar de que maneira elas protegem o corpo das doenças. Embora diversos estudos de fato mostrem os efeitos positivos que as estatinas têm na redução das taxas de mortalidade de pessoas com doenças arteriais coronarianas, novas pesquisas revelam que esses resultados têm pouco a ver com a redução do colesterol que essas drogas ensejam, e mais provavelmente com o fato de reduzirem os processos inflamatórios, um gatilho da doença. Mas isso não significa que as compensações de tomar uma estatina valham o selo de aprovação. Para alguns, o risco de efeitos colaterais negativos é simplesmente grande demais. Quem tem um risco baixo de doenças cardíacas, mas um risco elevado de outras doenças, se coloca em situação de risco caso opte por tomar estatinas.

Estudos que remontam a meados da década de 1990 revelam um elo entre o uso de estatinas e um risco maior de certos tipos de câncer, para não falar de uma longa lista de efeitos colaterais, de problemas digestivos a asma, impotência, inflamação do pâncreas e danos ao fígado.[34] Um teste publicado em janeiro de 2010 no *American Journal of Cardiology* mostrou que a medicação com estatinas, na verdade, aumenta o risco de morte. Pesquisadores em Israel acompanharam cerca de trezentos adultos diagnosticados com insuficiência cardíaca durante, em média, 3,7 anos, e em alguns casos por até 11,5 anos. Naqueles que tomaram estatinas e tinham os níveis mais baixos de lipoproteína de baixa densidade (LDL) constataram-se as taxas de mortalidade mais altas. Inversamente, quem tinha níveis de colesterol mais elevados apresentou um risco menor de morrer.[35]

## COMO OS CARBOIDRATOS — E NÃO O COLESTEROL — CAUSAM O COLESTEROL ALTO

Se você conseguir limitar a ingestão de carboidratos a uma faixa absolutamente necessária (mais detalhes no capítulo 10) e compensar a diferença com gorduras e proteínas deliciosas, você pode literalmente reprogramar seus genes, voltando à configuração de fábrica que você tinha ao nascer. É essa configuração que lhe confere a capacidade de ser uma máquina queimadora de gordura, com uma mente aguçada.

É importante entender que, quando seu exame de colesterol dá um resultado alto, o número apresentado deriva, na verdade, em 75% a 80% daquilo que seu corpo fabrica, e não necessariamente daquilo que você come. O fato é que os alimentos ricos em colesterol, na verdade, reduzem a produção de colesterol do corpo. Todos nós fabricamos até 2 mil gramas diários de colesterol, porque necessitamos desesperadamente dele em quantidades várias vezes maiores que aquilo que encontramos em nossas dietas. Nossos corpos preferem que forneçamos na boca o colesterol de que precisamos, vindo daquilo que comemos, em vez de fabricá-lo internamente, que é um processo biológico de várias etapas, exigindo muito do fígado. O colesterol alimentar é tão importante que seu corpo absorve o máximo que pode para seu uso.

Então o que acontece quando você restringe sua ingestão de colesterol, como tanta gente faz hoje? O corpo envia um sinal de alarme indicador de crise ("fome"). Seu fígado capta esse sinal e começa a produzir uma enzima chamada reductase HMG-CoA, que ajuda a compensar o déficit ao usar os carboidratos da dieta para produzir um suprimento excedente de colesterol (é exatamente essa enzima que é o alvo das estatinas). Como você provavelmente já adivinhou, é um coquetel Molotov em potencial: quando se comem carboidratos em excesso ao mesmo tempo em que se reduz a ingestão de colesterol, fomenta-se uma superprodução constante e pesada de colesterol no corpo. A única forma de impedir que esse processo interno fuja do controle é consumir diariamente uma quantidade adequada de colesterol alimentar e reduzir drasticamente os carboidratos. Isso explica por que meus pacientes com "colesterol alto" que adotam minha dieta conseguem fazer seus níveis voltarem ao normal sem tomar remédios, ao mesmo tempo em que desfrutam de alimentos repletos de colesterol.

## O "PERIGO DO COLESTEROL ALTO" DE FATO EXISTE?

O colesterol desempenha um papel menor, se tanto, nas doenças cardíacas coronarianas e seu nível é um mau previsor do risco de ataques cardíacos. Mais da metade dos pacientes hospitalizados com ataques cardíacos tem níveis de colesterol na faixa "normal". A ideia de que reduzir drasticamente os níveis de colesterol de alguma forma reduzirá mágica e drasticamente o risco de ataques cardíacos já está completa e categoricamente refutada. De longe, os fatores de risco alteráveis mais importantes relacionados ao risco de ataques cardíacos incluem o fumo, o consumo excessivo de álcool, a falta de exercícios aeróbicos, o sobrepeso e uma dieta rica em carboidratos.

Por isso, quando vejo meus pacientes com níveis de colesterol de, digamos, 240 mg/dl ou mais, quase sempre é porque seus clínicos gerais lhes receitaram medicamentos redutores de colesterol. Trata-se de um raciocínio e de uma atitude errados. Como foi discutido, o colesterol é uma das substâncias químicas mais críticas na fisiologia humana. O melhor teste de laboratório de referência para determinar a situação da saúde de um paciente é o de hemoglobina A1C, e não o nível de colesterol. Quase nunca, ou nunca, é apropriado levar em conta o colesterol alto, por si só, como uma ameaça significativa à saúde.

Uma boa pergunta: quem sofre de colesterol alto? Trinta anos atrás, a resposta era: qualquer pessoa cujo nível de colesterol fosse superior a 240 pontos e tivesse outros fatores de risco, como sobrepeso e fumo. Essa definição mudou depois da Conferência de Consenso do Colesterol, em 1984; desde então, passou a ser qualquer pessoa cujo nível de colesterol estivesse acima de 200, independentemente de outros fatores de risco. Hoje o limite caiu para 180. E se você teve um ataque cardíaco, está em uma categoria totalmente diferente, não importa quão baixo seja o nível do seu colesterol. Provavelmente lhe será receitado um medicamento redutor de colesterol e lhe será recomendada uma dieta pobre em gorduras.

## EDUCAÇÃO SEXUAL: ESTÁ TUDO NA SUA CABEÇA

O.k. Então o colesterol é bom. Mas não é apenas por causa de sua saúde física e cerebral e de sua longevidade futura. Também tem a ver com uma parte importante de seu estilo de vida, que costuma ser varrida para debaixo do tapete nos livros médicos sérios. Estou falando de sua vida sexual. Até que ponto ela anda apimentada?

Embora eu seja neurologista, cuido de um número razoável de pessoas que sofrem de disfunções sexuais e estão impotentes ou evitando completamente o sexo, ou ingerem cartelas inteiras de pílulas em busca de ajuda. Você já conhece essas pílulas — aquelas que são anunciadas como doces e prometem transformar sua vida sexual. Meus pacientes com problemas de saúde sexual não se consultam comigo, obviamente, por causa dessa questão específica, mas citam esse problema quando lhes pergunto que aspectos de suas vidas, além do neurológico, não correm bem.

Uma história curta: um engenheiro aposentado de 75 anos veio a meu consultório com uma série de queixas, inclusive insônia e depressão. Fazia quarenta anos que ele tomava comprimidos para dormir, e nos dois ou três meses que antecederam a consulta sua situação piorou. Da primeira vez que o vi, ele estava tomando, na verdade, poucos remédios: um antidepressivo, um medicamento contra a ansiedade, e Viagra contra disfunção erétil. Primeiro, pedi um exame para sensibilidade ao glúten e, para surpresa dele, o resultado geral foi positivo. Ele aceitou adotar uma dieta sem glúten e rica em gorduras, e cerca de um mês depois voltamos a nos falar por telefone. Foi quando ele me deu uma notícia sensacional: sua depressão tinha melhorado e ele não estava mais precisando de Viagra para fazer sexo com a esposa. Ele estava imensamente grato.

A maioria das pessoas concorda que o sexo tem tudo a ver com o que está acontecendo com o cérebro. É um ato profundamente ligado a emoções, impulsos e pensamentos. Mas também está inexoravelmente conectado aos hormônios e à química do sangue. Indubitavelmente, se você sofre de depressão e não está dormindo bem, como meu paciente engenheiro, o sexo é a última das suas preocupações. Mas uma das causas mais comuns da impotência, na verdade, não é nenhum desses dois problemas. É aquilo sobre o que venho falando na maior parte deste capítulo: níveis de colesterol abissalmente reduzidos. E muitos estudos provam essa ideia: a menos que você tenha níveis saudáveis de testosterona (isso vale tanto para homens quanto para mulheres), não terá uma vida sexual agitada, se é que terá alguma. O que produz a testosterona? O colesterol. E o que milhões de americanos estão fazendo hoje? Reduzindo seus níveis de colesterol por meio de dieta ou de estatinas. Ao mesmo tempo, estão reduzindo a própria libido e o próprio desempenho. Alguém fica surpreso com a atual epidemia de disfunção erétil e a demanda por drogas contra ela, sem falar (talvez ironicamente) na terapia de substituição de testosterona?

Diversos estudos confirmaram essas ligações.[36] A queda na libido é uma das queixas mais comuns de quem toma estatinas. Testes de laboratório constataram repetidas vezes testosterona baixa em consumidores de estatinas.[37] Aqueles que as tomam têm duas vezes mais chance de possuir níveis baixos de colesterol. Por sorte, essa condição é reversível, parando com as estatinas e aumentando a ingestão de colesterol. Existem, na verdade, duas formas pelas quais as estatinas reduzem a testosterona. A primeira é pela redução direta dos níveis de colesterol. A segunda é pela interferência com as enzimas que criam testosterona ativa.

Um estudo publicado no Reino Unido em 2010 observou 930 homens com doenças cardíacas coronárias e mediu seus níveis de testosterona.[38] Achou-se testosterona baixa em 24% dos pacientes, e o risco de morrer era de 12% naqueles com testosterona normal, mas de 21% naqueles com testosterona baixa. A conclusão estava bem na cara deles: se você tem uma doença coronária e baixa testosterona, seu risco de morrer é muito maior. Uma vez mais, estamos tomando estatina para reduzir o colesterol, o que por sua vez reduz a testosterona... e menos testosterona aumenta o risco de morrer. Não é uma loucura?

Paro por aqui.

## A DOCE VERDADE

Neste capítulo, o papel da gordura no cérebro foi o cerne do assunto. Mas precisamos ir um passo além e fazer a nós mesmos a seguinte pergunta: o que acontece quando, em vez disso, o cérebro se inunda de açúcar? Iniciei este capítulo abordando os males que os carboidratos causam ao nosso corpo, mas reservei para um capítulo à parte a discussão sobre esse carboidrato particularmente devastador. Infelizmente, é um tema que tem recebido uma atenção incrivelmente reduzida da imprensa. Cada vez mais ouvimos falar da relação entre o açúcar e a "diabesidade", o açúcar e as doenças cardíacas, o açúcar e o fígado gorduroso, o açúcar e as síndromes metabólicas, o açúcar e o risco de câncer etc., mas açúcar e disfunção cerebral? É hora de encarar a questão de perto.

# 4. Uma união infrutífera
## Seu cérebro viciado em açúcar (natural ou não)

*Do ponto de vista evolutivo, nossos ancestrais só dispunham do açúcar que encontravam nas frutas, durante poucos meses do ano (na época da colheita), ou no mel, que era vigiado pelas abelhas. Mas, nos últimos anos, o açúcar foi adicionado a quase todos os alimentos processados, limitando as escolhas dos consumidores. A natureza fez do açúcar algo difícil de encontrar; o homem o tornou fácil.*

Dr. Robert Lustig et al.[1]

Açúcar. Venha ele de um pirulito, de um cereal ou de um pedaço de pão, sabemos que esse carboidrato não é o mais saudável dos ingredientes, principalmente quando é consumido em excesso ou sob formas refinadas ou processadas, como o xarope de milho rico em frutose. Também sabemos que o açúcar é parcialmente culpado pelos nossos problemas com a cintura, o apetite, o controle de açúcar no sangue, o diabetes tipo 2 e a resistência à insulina. Mas e quanto ao açúcar e o cérebro?

Em 2011, Gary Taubes, autor do livro *Good Calories, Bad Calories* [Calorias boas, calorias más],[2] escreveu um excelente artigo para o jornal *The New York Times*, intitulado "Is Sugar Toxic?" [O açúcar é tóxico?].[3] No artigo, ele repassa não apenas a história do açúcar em nossas vidas e em nossos produtos alimentares, mas também o conhecimento científico em evolução por trás da compreensão sobre como o açúcar afeta nossos corpos. Ele ressalta, em particular, o trabalho de Robert Lustig, um especialista em transtornos hormonais pediátricos e grande especialista em obesidade infantil da Faculdade de Medicina da Universidade da Califórnia, em San Francisco. Ele argumenta que o açúcar é uma "toxina" ou um "veneno". Mas Lustig não insiste tanto no consumo dessas "calorias vazias"; o problema que ele vê no açúcar são suas características singulares, especificamente a forma como o corpo humano metaboliza seus diversos tipos.

Lustig gosta de usar o termo "isocalórico, mas não isometabólico", para descrever a diferença entre a glicose pura, a forma mais simples de açúcar, e o açúcar de mesa, que é uma combinação de glicose e frutose (a frutose, que abordarei mais adiante, é um tipo de açúcar que existe naturalmente, encontrado apenas nas frutas e no mel). Quando ingerimos cem calorias de glicose de uma batata, por exemplo, nosso corpo a metaboliza de forma diferente — e sofre efeitos diferentes — em relação à ingestão de cem calorias de açúcar que sejam metade glicose e metade frutose. Eis o motivo.

Seu fígado cuida do componente frutose do açúcar. A glicose de outros amidos e carboidratos, contudo, é processada por cada célula do corpo. Por isso, consumir os dois tipos de açúcar (frutose e glicose) ao mesmo tempo significa que seu fígado tem que trabalhar mais do que se você consumisse o mesmo número de calorias apenas da glicose. E seu fígado também sofrerá se for atingido por formas líquidas desses açúcares, o que é frequentemente o caso quando se trata de refrigerantes ou sucos de frutas. Beber açúcar líquido não é a mesma coisa que comer, por exemplo, uma dose equivalente de açúcar numa maçã. A frutose, a propósito, é o mais doce de todos os carboidratos que existem na natureza, o que provavelmente explica por que gostamos tanto dela. Mas, ao contrário do que se poderia imaginar, tem o índice glicêmico mais baixo de todos os açúcares naturais. A razão é simples: como o fígado metaboliza a maior parte da frutose, ela não tem, em si, efeito imediato sobre o açúcar no sangue ou os níveis de insulina, ao contrário do açúcar ou do xarope de milho rico em frutose, cuja glicose vai parar na circulação geral. Não deixe, porém, esse fato enganá-lo. Embora a frutose não tenha efeito imediato, tem efeitos de mais longo prazo do que você provavelmente sabe, quando é consumida em quantidades suficientes de fontes não naturais. E os conhecimentos científicos estão bem documentados: o consumo de frutose está associado a uma redução da tolerância à glicose, resistência à insulina, níveis altos de gordura no sangue e hipertensão. E como ela não desencadeia a produção de insulina e leptina, dois hormônios-chave na regulagem de nosso metabolismo, dietas ricas em frutose levam à obesidade e a complicações metabólicas. (Felizmente, a maior parte das pessoas pode comer frutas sem se preocupar. A quantidade de frutose na maior parte das frutas *in natura* é ínfima se comparada aos níveis de frutose nos alimentos processados.)

Em geral ouvimos falar do açúcar e de seus efeitos em praticamente todas as partes do corpo, *exceto o cérebro*. É, uma vez mais, um tema que mereceu incrivelmente pouca atenção da imprensa. As perguntas a serem feitas, e que serão respondidas neste capítulo, são:

- que reação o consumo excessivo de açúcar provoca no cérebro?

- o cérebro pode distinguir entre os diferentes tipos de açúcar? Ele "metaboliza" o açúcar de forma diferente, conforme a origem?

Se eu fosse você, deixaria de lado os biscoitos ou torradas que está comendo com o café e apertaria o cinto. Depois de ler este capítulo, você nunca mais vai olhar da mesma forma para um pedaço de fruta ou um doce açucarado.

## AÇÚCAR E CARBOIDRATOS, CURSO BÁSICO

Em primeiro lugar, acho importante definir alguns termos. Qual é, exatamente, a diferença entre o açúcar de mesa, o açúcar de frutas, o xarope de milho rico em frutose e similares? Boa pergunta. Como eu disse, a frutose é um tipo de açúcar encontrado naturalmente nas frutas e no mel. É um monossacarídeo, exatamente como a glicose, enquanto o açúcar de mesa (a sacarose) — o pó branco que jogamos no café ou numa tigela de massa de bolo — é uma combinação de glicose e frutose, o que faz dele um *dissacarídeo* (duas moléculas reunidas). O xarope de milho rico em frutose, que é o que encontramos em refrigerantes, sucos e muitos alimentos processados, é mais uma combinação de moléculas dominada pela frutose — tem 55% de frutose, 42% de glicose e 3% de outros carboidratos.

O xarope de milho rico em frutose foi lançado em 1978 nos Estados Unidos como um substituto barato para o açúcar de mesa em bebidas e produtos alimentares. Certamente você ouviu falar dele na mídia, que atacou esse ingrediente manufaturado artificialmente como a raiz de nossa epidemia de obesidade. Mas a questão é outra. Embora seja verdade que se possa culpar o consumo de xarope de milho pela expansão de nossas cinturas e por diagnósticos de condições relacionadas a ela, como a obesidade e o diabetes, também podemos apontar o dedo para todos os outros açúcares, já que são todos carboidratos, uma categoria de biomoléculas que têm características em comum. Os carboidratos são simplesmente longas cadeias de moléculas de açúcar, diferentes da gordura (cadeias de ácidos graxos), das proteínas (cadeias de aminoácidos) e do DNA. Mas você já sabe que há carboidratos e carboidratos. E nem todo carboidrato é tratado da mesma forma pelo corpo. A característica diferenciadora é o quanto determinado carboidrato elevará o açúcar do sangue e, na prática, a insulina. Refeições ricas em carboidratos, e particularmente aquelas ricas em glicose simples, fazem o pâncreas aumentar a produção de insulina para armazenar o açúcar do sangue nas células. Durante a digestão, os carboidratos são decompostos e o açúcar é liberado na corrente sanguínea, fazendo o pâncreas elevar a produção de insulina, de modo que a glicose possa penetrar as células. Com o tempo, níveis elevados de açúcar no sangue levam a uma produção cada vez maior de insulina no pâncreas.

Os carboidratos que desencadeiam o maior pico de açúcar no sangue costumam ser os que mais engordam, exatamente por esse motivo. A lista inclui tudo que é feito com farinha refinada (pães, cereais, massas); amidos como o arroz, a batata e o milho; e carboidratos líquidos como os refrigerantes, a cerveja e os sucos de frutas. Todos eles são rapidamente digeridos porque inundam a corrente sanguínea com glicose e estimulam um pico de insulina, que armazena as calorias em excesso sob a forma de gordura. E os carboidratos nos vegetais? Esses carboidratos, principalmente aqueles nos vegetais verdes folhosos, como o brócolis e o espinafre, são unidos por fibras indigeríveis. Por isso, digeri-los leva mais tempo. Basicamente, as fibras freiam o processo, provocando um encaminhamento mais lento da glicose para a corrente sanguínea. Além disso, os vegetais contêm mais água que os amidos em relação a seu peso, e isso enfraquece ainda mais a reação do açúcar no sangue. Quando ingerimos frutas *in natura*, que obviamente contêm açúcar de frutas, a água e as fibras também vão "diluir" o efeito sobre o açúcar no sangue. Se você ingere, por exemplo, um pêssego e uma batata assada do mesmo peso, a batata terá um efeito no nível de açúcar no sangue muito maior que o pêssego, aquoso e fibroso. Isso não quer dizer que o pêssego, ou qualquer outra fruta, não causará problemas.[4]

Nossos ancestrais das cavernas, é bem verdade, comiam frutas, mas não todos os dias do ano. Não evoluímos para lidar com as enormes quantidades de frutose que consumimos hoje — principalmente quando essa frutose vem de fontes manufaturadas. As frutas *in natura* têm relativamente pouco açúcar, se comparadas, digamos, com uma lata de refrigerante normal, cuja quantidade é maciça. Uma maçã de tamanho médio contém cerca de 44 calorias de açúcar, numa mistura rica em fibras, graças à pectina; em compensação, uma latinha de 355ml de Coca-Cola ou Pepsi contém quase o dobro — oitenta calorias de açúcar. Se você fizer o suco de várias maçãs e concentrar o líquido numa bebida de 355ml (perdendo, assim, as fibras), veja bem, você vai obter uma pancada de 85 calorias de açúcar, que podia muito bem ter vindo de um refrigerante. Quando a frutose chega ao fígado, a maior parte se converte em gordura e é enviada às nossas células adiposas. Não admira que a frutose tenha sido considerada pelos bioquímicos o carboidrato que mais engorda. E quando nossos corpos se acostumam a realizar essa operação simples em cada refeição, podemos cair numa armadilha em que até nosso tecido muscular se torna resistente à insulina. Gary Taubes descreve esse efeito dominó de forma brilhante no livro *Why We Get Fat* [Por que engordamos]:

> Assim, embora a frutose não tenha efeito imediato sobre o açúcar no sangue e a insulina, com o passar do tempo — talvez alguns anos — ela é uma provável causa de resistência à insulina e, portanto, do armazenamento maior das calorias sob a forma de gordura. O ponteiro no nosso medidor de divisão dos combustíveis vai apontar na direção do armazenamento de gordura, mesmo que não tenha começado desse jeito.[5]

O fato mais perturbador em relação ao nosso vício em açúcar é que, quando combinamos frutose e glicose (o que fazemos constantemente ao ingerir alimentos feitos com açúcar de mesa), a frutose pode não fazer muita coisa de imediato com nosso nível de açúcar no sangue, mas a glicose que vem junto cuida disso — estimulando a liberação de insulina e alertando as células adiposas para que se preparem para mais armazenamento. Quanto mais açúcar ingerimos, mais estamos dizendo ao nosso corpo para transformá-lo em gordura. Isso acontece não apenas no fígado, levando a uma condição conhecida como doença do fígado gorduroso, mas no resto do corpo também. Bom dia, pneuzinhos, dobrinhas, barriguinha de cerveja — e o pior de todos os tipos de gordura: a gordura visceral invisível que envolve nossos órgãos vitais.

Adoro a forma como Taubes traça um paralelo entre a relação de causa e efeito que une os carboidratos e a obesidade, e o elo entre o fumo e o câncer. Se os cigarros não tivessem sido inventados, o câncer pulmonar seria uma doença rara. Da mesma forma, se nossas dietas não fossem tão ricas em carboidratos, a obesidade seria uma condição rara.[6] Eu iria um passo além e diria que outras condições também seriam incomuns, inclusive o diabetes, as doenças cardíacas, a demência e o câncer. E se eu tivesse que escolher uma doença a evitar, dentre todas, eu diria "o diabetes". Isto quer dizer: não se torne diabético.

## A SENTENÇA DE MORTE DO DIABETES

Não há como exagerar a importância de evitar o caminho do diabetes, e se você já tem que lidar com ele, a chave é manter equilibrado o nível de açúcar no sangue. Nos Estados Unidos, somos quase 11 milhões de adultos de 65 anos ou mais com diabetes tipo 2, o que diz muito sobre a magnitude da catástrofe em potencial nas nossas mãos se todos esses indivíduos — além daqueles que ainda não foram oficialmente diagnosticados — desenvolverem Alzheimer. Os dados que sustentam a relação entre o diabetes e o Alzheimer são profundos, mas é importante compreender que o diabetes é um poderoso fator de risco para o declínio cognitivo simples. Isto é particularmente verdade entre indivíduos que controlam mal o diabetes. Um exemplo claro: em junho de 2012, a revista *Archives of Neurology* publicou uma análise de 3069 idosos para determinar se o diabetes aumenta o risco de declínio cognitivo e se um controle ruim do nível de açúcar no sangue está relacionado a uma piora no desempenho cognitivo.[7] Numa avaliação inicial, cerca de 23% dos participantes tinham diabetes, enquanto os 77% restantes não tinham (propositalmente, os pesquisadores escolheram um "grupo variado de adultos de idade avançada com boas funções"). Um pequeno percentual, porém, daqueles 77% viriam a desenvolver diabetes durante os nove anos do estudo. No início da pesquisa, uma série de testes cognitivos foi realizada. Os testes foram repetidos ao longo dos nove anos seguintes.

A conclusão afirmava o seguinte: "Entre adultos de idade avançada com boas funções, o DM [diabetes mellitus] e o mau controle da glicose entre aqueles com DM estavam associados a funções cognitivas piores e declínio mais acentuado. Isso indica que a severidade do DM pode contribuir para a aceleração do envelhecimento cognitivo". Os pesquisadores demonstraram uma diferença bastante forte na taxa de declínio mental entre aqueles com diabetes, se comparados aos não diabéticos. É ainda mais interessante notar que, como os autores observaram, já no início do estudo as notas cognitivas de base dos diabéticos eram inferiores às do grupo de controle. O estudo também descobriu uma relação direta entre a taxa de declínio cognitivo e níveis mais altos de hemoglobina A1C, um marcador do controle do nível de glicose no sangue. Os autores afirmaram: "A hiperglicemia (nível elevado de açúcar no sangue) foi proposta como mecanismo que pode contribuir para a associação entre o diabetes e reduzir as funções cognitivas". Mais adiante, eles afirmam que "a hiperglicemia pode contribuir para uma perda cognitiva através de mecanismos como a formação de produtos finais de glicação avançada, inflamações e doenças microvasculares".

Antes que eu explique o que são os produtos finais de glicação avançada e como eles são formados, vamos nos debruçar sobre outro estudo, anterior, feito em 2008. Esse estudo, da Clínica Mayo, publicado na revista *Archives of Neurology*, investigou a duração dos efeitos do diabetes numa pessoa. Em outras palavras, a quantidade de tempo com diabetes interfere na severidade do declínio cognitivo? Adivinhe. Os números são de arregalar os olhos: segundo as conclusões da Clínica Mayo, se o diabetes começa antes de a pessoa completar 65 anos, o risco de comprometimento cognitivo leve aumenta em espantosos 220%. E o risco de comprometimento cognitivo leve em indivíduos que têm diabetes há dez anos ou mais aumentou 176%. Naqueles que estavam tomando insulina, o risco aumentou 200%. Os autores propuseram um mecanismo para explicar a conexão entre níveis altos persistentes de açúcar no sangue e o Alzheimer: "[...] aumenta a produção de produtos finais de glicação avançada".[8] Constatamos, portanto, uma vez mais, a referência a esses produtos finais de glicação.

O que são, afinal, esses "produtos finais" que estão aparecendo na literatura médica, relacionados ao declínio cognitivo e a um envelhecimento acelerado em geral? Eu os mencionei rapidamente no capítulo anterior. Vamos compreendê-los melhor.

## UMA VACA LOUCA E MUITAS PISTAS PARA OS TRANSTORNOS NEUROLÓGICOS

Eu me lembro da histeria que varreu o planeta na metade dos anos 1990, quando o receio da doença da vaca louca espalhou-se rapidamente. Os britânicos começaram a reunir evidências da transmissão da doença do gado para os seres humanos. No verão de 1996, Peter Hall, um vegetariano de vinte anos morreu de uma forma humana da vaca louca, chamada Variante da Doença de Creutzfeldt-Jakob, contraída por ter ingerido hambúrgueres na infância. Pouco tempo depois, outros casos foram confirmados e vários países começaram a proibir a importação de carne do Reino Unido. Até mesmo o McDonald's parou de servir hambúrgueres temporariamente, em algumas regiões, até que os cientistas pudessem localizar a origem do surto e decidir que medidas adotar para erradicar o problema. O mal da vaca louca, também conhecido como encefalopatia espongiforme bovina, é uma desordem bovina rara que infecta o gado. O apelido vem do comportamento estranho que as vacas doentes adotam quando infectadas. Ambas são formas de doenças priônicas, motivadas por proteínas desviantes, que causam danos à medida que se espalham agressivamente de célula em célula.

Embora a doença da vaca louca não seja, em geral, classificada junto às doenças neurodegenerativas clássicas, como o Alzheimer, o Parkinson e a ALS, todas essas condições têm uma deformação similar na estrutura de proteínas necessária para funções cerebrais normais. É bem verdade que Alzheimer, Parkinson e ALS não são transmissíveis, porém essas doenças resultam em características similares ao mal da vaca louca. E todas elas têm a ver com proteínas deformadas.

Da mesma forma que agora sabemos que diversas doenças degenerativas estão ligadas a processos inflamatórios, hoje sabemos que várias dessas mesmas doenças — inclusive diabetes tipo 2, catarata, aterosclerose, enfisema e demência — estão relacionadas a proteínas deformadas. O que torna as doenças priônicas tão singulares é a capacidade dessas proteínas anormais de "roubar" a saúde de outras células, transformando células normais em aberrantes, que levam a danos cerebrais e demência. Se isso se parece um pouco com o câncer é pelo fato de uma célula "sequestrar" o funcionamento normal de outra célula e criar uma nova tribo de células que não se comportam como células saudáveis. Em pesquisas de laboratório com camundongos, só agora os cientistas estão reunindo evidências que mostram que as principais condições neurodegenerativas seguem padrões paralelos.[9]

As proteínas estão entre as estruturas mais importantes do corpo. Elas praticamente dão forma ao corpo inteiro, realizando diversas funções e atuando como uma espécie de controle central do nosso manual de instruções. Nosso material genético, ou DNA, é o código para nossas proteínas, que são produzidas como uma sequência de aminoácidos. Elas precisam chegar a uma forma tridimensional para realizar suas tarefas, tais como regular os processos do corpo e protegê-lo de infecções. As proteínas obtêm sua forma por meio de uma técnica de "dobramento" especial; no fim, cada proteína adquire uma forma dobrada específica que ajuda a determinar qual será sua função particular.

Obviamente, proteínas deformadas não conseguem desempenhar corretamente suas funções. Se elas não funcionam adequadamente, na melhor das hipóteses elas se tornam inativas; na pior, tóxicas. Geralmente as células têm uma "tecnologia interna" para exterminar as proteínas deformadas, mas o envelhecimento e outros fatores podem interferir nesse processo. Quando uma proteína tóxica consegue induzir outras células a criar outras proteínas deformadas, o resultado pode ser desastroso. É por isso que hoje muitos cientistas lutam para encontrar uma forma de interromper a disseminação de proteínas deformadas, literalmente parando o desenvolvimento dessas doenças.

Stanley Prusiner, diretor do Instituto para Doenças Neurodegenerativas da Universidade da Califórnia, em San Francisco, descobriu os príons, o que lhe valeu o Prêmio Nobel, em 1997. Em 2012, ele fazia parte de uma equipe de pesquisadores que escreveu um artigo seminal, apresentado na revista *Proceedings of the National Academy of Sciences*, mostrando que a proteína beta-amiloide, associada ao Alzheimer, tem características semelhantes aos príons.[10] Na experiência, os autores conseguiram acompanhar a evolução da doença injetando proteína beta-amiloide em um dos lados do cérebro de camundongos. Usando uma molécula geradora de luz, eles assistiram enquanto as proteínas do mal se acumulavam — uma cadeia tóxica de acontecimentos, semelhante ao que acontece no cérebro com Alzheimer.

Na verdade, essa descoberta traz pistas para algo mais que as doenças do cérebro. Os cientistas que se concentram em outras partes do corpo também têm pesquisado o impacto de proteínas deformadas. O fato é que proteínas "loucas" podem ser responsáveis por uma série de males. Até o diabetes tipo 2, por exemplo, pode ser enxergado desse ponto de vista, se levarmos em conta que os diabéticos têm proteínas "dementes" no pâncreas, que podem afetar negativamente a produção de insulina (o que levanta a questão: níveis cronicamente altos de açúcar no sangue são a causa dessa deformação?). Na aterosclerose, o aumento do colesterol típico da doença pode ser causado pela deformação das proteínas. Quem sofre de catarata tem proteínas "más" que se acumulam no cristalino dos olhos. A fibrose cística, um transtorno hereditário provocado por um defeito no DNA, se caracteriza pelo dobramento incorreto da proteína CFTR. E até mesmo um tipo de enfisema deve a devastação que causa a proteínas anormais que se acumulam no fígado e não chegam aos pulmões, que delas necessitam.

O.k. Uma vez entendido que proteínas desviantes têm um papel crucial nas doenças, sobretudo na degeneração neurológica, a questão seguinte é: *o que causa a formação de proteínas desviantes?* Em um caso como a fibrose cística, a resposta é mais simples, porque identificamos um defeito genético específico. Mas e quanto a outros males que têm origem misteriosa, ou que não se manifestam na idade avançada? Vamos nos debruçar sobre aqueles produtos finais de glicação.

"Glicação" é o termo bioquímico para a união de moléculas de açúcar a proteínas, gorduras e aminoácidos; a reação espontânea, propriamente dita, pela qual a molécula de açúcar adere costuma ser chamada de reação de Maillard. Louis-Camille Maillard foi o primeiro a descrever esse processo, no início dos anos 1900.[11] Embora ele tenha previsto que essa reação teria um impacto importante na medicina, foi preciso esperar até 1980 para que os cientistas se voltassem a ela, na tentativa de compreender o envelhecimento e as complicações do diabetes.

A reação de Maillard forma produtos finais de glicação avançada (comumente abreviados como AGES). Para ter uma noção dos AGES em ação, basta observar alguém que sofre de envelhecimento precoce — alguém com muitas rugas, flacidez, pele descolorida e sem brilho. O que você está vendo é o efeito físico das proteínas ligadas a açúcares marginais, o que explica por que os AGES são considerados atores preponderantes no envelhecimento da pele.[12] Ou dê uma olhada em um fumante inveterado: a pele amarelada é outra marca da glicação. Os fumantes têm menos antioxidantes na pele, e o fumo propriamente dito aumenta a oxidação no corpo e na pele. Por isso, eles não conseguem combater os subprodutos de processos normais, como a glicação: o potencial antioxidante de seus corpos fica seriamente enfraquecido e francamente esmagado pelo volume da oxidação. Para a maioria de nós, os sinais externos da glicação começam a aparecer por volta dos trinta anos, quando acumulamos uma quantidade suficiente de alterações hormonais e estresse ambiental oxidativo, inclusive os danos dos raios de sol.

A glicação é um fato inevitável da vida, tanto quanto os processos inflamatórios e, até certo ponto, a produção de radicais livres. É um produto do nosso metabolismo natural e fundamental no processo de envelhecimento. Hoje, é até possível medir a glicação usando tecnologias que iluminam os elos formados entre os açúcares e as proteínas. Na verdade, os dermatologistas já conhecem bem esse processo. Com câmeras de análise de compleição, eles conseguem capturar a diferença entre juventude e velhice com uma imagem fluorescente de uma criança comparada aos rostos de adultos. O rosto da criança aparece muito escuro, o que indica ausência de AGES, enquanto o do adulto brilha, iluminado por vários elos de glicação.

O objetivo claro é limitar ou retardar o processo de glicação. Na verdade, muitos métodos antienvelhecimento se concentram na redução da glicação, e até na quebra desses elos maléficos. Mas isso não pode ocorrer se consumimos uma dieta rica em carboidratos, que acelera o processo de glicação. Os açúcares, em particular, são estimulantes rápidos da glicação ao ligarem-se facilmente às proteínas do corpo.

Quando as proteínas se tornam glicadas, ocorrem pelo menos duas coisas importantes. Primeiro, elas se tornam bem menos funcionais. Segundo, quando se unem aos açúcares, tendem a se ligar a outras proteínas igualmente danificadas, formando elos mais extensos, que pioram ainda mais seu funcionamento. Mas talvez mais importante seja o fato de que, uma vez glicadas, proteínas se tornam fonte de um forte aumento na produção de radicais livres. Isso leva à destruição de tecidos, causando danos às gorduras, a outras proteínas e até ao DNA. Repito, a glicação de proteínas é uma parte normal de nosso metabolismo, mas quando ocorre em excesso surgem vários problemas. Níveis altos de glicação foram associados não apenas a um declínio cognitivo, mas a problemas renais, diabetes, doenças vasculares e, como mencionado, ao próprio processo de envelhecimento.[13] Lembre-se de que qualquer proteína do corpo está sujeita aos danos da glicação, podendo tornar-se uma AGE. Devido à importância desse processo, pesquisadores do mundo todo têm se esforçado para desenvolver soluções farmacêuticas para impedir a formação de AGEs. Mas, claramente, a melhor forma de impedir essa formação é, antes de tudo, reduzir a disponibilidade de açúcar.

Além de apenas causar inflamações e danos mediados pelos radicais livres, os AGEs estão associados a danos aos vasos sanguíneos, e acredita-se que expliquem a correlação entre o diabetes e os problemas vasculares. Como observei no capítulo anterior, o risco de doenças arteriais coronarianas aumenta dramaticamente nos diabéticos, assim como o risco de derrames. Muitos diabéticos sofrem de danos importantes aos vasos sanguíneos que irrigam o cérebro. Mesmo que não tenham Alzheimer, podem sofrer de demência causada por esse problema de irrigação sanguínea.

Anteriormente expliquei que o LDL — o chamado "colesterol ruim" — é uma importante proteína transportadora, que leva o colesterol vital para as células cerebrais. Só quando ele se oxida é que cria problemas nos vasos sanguíneos. E atualmente compreendemos que quando o LDL se torna *glicado* (afinal de contas, é uma proteína), isso aumenta drasticamente sua oxidação.

Tudo que dissermos sobre a relação entre o estresse oxidativo e o açúcar será pouco. Quando as proteínas são glicadas, a quantidade de radicais livres que se forma é multiplicada por cinquenta; isso leva à perda de funções celulares e, por fim, à morte da célula.

Isso chama nossa atenção para a relação poderosa entre a produção de radicais livres, o estresse oxidativo e o declínio cognitivo. Sabemos que o estresse oxidativo está diretamente relacionado à degeneração cerebral.[14] Pesquisas mostram que os danos aos lipídios, às proteínas, ao DNA e ao RNA pelos radicais livres ocorre no início do processo de perda cognitiva, e muito antes dos sinais de doenças neurológicas sérias como o Alzheimer, o Parkinson e a ALS. Infelizmente, quando o diagnóstico ocorre, o mal já está feito. A lição é que se você quiser reduzir o estresse oxidativo e a ação dos radicais livres que prejudicam seu cérebro, você tem que reduzir a glicação de proteínas, o que quer dizer limitar a disponibilidade de açúcar. Simples assim.

A maioria dos médicos, em sua prática cotidiana, emprega rotineiramente a medição de uma proteína glicada. Eu já a mencionei: a hemoglobina A1C. É a mesma medida laboratorial padrão usada para o controle do nível de açúcar no sangue dos diabéticos. Por isso, embora seu médico possa estar medindo sua hemoglobina A1C de tempos em tempos para controlar seu nível de açúcar no sangue, o fato de ser uma proteína glicada tem amplas e extremamente importantes consequências para a saúde do seu cérebro. Vamos dar uma olhada na hemoglobina A1C para além do simples fato de representar uma medida fácil do nível médio de açúcar no sangue ao longo de um período de noventa a 120 dias.

A hemoglobina A1C é a proteína encontrada no glóbulo vermelho, que carrega oxigênio, e se une ao açúcar do sangue. Essa união aumenta quando o nível de açúcar no sangue está alto. Embora a hemoglobina A1C não forneça uma indicação "em tempo real" do nível de açúcar no sangue, é extremamente útil por mostrar qual foi o nível "médio" de açúcar no sangue nos noventa dias anteriores. É por isso que a hemoglobina A1C é frequentemente usada em estudos que tentam relacionar o controle do açúcar no sangue à evolução de várias doenças, como o Alzheimer, o comprometimento cognitivo leve e as doenças arteriais coronarianas.

Já está bem documentado que a hemoglobina glicada é um poderoso fator de risco de diabetes, mas também tem uma forte correlação com o risco de derrames, doenças cardíacas coronarianas e morte por outras doenças. Essas correlações se mostraram mais fortes quando a medida da hemoglobina A1C fica acima de 6%.

Hoje em dia temos evidências que mostram que a hemoglobina A1C elevada está associada a alterações no tamanho do cérebro. Num estudo particularmente profundo, publicado na revista *Neurology*, pesquisadores avaliaram ressonâncias magnéticas para determinar qual exame de laboratório tinha a correlação mais forte com a atrofia cerebral. Eles concluíram que a hemoglobina A1C apresentava a correlação mais poderosa.[15] Na verdade, ao comparar o grau de perda de tecido cerebral nos indivíduos com a hemoglobina A1C mais baixa (4,4 a 5,2) com aquela nos indivíduos de hemoglobina A1C mais alta (5,9 a 9,0), a perda cerebral nos primeiros quase duplicou em um período de seis anos. Portanto, a hemoglobina A1C é bem mais que um simples marcador do equilíbrio do açúcar no sangue — e está totalmente sob seu controle!

Uma hemoglobina A1C ideal fica na faixa entre 5,0 e 5,5. Tenha em mente que uma redução da ingestão de carboidratos, a perda de peso e exercícios físicos melhoram a sensibilidade à insulina e levam a uma redução da hemoglobina A1C.

E se preservar suas funções cerebrais e reduzir seu risco de Alzheimer não bastarem, saiba que já existem evidências documentadas que provam uma relação direta entre a hemoglobina A1C e o risco futuro de depressão. Um estudo analisou mais de 4 mil homens e mulheres com idade média de 63 anos, e mostrou uma correlação direta entre a hemoglobina A1C e "sintomas depressivos".[16] Um metabolismo ruim da glicose foi apontado como fator de risco para o desenvolvimento de depressão nesses adultos. A lição: a glicação de proteínas é uma má notícia para o cérebro.

## UMA ATITUDE PRECOCE

Como já descrevi, possuir níveis normais de açúcar no sangue pode significar que seu pâncreas está trabalhando demais para manter esse nível normal. Com base nisso, dá para entender que níveis altos de insulina surgirão muito antes que o nível de açúcar no sangue aumente e a pessoa se torne diabética. Por isso é tão importante checar não apenas sua glicemia de jejum, mas seu nível de insulina de jejum. Um nível de insulina de jejum elevado é um indicador do esforço que seu pâncreas está fazendo para normalizar o açúcar em seu sangue. Também é um sinal claro de que você está consumindo carboidratos demais. E não se engane: até mesmo ser resistente à insulina é um forte fator de risco para a degeneração cerebral e o comprometimento cognitivo propriamente ditos. Não basta olhar os números do diabetes, em razão de sua relação com as doenças cerebrais, e confiar que seu risco é menor porque você não é diabético. E se o seu nível de açúcar no sangue parecer normal, a única forma de saber se é resistente à insulina é medir seu nível de insulina de jejum. Ponto final.

Você precisa de mais evidências? Veja este estudo, feito alguns anos atrás, que avaliou 523 pessoas, dos setenta aos noventa anos, que não tinham diabetes, nem sequer um nível elevado de açúcar no sangue.[17] Muitas dessas pessoas eram resistentes à insulina, porém, como indicavam seus níveis de insulina de jejum. O estudo trouxe revelações profundas: mostrou que os resistentes à insulina tiveram um forte aumento no risco de comprometimento cognitivo, se comparados àqueles na faixa normal de insulina. No geral, quanto mais baixo o nível de insulina, melhor. O nível médio de insulina nos Estados Unidos é de 8,8 microunidades internacionais por mililitro ($\mu$IU/mL) em homens adultos, e 8,4 em mulheres. Mas considerando o grau de obesidade e abuso de carboidratos nos Estados Unidos, é seguro afirmar que esses valores "médios" são provavelmente muito mais altos do que aquilo que deveria ser considerado ideal. O nível de insulina nos exames de laboratório de pacientes muito cuidadosos em relação à ingestão de carboidratos pode ser menor que 2,0. Essa é uma situação ideal — um sinal de que o pâncreas não está sendo sobrecarregado, de que o nível de açúcar no sangue está sob controle, de que o risco de diabetes é muito baixo e de que não há sinais de resistência à insulina. A questão importante é que se a sua insulina de jejum está elevada — qualquer valor acima de cinco deve ser considerado elevado — é possível melhorá-la. Você verá como no capítulo 10.

## QUANTO MAIS VOCÊ ENGORDA, MENOR FICA O SEU CÉREBRO

A maioria das pessoas tem uma ideia razoável de que carregar peso extra é ruim para elas. Mas se você precisa de apenas uma razão a mais para perder os quilos em excesso, talvez o medo de perder a cabeça — física e literalmente — vai motivá-lo a tirar o traseiro da cadeira.

Quando eu estava na faculdade de medicina, o pensamento corrente era que as células adiposas eram, basicamente, armazenadoras onde o excesso indesejável podia ser mantido silenciosamente à parte. Mas essa perspectiva estava completamente errada. Hoje sabemos que as células adiposas desempenham na fisiologia humana um papel muito maior do que simplesmente armazenar calorias. As massas de gordura corporal formam órgãos hormonais complexos e sofisticados, que são tudo, menos passivos. Sim, você leu isso mesmo: a gordura é um *órgão*.[18] E um órgão que pode ser um dos mais industriosos do corpo, desempenhando várias funções além de nos manter aquecidos e protegidos. Isso é particularmente verdadeiro em relação à gordura visceral — aquela que envolve nossos órgãos internos, "viscerais", como o fígado, os rins, o pâncreas, o coração e os intestinos. A gordura visceral foi muito abordada pela mídia, nos últimos anos, por um bom motivo: hoje sabemos que é o tipo de gordura mais devastador para nossa saúde. Podemos lamentar coxas que se encostam, o músculo do tchauzinho, os pneuzinhos, as celulites e os popozões, mas o pior de todos os tipos de gordura é aquele que não podemos ver, sentir ou tocar. Em casos extremos, podemos vê-la em barrigas salientes e dobrinhas, que são sinais exteriores de órgãos internos envolvidos por gordura (exatamente por isso, a medida da cintura costuma ser uma medida de "saúde"; quanto maior a circunferência da cintura, maior o risco de doenças e morte).[19]

Já está evidenciado que a gordura visceral tem uma capacidade singular de desencadear processos inflamatórios no corpo, assim como de sinalizar moléculas que perturbam as ações hormonais normais do corpo.[20] Isso, por sua vez, mantém em movimento o efeito cascata negativo da gordura visceral. Para piorar as coisas, ela faz mais do que apenas gerar inflamações futuras através de uma cadeia de eventos biológicos; a própria gordura se inflama. Esse tipo de gordura é abrigo para inúmeros glóbulos brancos inflamatórios. Na verdade, as moléculas hormonais e inflamatórias produzidas pela gordura visceral são jogadas diretamente no fígado, que, como você pode imaginar, reage com outra carga de munição (isto é, reações inflamatórias e substâncias que perturbam os hormônios). Resumindo: mais que um simples predador à espreita atrás de uma árvore, é uma inimiga armada e perigosa. O número de problemas de saúde hoje relacionados à gordura visceral é enorme, desde os mais óbvios, como a obesidade e a síndrome metabólica, até os não tão óbvios — câncer, transtornos autoimunes e doenças cerebrais.

Os pontinhos que ligam o excesso de gordura corporal, principalmente a do tipo ruim, a obesidade e as disfunções cerebrais não são tão difíceis de entender, considerando as informações que você já aprendeu neste livro. O excesso de gordura corporal não apenas aumenta a resistência à insulina como eleva diretamente a produção de substâncias químicas inflamatórias que têm uma influência direta na degeneração cerebral.

Em um estudo específico, publicado em 2005, a proporção entre a cintura e o quadril de mais de cem indivíduos foi comparada a mudanças estruturais em seus cérebros.[21] O estudo também examinou as alterações cerebrais em relação aos níveis de glicemia e de insulina de jejum. O que os autores queriam determinar era se existia ou não uma relação entre a estrutura do cérebro e o tamanho da barriga de uma pessoa. E os resultados foram espantosos. Essencialmente, quanto maior a razão entre a cintura e o quadril (isto é, quanto maior a barriga), menor o centro de memória do cérebro, o hipocampo. Este desempenha um papel crucial na memória, e seu funcionamento é absolutamente dependente do tamanho. À medida que o hipocampo encolhe, a memória declina. Ainda mais espantoso: os pesquisadores concluíram que, quanto maior a razão cintura-quadril, maior o risco de pequenos derrames no cérebro, que, sabe-se, também estão associados ao declínio das funções cerebrais. Os autores afirmaram: "Estes resultados são consistentes com um número cada vez maior de evidências ligando a obesidade, as doenças vasculares e os processos inflamatórios a doenças cognitivas e demência (...)". Outros estudos, desde então, confirmaram esse achado: para cada quilo a mais no corpo, o cérebro fica um pouco menor. É irônico que, à medida que o corpo cresce, o cérebro diminui.

Em um projeto de pesquisa conjunto da Universidade da Califórnia, em Los Angeles, e da Universidade de Pittsburgh, por exemplo, neurocientistas examinaram imagens dos cérebros de 94 pessoas na casa dos setenta anos que haviam participado de um estudo anterior de saúde cardiovascular e cognição.[22] Nenhum dos participantes tinha demência ou outro comprometimento cognitivo, e todos foram acompanhados durante cinco anos. O que os pesquisadores descobriram foi que os cérebros das pessoas obesas — definidas como aquelas com índice de massa corporal superior a trinta — tinham uma aparência dezesseis anos mais velha que as pessoas saudáveis de peso normal. E aqueles que tinham sobrepeso — definido como um índice de massa corporal entre 25 e trinta — pareciam oito anos mais velhas que seus homólogos mais magros. De maneira mais específica, as pessoas clinicamente obesas tinham 8% menos tecido cerebral, enquanto aquelas com sobrepeso tinham 4% menos tecido cerebral, se comparadas aos indivíduos de peso normal. Muito desse tecido foi perdido nas regiões dos lobos frontal e temporal do cérebro, a área na qual tomamos decisões e armazenamos lembranças, entre outras coisas. Os autores do estudo apontaram, com razão, que seus achados poderiam ter sérias consequências em indivíduos em processo de envelhecimento, obesos ou com sobrepeso, inclusive um risco maior de Alzheimer.

Não há dúvida de que círculos viciosos estão em jogo aqui. Cada um deles contribui para outro. A genética pode afetar a propensão a comer demais e ganhar peso, o que, por sua vez, pesa nos níveis de atividade, na resistência à insulina e no risco de diabetes. O diabetes afeta, então, o controle de peso e o equilíbrio do açúcar no sangue. Quando uma pessoa se torna diabética e sedentária, é inevitável a ocorrência de rupturas nos tecidos e nos órgãos, não apenas no cérebro. Além disso, quando o cérebro começa a degenerar e a encolher, começa a perder a capacidade de funcionar adequadamente. Quer dizer, o centro do apetite e o centro de controle de peso do cérebro não operarão na capacidade máxima, o que uma vez mais alimenta o círculo vicioso.

É importante compreender que a perda de peso tem que acontecer de imediato, já que as mudanças ocorrem assim que o indivíduo começa a carregar gordura corporal em excesso. Em um estudo de 2008, cientistas da Califórnia fizeram um pente fino nos registros de mais de 6500 pessoas examinadas desde meados da década de 1960 até os anos 70.[23] O que eles queriam saber era: quem desenvolveu demência? Quando essas pessoas foram avaliadas pela primeira vez, 36 anos antes, várias medidas de seus corpos foram tomadas para determinar, essencialmente, quanto elas possuíam de gordura. Isso incluía coisas como o tamanho da barriga, a circunferência da coxa, altura e peso. Quase três décadas depois, aqueles que tinham maior gordura corporal apresentaram um risco muito mais elevado de demência. Do grupo original, 1049 tiveram o diagnóstico de demência. Quando os cientistas compararam o grupo com menos gordura corporal com o grupo com mais gordura corporal, descobriram que estes tiveram o risco de demência duplicado. Como escreveram os autores, "assim como é o caso do diabetes e das doenças cardiovasculares, a obesidade central [gordura na barriga] também é um fator de risco para a demência".

## O PODER DA PERDA DE PESO
## (ALÉM DAQUILO QUE VOCÊ JÁ SABE)

Como ficou provado num estudo atrás do outro, a perda de peso através da dieta pode ter um fortíssimo efeito na mensagem e na sensibilidade para insulina. Num estudo, os médicos avaliaram 107 indivíduos obesos de 65 anos ou mais, por um período de um ano, e estudaram como eles reagiram, em termos de insulina, a uma dose oral de glicose.[24] Os pesquisadores queriam medir a diferença entre três grupos distintos: aqueles que estavam fazendo um programa de perda de peso, aqueles a quem foi receitado um programa de exercícios e aqueles que estavam num programa de dieta *com* exercícios. Um quarto grupo de pessoas foi designado como grupo de controle, para fins de comparação adicional. Qual foi o resultado, seis meses depois? Aqueles que estavam no grupo de perda de peso tiveram um aumento de 40% na sensibilidade à insulina. O mesmo ocorreu com o grupo que estava num programa de perda de peso e exercícios. O grupo que não estava num programa de perda de peso, mas estava fazendo exercícios, porém, não apresentou alteração na sensibilidade à insulina. Um ano depois, quando o estudo foi finalmente concluído, a sensibilidade à insulina havia melhorado incríveis 70% naqueles que perderam peso e 86% naqueles que perderam peso e estavam fazendo exercícios e dieta. Mas o terceiro grupo, que praticou atividade física sem fazer dieta e perder peso, ficou bem para trás. Mesmo depois de um ano, não houvera absolutamente nenhuma alteração na sensibilidade à insulina.

A lição a levar para casa é a seguinte: você pode melhorar a sensibilidade à insulina e reduzir seu risco de diabetes (sem falar em todos os tipos de doenças cerebrais) apenas pela adoção de mudanças na vida pessoal que derretam a gordura. E se você acrescentar exercícios à dieta, é candidato a benefícios ainda maiores. A esta altura, você deve ter notado que eu vou prescrever uma dieta pobre em carboidratos e rica em gorduras saudáveis, inclusive o colesterol. Mas você não precisa acreditar na minha palavra. Basta dar uma olhada nos estudos mais recentes, que provam o poder desse tipo de dieta.

Em 2012, um deles virou manchete quando o *Journal of the American Medical Association* publicou os efeitos de três dietas populares em um grupo de jovens adultos obesos ou com sobrepeso.[25] Cada um dos participantes experimentou um tipo de dieta por mês. Uma delas era pobre em gorduras (60% das calorias vindas de carboidratos, 20% de gorduras e 20% de proteínas), uma era de baixa glicemia (40% das calorias vinham de carboidratos, 40% de gorduras e 20% de proteínas) e a terceira era muito pobre em carboidratos (10% das calorias de carboidratos, 60% de gorduras e 30% de proteínas). Todas as dietas forneciam o mesmo número de calorias, mas os que fizeram a dieta pobre em carboidratos e rica em gorduras queimaram a maior quantidade delas. O estudo também observou a sensibilidade à insulina durante o período de quatro semanas de cada dieta e concluiu que a dieta pobre em carboidratos provocava a maior melhoria nessa sensibilidade — quase o dobro da dieta pobre em gorduras. Os triglicérides, um poderoso marcador de risco cardiovascular, ficaram numa média de 66 no grupo pobre em carboidratos e 107 no grupo pobre em gorduras. (A propósito, níveis elevados de triglicérides também são um indicador de excesso de carboidratos na dieta.) Os autores também observaram que os resultados de laboratório encontrados na dieta pobre em gorduras apresentaram alterações químicas no sangue dos participantes, tornando-os vulneráveis ao ganho de peso. Claramente, a melhor dieta para manter a perda de peso é aquela pobre em carboidratos e rica em gorduras.

Muitos outros estudos chegaram à mesma conclusão: uma dieta pobre em carboidratos e rica em gorduras obterá resultados melhores que uma dieta pobre em gorduras e rica em carboidratos, em quaisquer circunstâncias, e qualquer que seja a medida do corpo, da química interior à silhueta exterior. E quando levamos em conta todos os parâmetros que afetam a saúde, e sobretudo a saúde cerebral, como a perda de peso, a sensibilidade à insulina, o controle glicêmico e até a proteína C-reativa, uma dieta pobre em carboidratos é substancialmente mais eficiente que qualquer outra. Na verdade, as demais dietas resultarão num risco aumentado para uma série de disfunções cerebrais, que vão de incômodos cotidianos como dores de cabeça a enxaquecas crônicas, transtornos de ansiedade, tdah e depressão. E se a ideia de se manter com a mente aguçada até seu último suspiro na Terra não é motivação o bastante para você, pense em todos os benefícios que seu coração (e todos os órgãos do seu corpo) terão ao abandonar uma dieta pobre em gorduras. Em março de 2013, ninguém mais ninguém menos que o *New England Journal of Medicine* publicou um estudo grande e fundamental, mostrando que pessoas dos 55 aos oitenta anos que seguem a dieta mediterrânea têm um risco menor de doenças cardíacas e derrames — da ordem de 30% — que aquelas que seguem uma dieta tipicamente pobre em gorduras.[26] Os resultados foram tão profundos que os cientistas interromperam mais cedo o estudo, porque a dieta pobre em gorduras se mostrou excessivamente danosa a quem comia grandes quantidades de produtos assados artificialmente, em vez de fontes de gordura saudável. A dieta mediterrânea é famosa por ser rica em azeite de oliva, castanhas, feijões, peixe, frutas e vegetais, e permite até vinho nas refeições. Embora tenha espaço para grãos, é muito semelhante a meu protocolo dietético. Na verdade, se você alterar a dieta mediterrânea, removendo todos os alimentos que contêm glúten e limitando frutas açucaradas e carboidratos sem glúten, você tem a perfeita dieta cerebral sem grãos.

## UMA MAÇÃ POR DIA?

Não, uma maçã por dia não vai deixá-lo longe do médico.* Agora que eu me coloquei contra tantos de seus alimentos favoritos, posso até ouvir a dúvida: "Como o corpo pode viver de gordura e nunca engordar?". Ah, é uma excelente pergunta. Vou abordar esse paradoxo em breve e esclarecer qualquer dúvida sobre como viver — e sentir-se bem — com gorduras. Soa absurdo pensar que podemos viver sem praticamente nenhum carboidrato em nossa dieta, mas fartas quantidades de gordura e colesterol. Mas podemos, e devemos, se quisermos proteger nosso genoma. Embora a indústria alimentícia queira fazê-lo

---

* Referência ao famoso ditado: "*An apple a day keeps the doctor away*". (N. T.)

acreditar em outra coisa, uma dieta baseada em gordura moldou nosso genoma nos últimos 2,6 milhões de anos.

A história sobre por que reverter a tendência alimentícia atual, no sentido de recobrar os corpos esbeltos, tonificados e flexíveis que fomos projetados para ter, além dos cérebros aguçados, começa com um olhar para as propriedades fundamentais do cérebro.

# 5. O dom da neurogênese ou o controle dos comandos principais
## Como mudar seu destino genético

*O cérebro é um sistema muito mais aberto do que se imaginava,*
*e a natureza fez muito para nos ajudar a perceber e abordar o mundo*
*à nossa volta. Ela nos deu um cérebro que sobrevive a um mundo*
*em transformação transformando a si mesmo.*
Dr. Norman Doidge, *O cérebro que se transforma*

Fomos projetados para ser pessoas espertas a vida inteira. O cérebro foi feito para funcionar bem até nosso último suspiro. Mas a maioria de nós supõe, erroneamente, que com a idade vem o declínio cognitivo. Achamos que se trata de uma parte inevitável do envelhecimento, tanto quanto a perda da audição ou o surgimento das rugas. Essa impressão é uma falácia perniciosa. A verdade é que estamos levando uma vida que não é adequada àquilo que geneticamente fomos criados para fazer. Ponto. As doenças que observamos hoje são provocadas, em grande parte, por nosso estilo de vida, que não está em harmonia com nossa predisposição genética. Mas podemos transformar isso e trazer nosso DNA de volta à programação original. Melhor que isso: podemos reprogramar parte do nosso DNA para operar de forma ainda mais vantajosa. E isso não é ficção científica.

É comum ouvirmos as pessoas dizerem coisas como: "Provavelmente eu vou ter [complete com a doença]. Todo mundo na minha família tem". Não há dúvida de que a herança genética desempenha um papel importante em termos de determinação do risco de várias condições de saúde. Mas o que as pesquisas médicas de ponta têm mostrado é o fato simples de que temos o poder de alterar nosso destino genético.

Uma das áreas de pesquisa mais promissoras é a epigenética, o estudo de seções específicas do DNA (chamadas "marcas"), que, basicamente, dizem aos genes quando e com que força eles devem se expressar. Como regentes de uma orquestra, essas marcas epigenéticas são o controle remoto não apenas de sua saúde e longevidade, mas também de como você passará seus genes para as futuras gerações. Nossas escolhas pessoais cotidianas têm um efeito profundo na atividade de nossos genes. Isso nos dá poder. Já sabemos que nossas opções alimentares, o estresse que vivenciamos ou evitamos, os exercícios que fazemos ou deixamos de fazer, a qualidade do nosso sono e até os relacionamentos que escolhemos compõem grande parte da coreografia de quais genes serão ativos e quais serão desligados. Eis o mais convincente de tudo: podemos alterar a expressão e mais de 70% dos genes que têm influência direta em nossa saúde e longevidade.

Este capítulo explica como podemos melhorar a expressão de nossos "genes saudáveis" ao mesmo tempo em que desligamos os genes que desencadeiam eventos negativos, como os processos inflamatórios e a produção de radicais livres. Os genes que causam essas duas coisas sofrem forte influência das escolhas alimentares de gorduras e carboidratos, e essa informação dá ainda mais força às recomendações que serão feitas nos próximos capítulos.


A HISTÓRIA DA NEUROGÊNESE

Será que cada dose de bebida alcoólica que você toma realmente mata milhares de células cerebrais? Ocorre que nós não morremos com o mesmo número de neurônios com que nascemos, tampouco com aqueles que se desenvolvem na primeira infância. Nós desenvolvemos neurônios ao longo de toda a nossa vida. Também podemos fortalecer os circuitos cerebrais existentes e criar conexões novas e complexas, com novas células cerebrais. Eu tive sorte de participar dessa descoberta, que pôs abaixo gerações de ideias preconcebidas na neurociência, embora muitos ainda pensem de outra forma. Durante meus anos de faculdade tive a oportunidade de explorar o cérebro usando uma tecnologia que estava apenas no princípio. Foi no início da década de 1970, quando os suíços começaram a criar microscópios que podiam ser usados por neurocirurgiões realizando procedimentos cerebrais delicados. Quando essa tecnologia estava evoluindo e cirurgiões americanos estavam ansiosos para adotar essa nova abordagem à cirurgia cerebral, um problema logo se tornou claro.

Embora aprender a usar o microscópio funcional fosse relativamente fácil, os neurocirurgiões rapidamente se deram conta de que ficavam meio perdidos, em relação à compreensão da anatomia do cérebro, a partir dessa nova perspectiva microscópica. Eu tinha dezenove anos e estava apenas começando o terceiro ano de faculdade quando recebi uma ligação do dr. Albert Rhoton, chefe do Departamento de Cirurgia Neurológica no Hospital Universitário Shands, em Gainesville, Flórida. O dr. Rhoton era um pioneiro na expansão do uso do microscópio funcional nos Estados Unidos e queria elaborar o primeiro texto sobre a anatomia do cérebro tal como era vista pelo microscópio. Ele me convidou a passar o verão seguinte estudando e mapeando o cérebro, e foi a partir dessa pesquisa que acabamos publicando uma série de artigos de pesquisa e capítulos de livros que deram aos neurocirurgiões o mapa necessário para atuar delicadamente no cérebro.

Além de anatomia, também tivemos a oportunidade de explorar e desenvolver outros aspectos da microneurocirurgia, inclusive a criação de instrumentos e procedimentos inovadores. De tanto passar o tempo atrás do microscópio, me tornei bastante experiente na manipulação e no conserto de vasos sanguíneos extremamente pequenos, que, antes do uso do microscópio, teriam sido destruídos no curso de operações cerebrais, muitas vezes com consequências ruins. Nosso laboratório havia angariado reconhecimento internacional por suas realizações nesse campo novo e empolgante, e atraiu muitos professores visitantes do mundo inteiro. E foi logo depois da visita de uma delegação de neurocirurgiões espanhóis que eu aceitei um convite para dar continuidade a minhas pesquisas no famoso Centro Ramón y Cajal, em Madri, na Espanha. O programa de microneurocirurgia do centro era elementar, mas a equipe era dedicada, e foi uma honra ajudá-los em seu esforço desbravador, particularmente na compreensão da irrigação sanguínea do cérebro. O nome do hospital é uma homenagem ao dr. Santiago Ramón y Cajal, um patologista e neurocientista espanhol da virada do século xx que ainda é considerado o pai da neurologia moderna. Em 1906 ele ganhou o prêmio Nobel de Medicina por suas pesquisas pioneiras sobre a estrutura microscópica do cérebro. Ainda hoje centenas de seus desenhos, feitos à mão, ainda são utilizados para fins didáticos.

Durante minha visita a Madri me interessei em saber mais a respeito do dr. Cajal e adquiri um profundo respeito por sua exploração da anatomia e do funcionamento do cérebro humano. Uma das suas principais doutrinas afirmava que os neurônios do cérebro eram únicos, se comparados às demais células do corpo, não apenas em razão de seu funcionamento, mas por não possuírem a capacidade de regeneração. O fígado, por exemplo, se regenera perpetuamente criando novas células hepáticas, e uma regeneração similar das células ocorre em potencialmente todos os demais tecidos, inclusive a pele, o sangue, os ossos e os intestinos.

Reconheço que a teoria de que as células cerebrais não se regeneram me foi vendida de forma convincente, mas já naquela época eu me perguntava se isso seria mesmo verdade — o cérebro não teria mesmo a capacidade de criar novos neurônios? Afinal de contas, pesquisadores do Instituto de Tecnologia de Massachusetts haviam mostrado que a neurogênese, o crescimento de novos neurônios cerebrais, ocorria durante todo o tempo de vida dos camundongos. E muitas coisas no corpo humano dependem da regeneração. Por exemplo, certas células sanguíneas se renovam no espaço de poucas horas, os receptores de paladar são substituídos a cada dez dias, as células epidérmicas são trocadas a cada mês, e as células musculares levam cerca de quinze dias para se renovarem totalmente. Na última década, os cientistas estabeleceram que o músculo cardíaco — um órgão que durante muito tempo pensamos ser o mesmo desde o nascimento — na verdade também passa pela substituição de células.[1] Aos 25 anos, cerca de 1% de nossas células musculares são substituídas a cada ano; mas aos 75, essa taxa cai para menos de 0,5% ao ano. É difícil acreditar que só recentemente tenhamos identificado e compreendido esse fenômeno na máquina que bombeia o sangue em nosso corpo. E tudo indica que o cérebro se tornou o último órgão que finalmente decodificamos, para descobrir as maravilhas de suas qualidades de autorrenovação.

O dr. Cajal não tinha como saber até que ponto o cérebro podia ser maleável e "plástico", dada a tecnologia com que trabalhava, e o fato de o DNA não ter sido codificado ainda. Em sua obra de referência, *Degeneration and Regeneration of the Nervous System* [Degeneração e regeneração no sistema nervoso], de 1928, ele afirmou: "Nos centros adultos, algumas vezes os condutos nervosos são inalteráveis, determinados e imutáveis".[2] Se eu pudesse alterar essa afirmação para refletir aquilo que sabemos hoje, eu trocaria as palavras "inalteráveis", "determinados" e "imutáveis" para o exato oposto: alteráveis, indeterminados e mutáveis. Também diria que as células cerebrais podem morrer, mas com toda certeza *podem* se regenerar. É fato que Cajal deu grandes contribuições ao conhecimento do cérebro e do funcionamento dos neurônios; estava até à frente de seu tempo na tentativa de compreender a patologia das inflamações. Mas sua crença de que o cérebro estava, de alguma maneira, limitado àquilo que lhe cabia é um mito que atravessou a maior parte da história humana — até que a ciência moderna, no final do século xx, provou o quão flexível o cérebro pode ser.

Em meu livro anterior, *Power Up Your Brain: The Neuroscience of Enlightenment* [Turbine seu cérebro: A neurociência do esclarecimento], eu e o dr. Alberto Villoldo contamos a história de como a ciência veio a entender o dom da neurogênese no ser humano. Embora os cientistas tenham provado a neurogênese em diversos outros animais há muito tempo, foi só na década de 1990 que passaram a se concentrar exclusivamente na tentativa de demonstrar a neurogênese em pessoas.[3] Em 1998, a revista *Nature Medicine* publicou um artigo do neurologista sueco Peter Eriksson, em que ele afirmava ter descoberto que dentro do nosso cérebro existe uma população de células-tronco neurais que são permanentemente reabastecidas e conseguem se transformar em neurônios.[4] E ele tinha mesmo razão: todos nós passamos por uma "terapia de células-tronco" cerebral a cada minuto de nossas vidas. Isso deu origem a uma nova ciência, chamada "neuroplasticidade".

A revelação de que a neurogênese ocorre no ser humano durante toda a vida deu aos neurocientistas do mundo inteiro um novo e empolgante ponto de referência, com consequências que atingem praticamente todo o leque de transtornos cerebrais.[5] Também trouxe esperança àqueles que buscam pistas para interromper, reverter ou até curar as doenças cerebrais progressivas. A ideia da regeneração dos neurônios cerebrais criou um novo nível de motivação nos cientistas dedicados ao estudo das desordens neurodegenerativas. Também abriu o caminho para novos tratamentos que transformem a vida das pessoas que sofreram lesões ou doenças cerebrais graves. No livro *O cérebro que se transforma: Como a neurociência pode curar as pessoas*, Norman Doidge conta histórias reais que provam o quanto nosso cérebro — e nosso potencial humano — é adaptável.[6] Se vítimas de derrames podem reaprender a falar e pessoas nascidas com apenas parte do cérebro podem treiná-lo e reprogramá-lo para funcionar como um cérebro inteiro, imagine as possibilidades para aqueles de nós que esperam apenas preservar as próprias faculdades mentais.

A pergunta que não quer calar: é possível criar novos neurônios cerebrais? Em outras palavras, o que influencia a neurogênese? E o que podemos fazer para estimular esse processo natural?

Esse processo, como seria de esperar, é controlado pelo nosso DNA. Especificamente, um gene localizado no cromossomo 11 que tem o código da produção de uma proteína chamada "fator neurotrófico derivado do cérebro", ou BDNF. O BDNF desempenha um papel fundamental na criação de novos neurônios. Mas além de seu papel na neurogênese, o BDNF protege os neurônios existentes, garantindo sua capacidade de sobrevivência ao mesmo tempo em que estimula a formação de sinapses, a conexão de um neurônio ao outro — processo vital para o raciocínio, o aprendizado e níveis mais altos de funcionamento cerebral. Na verdade, pesquisas mostram níveis inferiores de BDNF em pacientes de Alzheimer, o que, considerando o que se sabe sobre o funcionamento do BDNF, não é motivo de surpresa.[7] Mais surpreendente talvez seja a relação do BDNF com uma série de condições neurológicas, inclusive a epilepsia, a anorexia nervosa, a depressão, a esquizofrenia e o transtorno obsessivo-compulsivo.

Agora temos uma compreensão firme dos fatores que fazem nosso DNA produzir BDNF. E felizmente esses fatores estão, na maioria, sob nosso controle direto. O gene que aciona o BDNF é ativado por uma série de hábitos pessoais, que incluem exercícios físicos, restrição calórica, uma dieta cetogênica e o acréscimo de certos nutrientes, como a curcumina e o DHA, uma gordura ômega 3.

Essa é uma lição valiosa porque todos esses fatores estão ao nosso alcance e representam escolhas que podemos fazer para acionar o botão que faz crescerem novas células cerebrais. Vamos explorá-las uma a uma.

## ESTE É SEU (NOVO) CÉREBRO, EXERCITADO

Vou guardar a parte mais densa desta conversa para o capítulo 8, que explora em profundidade o papel do exercício na prevenção do declínio cognitivo. As descobertas são espantosas. O exercício físico é uma das maneiras mais poderosas de alterar seus genes. Em termos simples, quando você se exercita, literalmente exercita seus genes. Exercícios aeróbicos, em especial, não apenas ativam seus genes relacionados à longevidade, mas também estimulam o gene BDNF, o "hormônio de crescimento" do cérebro. Mais especificamente, descobriu-se que os exercícios aeróbicos aumentam o BDNF, revertem o declínio de memória nos idosos e, além disso, aumentam o surgimento de novas células no centro de memória do cérebro. O exercício não serve apenas para ter uma aparência esbelta e um coração forte; talvez seu efeito mais poderoso passe a maior parte do tempo despercebido no andar de cima, onde nosso cérebro habita. Basta dizer que a visão científica emergente da evolução humana e do papel da atividade física dá um novo sentido à expressão "exercitar a memória". Um milhão de anos atrás, nós conseguíamos percorrer grandes distâncias porque éramos capazes de andar e correr mais longe que a maioria dos outros animais. Isso nos tornou os seres humanos inteligentes que somos hoje. Quanto mais nos mexemos, mais aguçado ficou nosso cérebro. E ainda hoje o funcionamento saudável do cérebro exige atividade física regular, apesar da passagem do tempo e dos males do processo de envelhecimento.

## A RESTRIÇÃO CALÓRICA

Outro fator epigenético que ativa o gene da produção de BDNF é a restrição calórica. Estudos detalhados mostraram claramente que quando um animal é submetido a uma dieta de restrição de calorias (reduzida em torno de 30%), a produção de BDNF pelo cérebro dá um salto e ocorrem fortes melhorias na memória e em outras funções cognitivas. Mas uma coisa é ler sobre pesquisas experimentais envolvendo camundongos num ambiente controlado; outra, bem diferente, é fazer recomendações às pessoas com base em pesquisas com animais. Felizmente, agora já dispomos de amplos estudos com humanos que demonstram o efeito poderoso de uma redução na ingestão calórica sobre as funções cerebrais. Muitos desses estudos foram publicados em algumas das mais respeitadas revistas de medicina.[8]

Em janeiro de 2009, por exemplo, a *Proceedings of the National Academy of Science* publicou um estudo em que pesquisadores alemães compararam dois grupos de indivíduos idosos. Um deles reduziu as calorias em 30% e o outro foi autorizado a comer o que bem entendesse. Os pesquisadores queriam verificar se era possível medir a diferença nas funções cerebrais entre os dois grupos. Ao final dos três meses de estudo, aqueles que tinham liberdade de comer sem restrições sofreram um declínio pequeno, mas claramente definido no funcionamento da memória, enquanto no grupo com a dieta de redução calórica a memória até melhorou, e de maneira acentuada. Cientes de que as atuais abordagens farmacêuticas em relação à saúde cerebral são muito limitadas, os autores concluíram: "As presentes descobertas podem ajudar a desenvolver novas estratégias de prevenção e tratamento para manter a saúde cognitiva em idade avançada".[9]

Evidências adicionais que sustentam o papel da restrição calórica no fortalecimento do cérebro e na maior resistência às doenças degenerativas vêm do dr. Mark P. Mattson, do Instituto Nacional para o Envelhecimento, que afirmou:

Dados epidemiológicos sugerem que indivíduos com baixa ingestão de calorias podem ter uma redução no risco de derrames e desordens neurodegenerativas. Há uma forte correlação entre o consumo alimentar per capita e o risco de mal de Alzheimer e derrames. Dados de estudos caso-controle de base populacional mostraram que os indivíduos com a menor ingestão diária de calorias tiveram os menores riscos de mal de Alzheimer e de Parkinson.[10]

Mattson estava se referindo a um estudo longitudinal prospectivo, de base populacional, com famílias nigerianas em que alguns membros se mudaram para os Estados Unidos. Esse estudo específico conta uma história diferente para aqueles que acreditam que o Alzheimer é algo que você tem no próprio DNA. Foi demonstrado que a incidência de Alzheimer entre os imigrantes nigerianos vivendo nos EUA aumentou, se comparada aos parentes que permaneceram na Nigéria. Geneticamente, os nigerianos que se mudaram para os Estados Unidos eram iguais aos parentes que permaneceram.[11] Tudo que mudou foi o ambiente — especificamente, a ingestão calórica. A pesquisa concentrou-se claramente nos efeitos negativos de um consumo de calorias mais alto sobre a saúde cerebral.

Se a perspectiva de reduzir seu consumo de calorias em 30% parece assustadora, pense no seguinte: em média, consumimos 523 calorias a mais por dia do que em 1970.[12] Com base em dados da Organização das Nações Unidas para Alimentação e Agricultura, o adulto americano médio consome 3770 calorias por dia.[13] A maioria consideraria um consumo calórico "normal" em torno de 2 mil calorias diárias, para mulheres, e 2550, para homens (com exigências maiores segundo o nível de atividade/ exercício). Um corte de 30% nas calorias, de uma média de 3770 por dia, resulta em 2640 calorias.

Grande parte do aumento de nosso consumo de calorias se deve ao açúcar. O americano médio consome entre 45 e setenta quilos de açúcar refinado por ano — o que reflete um aumento de 25% somente nas três últimas décadas.[14] Portanto, concentrar-se apenas na redução da ingestão de açúcar já seria meio caminho andado para alcançar uma redução significativa na ingestão de calorias, o que obviamente ajudaria na perda de peso. Com efeito, a obesidade propriamente dita está associada a níveis reduzidos de BDNF, assim como a elevação do açúcar no sangue. É bom lembrar ainda que um aumento do BDNF acarreta o benefício extra de uma redução no apetite. É o que eu chamo de duplo benefício.

Mas se os números acima ainda não são suficientes para motivá-lo no sentido de uma dieta que ajude seu cérebro, o mesmo processo que ativa a produção de BDNF pode, em muitos aspectos, ser ativado por jejuns intermitentes. Vamos discutir mais amplamente o jejum no capítulo 7.

Porém, na verdade, os efeitos benéficos do tratamento de condições neurológicas por meio da restrição calórica não são novidade para a ciência moderna; eles são conhecidos desde a Antiguidade. A restrição calórica foi o primeiro tratamento eficaz para crises epiléticas na história da medicina. Mas agora sabemos como e por que ela é tão eficaz. Ela confere profunda proteção neurológica, estimula o crescimento de novas células cerebrais e permite que as redes neurais existentes expandam sua esfera de influência (isto é, neuroplasticidade).

Embora a ingestão reduzida de calorias esteja bem documentada no que diz respeito à promoção da longevidade em diversas espécies — inclusive nematódeos, roedores e macacos —, as pesquisas também demonstraram que uma baixa ingestão calórica está associada com uma incidência menor de Alzheimer e Parkinson. E os mecanismos pelos quais isso ocorre são por meio de uma função mitocondrial melhorada e do controle da expressão gênica.

O consumo de menos calorias reduz a geração de radicais livres, ao mesmo tempo em que estimula a produção de energia das mitocôndrias, minúsculos organelos em nossas células que geram energia química sob a forma de ATP (adenosina trifosfato). As mitocôndrias têm seu próprio DNA e hoje sabemos que desempenham um papel chave em doenças degenerativas, como o Alzheimer e o câncer. A restrição calórica também exerce um forte efeito na redução da apoptose, processo pelo qual as células sofrem uma autodestruição. A apoptose acontece quando são ligados mecanismos genéticos internos das células que culminam na sua morte. Embora de início pareça surpreendente que esse processo possa ser visto como positivo, a apoptose é uma função celular crucial para a vida tal qual a conhecemos. A morte pré-programada das células é uma parte normal e vital de todos os tecidos vivos, mas deve haver um equilíbrio entre a apoptose efetora e a apoptose de degradação. Além disso, a restrição calórica desencadeia uma redução dos fatores inflamatórios e um aumento nos fatores neuroprotetores, mais especificamente o BDNF. Também ficou demonstrado o aumento das defesas antioxidantes naturais do corpo pelo estímulo a enzimas e moléculas importantes na destruição do excesso de radicais livres.

Em 2008, a dra. Verónica Araya, da Universidad de Chile, em Santiago, publicou um estudo realizado por ela em que indivíduos obesos e com sobrepeso foram postos numa dieta de restrição de calorias de três meses, com uma redução total de 25% das calorias.[15] Ela e seus colegas registraram um aumento excepcional na produção de BDNF, que por sua vez levou a reduções notáveis no apetite. Também foi mostrado que o oposto ocorre: a produção de BDNF diminui em animais com uma dieta rica em açúcar.[16]

Uma das moléculas mais bem estudadas, associadas à restrição calórica e ao surgimento de novas células cerebrais, é a sirtuína (SIRT1), uma enzima que regula a expressão gênica. Nos macacos, uma ativação maior da sirtuína 1 estimula uma enzima que degrada amiloides — a proteína semelhante ao amido cujo acúmulo é uma marca de doenças como o Alzheimer.[17] Além disso, a ativação da sirtuína 1 altera certos receptores nas células, levando a reações cujo efeito geral é uma redução dos processos inflamatórios. Talvez de forma mais importante, a ativação do processo da sirtuína pela restrição calórica estimula a BDNF. Não apenas as células-tronco cerebrais aumentaram em número, mas sua diferenciação em neurônios cerebrais é estimulada pela BDNF (uma vez mais em função da restrição calórica). É por essa razão que dizemos que a BDNF melhora o aprendizado e a memória.[18]

## OS BENEFÍCIOS DE UMA DIETA CETOGÊNICA

Embora a restrição calórica possa ativar diferentes processos, que não apenas protegem o cérebro mas estimulam o crescimento de novas redes neuronais, eles também podem ser ativados pelo consumo de gorduras especiais, chamadas cetonas. De longe, a gordura mais importante para a utilização de energia pelo cérebro é o beta-hidroxibutirato (beta-HBA), e vamos explorar essa gordura singular mais detalhadamente no próximo capítulo. É por isso, na verdade, que a chamada "dieta cetogênica" tem sido um tratamento para a epilepsia desde o início dos anos 1920 e agora está sendo reavaliada como uma poderosíssima opção terapêutica no tratamento de Parkinson, Alzheimer, ALS e até autismo.[19, 20, 21] Em um estudo de 2005, pacientes de Parkinson tiveram uma melhora notável em seus sintomas, comparável à de medicamentos e até de cirurgia cerebral, depois de adotar uma dieta cetogênica por apenas 28 dias.[22] Especificamente, constatou-se que o consumo de gorduras cetogências (isto é, triglicérides de cadeia média, ou óleo MCT) gera uma melhora significativa nas funções cognitivas dos pacientes de Alzheimer.[23] O óleo de coco, do qual derivamos o MCT, é uma fonte rica de uma importante molécula precursora do beta-hidroxibutirato e uma abordagem eficiente para o tratamento do Alzheimer.[24] Também se verificou que a dieta cetogênica reduz os amiloides no cérebro[25] e aumenta no hipocampo um antioxidante protetor do cérebro natural do corpo, chamado glutationa.[26] Além disso, estimula o crescimento das mitocôndrias, aumentando, assim, a eficiência metabólica.[27]

Embora a ciência tradicionalmente tenha visto o fígado como a fonte principal da produção de cetona na fisiologia humana, hoje se reconhece que o cérebro também pode produzir cetonas em células especiais, chamadas astrócitos. Esses corpos cetônicos são profundamente neuroprotetores. Reduzem a produção de radicais livres no cérebro, elevam a biogênese mitocondrial e estimulam a produção de antioxidantes ligados ao cérebro. Além disso, as cetonas bloqueiam o processo apoptótico que, do contrário, levaria à autodestruição de células cerebrais.

Infelizmente, as cetonas sempre tiveram uma imagem ruim. Lembro-me, durante minha residência médica, que certa vez uma enfermeira me acordou para tratar de um paciente em "cetoacidose diabética". Médicos, estudantes de medicina e residentes ficam com medo quando encaram o desafio de um paciente nesse estado — e com razão. Ele ocorre nos diabéticos tipo 1 dependentes de insulina, quando não há insulina disponível para metabolizar a glicose como combustível. O corpo se volta para a gordura, que produz essas cetonas em quantidades perigosamente elevadas, que se tornam tóxicas quando se acumulam no sangue. Ao mesmo tempo, há uma profunda perda de bicarbonato, e isso leva a uma redução significativa do pH (acidose). Como resultado, em geral, os pacientes perdem muita água, devido aos níveis elevados de açúcar no sangue, e surge uma emergência médica.

Essa é uma condição extremamente rara e, repito, ela ocorre em diabéticos tipo 1 que não conseguem regular seus níveis de insulina. Nossa fisiologia normal evoluiu para lidar com algum grau de cetonas no sangue; na verdade, somos bastante singulares em meio a nossos camaradas do reino animal, possivelmente por causa de nosso cérebro (pesado em relação ao corpo) e à sua alta demanda de energia. Em descanso, 20% do nosso consumo de oxigênio cabe ao cérebro, que representa apenas 2% do corpo humano. Em termos evolutivos, a capacidade de usar as cetonas como combustível quando se exauriu o açúcar do sangue e o glicogênio do fígado não está mais disponível (durante um período de fome) tornou-se obrigatória, se quiséssemos sobreviver e continuar a caçar e coletar. A cetose mostrou-se um passo crucial na evolução humana, permitindo-nos resistir durante períodos de escassez alimentar. Citando Gary Taubes, "na verdade, podemos definir essa cetose moderada como o estado normal do metabolismo humano quando não estamos ingerindo os carboidratos que não existiam em nossas dietas durante 99,9% da história humana. Desta forma, pode-se afirmar que a cetose não apenas é uma condição natural, mas até particularmente sadia".[28]

## O PODER DA MEDITAÇÃO

Meditar está longe de ser uma atividade passiva. Pesquisas mostram que quem medita tem um risco muito menor de sofrer doenças cerebrais, entre outras.[29] Aprender a meditar exige tempo e prática, mas a atividade gera diversos benefícios comprovados, todos eles com um papel importante em nossa longevidade. Em meu site, <www.drperlmutter.com>, você poderá ler sobre recursos que ajudam a aprender essa técnica.

## A CURCUMINA E O DHA

Atualmente, a curcumina, principal ingrediente ativo da cúrcuma, é objeto de intensas pesquisas científicas, principalmente no que diz respeito ao cérebro. Tem sido usada na medicina tradicional chinesa e indiana (ayurvédica) há milhares de anos. Embora seja bastante conhecida por suas propriedades antioxidantes, anti-inflamatórias, antifúngicas e antibacterianas, é especificamente sua capacidade de aumentar a BDNF que tem atraído o interesse de neurocientistas do mundo inteiro, principalmente epidemiologistas em busca de pistas que expliquem por que a prevalência de demência é especialmente reduzida em comunidades onde a cúrcuma é usada em abundância. (Mais sobre a curcumina no capítulo 7.)

Talvez nenhuma outra molécula estimuladora do cérebro tenha recebido tanta atenção ultimamente quanto o ácido docosaexaenoico (DHA). Nas últimas décadas, os cientistas têm estudado de forma intensa essa gordura crucial para o cérebro, por pelo menos três razões. Em primeiro lugar, mais de dois terços do peso seco do cérebro humano vêm de gordura e, dessa gordura, um quarto é DHA. Estruturalmente, o DHA é um importante "tijolo" para as membranas que envolvem as células cerebrais, sobretudo as sinapses, que estão no cerne de um funcionamento eficiente do cérebro.

Em segundo, o DHA é um importante regulador dos processos inflamatórios. Reduz naturalmente a atividade da enzima COX-2, que ativa a produção de substâncias químicas inflamatórias danosas. Pode enfrentar os processos inflamatórios quando ocorre uma "guerra" dentro do revestimento intestinal de uma pessoa sensível ao glúten. E pode bloquear os efeitos ruinosos de uma dieta rica em açúcar, especialmente frutose, e ajudar a prevenir disfunções metabólicas do cérebro resultantes do excesso de carboidratos na dieta.

Por fim, e talvez a atividade mais interessante do DHA, é seu papel na regulagem da expressão gênica para a produção de BDNF. Em termos simples, o DHA ajuda a orquestrar a produção, a conectividade e a viabilidade das células cerebrais, ao mesmo tempo que estimula seu funcionamento.

Em um estudo recém-completado, hoje conhecido pelo nome de Midas (sigla em inglês para "estudo de melhoria de memória com DHA), um grupo de 485 indivíduos com média de idade de setenta anos e leves problemas de memória recebeu um suplemento contendo DHA de algas marinhas ou um placebo, durante seis meses.[30] Ao final do estudo, não apenas os níveis de DHA no sangue tinham dobrado no grupo que recebia DHA, mas os efeitos nas funções cerebrais foram notáveis. A principal autora do estudo, a dra. Karin Yurko-Mauro, comentou:

> Em nosso estudo, pessoas saudáveis com queixas de memórias que tomaram cápsulas de DHA de algas durante seis meses reduziram praticamente pela metade os erros em um teste que mede a aprendizagem e o desempenho da memória, em relação àqueles que tomaram um placebo [...] o benefício é, grosso modo, o equivalente a ter os níveis de aprendizagem e memória de alguém três anos mais jovem.

Outro estudo, feito com 815 indivíduos com idades entre 65 e 94 anos, concluiu que aqueles que consumiram a maior quantidade de DHA tiveram uma incrível redução de 60% no risco de desenvolver Alzheimer.[31] Tal nível de proteção supera outros ácidos graxos populares, como o EPA e o ácido linoleico. O Estudo do Coração de Framingham também apontou um efeito protetor fantástico. Quando os pesquisadores compararam os níveis de DHA no sangue em 899 homens e mulheres durante um período de quase dez anos, durante o qual algumas pessoas desenvolveram demência e Alzheimer, calculou-se um risco 47% menor de tais diagnósticos naqueles que mantiveram os níveis mais elevados de DHA no sangue.[32] Os pesquisadores também descobriram que consumir mais de duas porções de peixe por semana estava associado a uma redução de 59% na ocorrência de Alzheimer.

Quando os pais trazem a meu consultório filhos com problemas comportamentais, costumo testar seus níveis de DHA, além de examinar a sensibilidade ao glúten. Devido ao papel do DHA no desencadeamento da BDNF, ele é importante *in utero*, assim como no bebê e na criança. Mas muitas crianças hoje em dia não recebem DHA o suficiente, e é em parte por isso que temos visto tantos casos de transtorno de déficit de atenção e hiperatividade (TDAH). Já perdi a conta de quantas vezes "curei" TDAH apenas receitando um suplemento de DHA.

Como podemos elevar nosso DHA? Nosso corpo consegue fabricar pequenas quantidades de DHA e nós podemos sintetizá-lo a partir de uma gordura alimentar ômega 3 comum, o ácido alfa-linoleico. Mas é difícil conseguirmos todo o DHA de que necessitamos com aquilo que comemos, e não podemos confiar, tampouco, na sua produção natural pelo corpo. Precisamos de pelo menos duzentos a trezentos miligramas diários, mas a maioria dos americanos consome menos de 25% desse total, e seria bom passarmos esse mínimo básico. No capítulo 10, proponho minha receita para garantir que você tenha a dose suficiente por meio de fontes alimentares e suplementos.

## O ESTÍMULO INTELECTUAL DESENVOLVE NOVAS REDES

Se o senso comum não nos dissesse que manter o cérebro intelectualmente estimulado é bom para a saúde, então as palavras cruzadas, os cursos de educação continuada, as visitas aos museus e até mesmo a leitura não seriam tão populares. Todos nós sabemos que desafiar a mente fortalece novas redes neurais, mais ou menos como nossos músculos ganham força e funcionalidade quando são desafiados fisicamente pelo exercício. Não apenas nosso cérebro se torna mais rápido e eficiente em sua capacidade de processamento, mas também consegue armazenar mais informações. Uma vez mais, o resumo que o dr. Mattson faz das provas existentes na literatura médica é informativo: "Em relação ao envelhecimento e às desordens neurodegenerativas relacionadas à idade, os dados disponíveis sugerem que aqueles comportamentos que estimulam a complexidade dendrítica e a plasticidade sináptica também promovem um envelhecimento saudável e reduzem o risco dessas desordens".[33] Ele prossegue oferecendo diversos exemplos. Observa que gente mais instruída tem um risco menor de sofrer de Alzheimer, e que a proteção contra desordens neurodegenerativas relacionadas à idade costuma começar nas primeiras décadas de vida. Com esse objetivo, o dr. Mattson cita estudos que mostram que aqueles com maior habilidade linguística quando jovens adultos têm um risco reduzido de demência. E escreve que "dados de estudos com animais sugerem que uma atividade maior nos circuitos neurais, resultante da atividade intelectual, estimula a expressão de genes que têm um papel em seus efeitos neuroprotetores".

## A FALÁCIA DOS ANTIOXIDANTES[34]

Por toda parte se veem anúncios que proclamam as virtudes de um suco ou extrato de frutas exótico com o mais alto conteúdo em antioxidantes do planeta. Isso pode levá-lo a pensar: por que tanto barulho? Qual o benefício de ingerir um antioxidante? Como a esta altura você já sabe, os antioxidantes ajudam a controlar os radicais livres do mal, e o cérebro gera enormes quantidades de radicais livres. Felizmente, hoje em dia já sabemos como compensar essa disparidade danosa, mas é impossível fazer isso apenas com o consumo de antioxidantes. Nosso DNA pode, de fato, ativar a produção de antioxidantes protetores na presença de sinais específicos, e esse sistema interno antioxidante é muito mais poderoso que qualquer suplemento nutricional. Por isso, se você está ingerindo frutas vermelhas exóticas ou se enchendo de vitaminas E e C na tentativa de derrotar esses radicais livres, leve em conta o que segue abaixo.

Em 1956, o dr. Denham Harman demonstrou que radicais livres podem ser "derrotados" por antioxidantes, dando origem a toda uma indústria.[35] Sua teoria se tornou mais sofisticada em 1972, quando ele reconheceu que as mitocôndrias, a verdadeira fonte dos radicais livres, correm elas próprias um risco maior de sofrer danos com esses radicais, e que quando o funcionamento das mitocôndrias fica comprometido por causa desses danos ocorre o envelhecimento.[36]

A compreensão do poderoso efeito destruidor dos radicais livres, especialmente no que diz respeito ao cérebro, incentivou os pesquisadores a procurar antioxidantes melhores para abastecer o cérebro com alguma proteção e, assim, não apenas interromper doenças, mas talvez melhorar seu funcionamento também. Por exemplo, a relação entre o comprometimento cognitivo leve e os radicais livres foi detalhadamente descrita em um artigo do dr. William Markesbery, da Universidade de Kentucky, em 2007. Em seu artigo, o dr. Markesbery e seus colegas demonstraram que as funções cognitivas começam a declinar cedo — muito antes do diagnóstico de uma doença cerebral. Ele também observou que marcadores elevados de danos oxidativos a gorduras, proteínas e até o DNA têm uma correlação direta com o grau de comprometimento mental. Markesbery afirma: "Esses estudos estabelecem o dano oxidativo como um evento precoce na patogênese do mal de Alzheimer, que pode servir como um alvo terapêutico para retardar a evolução ou talvez o aparecimento da doença".[37]

Os autores prosseguem:

Antioxidantes e agentes melhores, usados em combinação com reguladores que elevam os mecanismos de defesa contra a oxidação, serão necessários para neutralizar o componente oxidante da patogênese do mal de Alzheimer. É bastante provável que, para otimizar esses agentes neuroprotetores, eles tenham que ser usados na fase pré-sintomática da doença.

Em termos mais simples: precisamos estimular as defesas inatas do corpo contra os radicais livres muito antes que venham à tona os sinais e sintomas de declínio cognitivo. E quando reconhecemos que, se vivermos além dos 85 anos, nosso risco de Alzheimer é de espantosos 50%, muitas pessoas devem levar em conta que já são "pré-sintomáticas".

Portanto, se nosso tecido cerebral está sendo atacado pelos radicais livres, não faz sentido se encher de antioxidantes? Para responder essa pergunta, precisamos levar em conta os fornecedores de energia para nossas células, as mitocôndrias. No processo normal de produção de energia, cada mitocôndria produz centenas, senão milhares de moléculas de radicais livres por dia. Multiplique isso pelos 10 quatrilhões de mitocôndrias que cada um de nós possui e chegamos a um número inconcebível, 10 seguido de dezoito zeros. Poderíamos pensar: que eficácia teria, digamos, uma cápsula de vitamina E ou uma vitamina C solúvel diante desse massacre de radicais livres? Os antioxidantes comuns funcionam se sacrificando para tornar-se oxidados quando estão diante dos radicais livres. Assim, uma molécula de vitamina C é oxidada por um radical livre (essa química *um-por-um* é chamada pelos químicos de "reação estequiométrica"). Você consegue imaginar quanta vitamina C, ou outro antioxidante oral, seria necessário tomar para neutralizar um número indizível de radicais livres gerados diariamente pelo corpo?

Felizmente, e como seria de esperar, a fisiologia humana desenvolveu sua própria bioquímica para criar antioxidantes mais protetores nos momentos de elevado estresse oxidativo. Longe de depender inteiramente de fontes alimentares externas de antioxidantes, nossas células têm sua própria capacidade inata de gerar enzimas antioxidantes conforme a necessidade. Níveis altos de radicais livres ativam uma proteína específica no núcleo, chamada Nrf2, que basicamente abre a porta para a produção de um vasto leque não apenas dos mais importantes antioxidantes do nosso corpo, mas também de enzimas desintoxicantes. Por isso, se o excesso de radicais livres acarreta uma produção melhor de antioxidantes através desse processo, a pergunta que se segue é óbvia: o que mais ativa a Nrf2?

É aí que a história fica realmente empolgante. Novas pesquisas identificaram diversos fatores modificáveis que podem "apertar o botão" da Nrf2, ativando genes que conseguem produzir antioxidantes poderosos e enzimas desintoxicantes. O dr. Ling Gao, da Universidade Vanderbilt, descobriu que quando as gorduras ômega 3 EPA e DHA se oxidam, ocorre uma ativação significativa do processo da Nrf2. Durante vários anos os pesquisadores observaram níveis menores de danos dos radicais livres em indivíduos que consomem óleo de peixe (fonte de EPA e DHA), mas, graças a essa nova pesquisa, a relação entre o óleo de peixe e a proteção antioxidante ficou clara. Como escreveu o dr. Gao, "nossos dados sustentam a hipótese de que a formação de [...] compostos gerados pela oxidação de EPA e DHA *in vivo* pode atingir concentrações altas o bastante para induzir antioxidantes com base na Nrf2 e (...) sistemas de defesa desintoxicantes".[38]

---

### DESINTOXICAÇÃO: O QUE ELA REPRESENTA PARA A SAÚDE CEREBRAL

O corpo humano produz uma impressionante variedade de enzimas que servem para purificar um grande número de toxinas às quais somos expostos tanto no ambiente externo quanto internamente, geradas no curso normal do nosso metabolismo. Essas enzimas são produzidas sob a direção do nosso DNA e evoluíram ao longo de centenas de milhares de anos.

A glutationa é vista como um dos mais importantes agentes desintoxicantes do cérebro humano. Substância química relativamente simples, a glutationa é um tripeptídeo, o que significa que consiste em apenas três aminoácidos. Mas, apesar de sua simplicidade, a glutationa tem um papel amplo na saúde do cérebro. Em primeiro lugar, ela funciona como um importante antioxidante na fisiologia celular, não apenas ajudando a proteger as células dos danos dos radicais livres, mas, talvez de forma mais importante, protegendo as delicadas mitocôndrias, que ajudam a sustentar a vida. A glutationa é um antioxidante tão importante que muitos cientistas medem o nível de glutationa nas células como um indicador geral da saúde celular. A glutationa também tem um papel poderoso na química da desintoxicação, ligando-se a várias toxinas para torná-las menos nocivas. Ainda mais importante é o fato de a glutationa servir como substrato para a enzima glutationa S-transferase, envolvida na transformação de inúmeras toxinas, tornando-as mais solúveis em água e, dessa forma, mais facilmente excretadas. Deficiências no funcionamento dessa enzima estão associadas a um amplo número de problemas de saúde, incluindo melanoma, diabetes, asma, câncer de mama, Alzheimer, glaucoma, câncer pulmonar, ALS, Parkinson e enxaquecas, entre outros. Com essa compreensão do papel fundamental da glutationa tanto como antioxidante quanto como desintoxicante, faz sentido todo o esforço possível para manter e até aumentar os níveis de glutationa, que é exatamente o que a minha dieta vai ajudá-lo a atingir.

Não surpreende que tenha sido comprovado, numa série de modelos de laboratório, que a restrição calórica induza a ativação da Nrf2. Quando as calorias são reduzidas na dieta de animais de laboratório, não apenas eles vivem mais tempo (provavelmente resultado de uma maior proteção antioxidante), mas se tornam notavelmente resistentes ao desenvolvimento de diversos tipos de câncer. E é esse o atributo que dá força ao programa de jejum descrito no próximo capítulo.

Foram identificados vários compostos naturais que acionam processos antioxidantes e desintoxicantes por meio da ativação do sistema Nrf2. Entre eles estão a curumina, da cúrcuma; o extrato de chá verde; a silimarina, do cardo mariano; o extrato de bacopa; o DHA; o sulforafano, presente no brócolis; e a ashwagandha. Cada uma dessas substâncias é eficaz no acionamento da produção inata, pelo corpo, de antioxidantes-chave, inclusive a glutationa. E se nenhum desses compostos parece algo que você esteja acostumado a usar diariamente na sua dieta, você ficará satisfeito de saber que o café é um dos ativadores de Nrf2 mais poderosos da natureza. Várias moléculas no café, algumas delas parcialmente presentes no café bruto, outras geradas durante o processo de torrefação, são responsáveis por esse efeito positivo.[39]

Além da função antioxidante, a ativação do processo da Nrf2 aciona os genes que produzem uma ampla gama de substâncias químicas protetoras, que dão ainda mais sustentação aos processos de desintoxicação do corpo, ao mesmo tempo que reduzem os processos inflamatórios. Tudo isso é bom para a saúde cerebral.

## O "GENE DO ALZHEIMER"

Desde que o genoma humano foi completamente decodificado, mais de uma década atrás, conseguimos acumular uma grande quantidade de evidências a respeito das consequências, boas ou más, mapeadas por certos genes. Se você prestou atenção no noticiário no início ou em meados dos anos 1990, provavelmente ficou sabendo que os cientistas haviam descoberto um "gene do Alzheimer", uma associação entre um gene específico e o risco de ter Alzheimer. E você deve ter pensado: *será que eu tenho?*

Primeiro, uma aula rápida de bioquímica, um oferecimento do Instituto do Envelhecimento, do Instituto Nacional de Saúde. Mutações genéticas, ou alterações permanentes em um ou mais genes específicos, nem sempre causam doenças. Mas algumas causam, e se você herdou uma mutação causadora de doença, provavelmente vai desenvolver essa doença. A anemia falciforme, a doença de Huntington e a fibrose cística são exemplos de desordens herdadas geneticamente. Às vezes, uma *variante* genética pode ocorrer, em que alterações em um gene podem levar a uma doença, mas nem sempre. O mais comum é que a variante simplesmente aumente ou diminua o risco de a pessoa desenvolver determinada doença ou condição. Se uma variante sabidamente aumenta o risco, mas não desencadeia necessariamente a doença, é chamada de "fator de risco genético".[40]

É preciso deixar claro que os cientistas não identificaram um gene específico que cause o Alzheimer. Mas um fator de risco genético que parece aumentar o risco de desenvolver a doença está associado ao gene da apolipoproteína E (ApoE), no cromossomo 19. Ele tem o código com as instruções para fabricar uma proteína que ajuda a transportar o colesterol e outros tipos de gordura na corrente sanguínea. Ele se apresenta sob várias formas diferentes, ou alelos. As três principais formas são o ApoEε2, o ApoEε3 e o ApoEε4.

O ApoEε2 é relativamente raro, mas se você herdar esse alelo tem uma probabilidade maior de desenvolver Alzheimer em idade avançada. O ApoEε3 é o alelo mais comum, mas se acredita que não aumente nem diminua o risco. O ApoEε4, porém, é aquele que é mais mencionado nos meios de comunicação e mais temido. Na população em geral, está presente em 25% a 30% das pessoas, e cerca de 40% das pessoas com Alzheimer carregam esse alelo. Por isso, mais uma vez, você deve estar imaginando se carrega esse fator de risco e o que isso pode significar para você e seu futuro.

Infelizmente, não sabemos como esse alelo aumenta o risco individual de Alzheimer. Ainda se conhece pouco a respeito do mecanismo. Quem nasce com o alelo ApoEε4 tem maior probabilidade de desenvolver a doença cedo em relação àqueles que não o carregam. É importante lembrar que herdar um alelo ApoEε4 não significa que sua sorte esteja selada. Você não desenvolverá necessariamente o Alzheimer. Algumas pessoas cujo DNA contém o alelo ApoEε4 nunca sofrem de qualquer declínio cognitivo. E há inúmeras pessoas que desenvolvem Alzheimer sem possuir esse fator de risco genético.

Um simples teste de DNA pode determinar se você possui esse gene, mas mesmo que você o possua, há algo que pode fazer a respeito. Nunca é demais repetir: o destino da sua saúde — e sua paz de espírito, como mostrará o próximo capítulo — está, na maior parte, em suas mãos.

# 6. A fuga do seu cérebro
## Como o glúten acaba com a sua paz de espírito, e com a de seus filhos

*Via de regra, o que está fora da vista perturba mais a mente dos homens do que aquilo que pode ser visto.*

Júlio César

Se os açúcares e os carboidratos recheados de glúten, inclusive seu pão integral diário ou aquelas comidas que você está acostumado a comer, corroem lentamente a saúde de longo prazo e a funcionalidade do seu cérebro, o que mais esses ingredientes podem produzir no curto prazo? Será que eles podem provocar alterações de comportamento, tirar o foco e a concentração, e estar por trás de alguns tiques nervosos e problemas de humor (como a depressão)? Seriam eles os culpados por dores de cabeças crônicas e até enxaquecas?

Sim. Os males vão muito além de simplesmente prejudicar a neurogênese e aumentar seu risco de problemas cognitivos que evoluirão silenciosamente ao longo do tempo. Como já foi dito nos capítulos anteriores, uma dieta rica em carboidratos inflamatórios e pobre em gorduras saudáveis prejudica a mente de mais de uma maneira — o que tem influência não apenas no risco de demência, mas no risco de males neurológicos comuns, como TDAH, transtorno de ansiedade, síndrome de Tourette, doenças mentais, enxaquecas e até autismo.

Até agora, concentrei-me primordialmente no declínio cognitivo e na demência. Agora, vamos nos debruçar sobre os efeitos destruidores do glúten no cérebro do ponto de vista dessas desordens comportamentais e psicológicas comuns. Vou começar com os males que são comumente diagnosticados em crianças pequenas, e em seguida cobrir uma gama mais ampla de problemas encontrados em pessoas de qualquer idade. Uma coisa ficará clara: a retirada do glúten da dieta e a adoção de um modo de vida livre dos grãos costumam ser as melhores garantias de alívio para os males do cérebro que atormentam milhões de pessoas hoje em dia, e essa "prescrição" simples pode muitas vezes dispensar a terapia medicamentosa.

## O PAPEL DO GLÚTEN NOS TRANSTORNOS MOTORES E COMPORTAMENTAIS

Minha primeira consulta com Stuart ocorreu quando ele havia acabado de fazer quatro anos. Ele foi trazido à minha clínica pela mãe, Nancy, que eu conhecia havia vários anos; ela era fisioterapeuta de muitos de meus pacientes. Nancy começou pela descrição de sua inquietação com Stuart e relatou que, embora não tivesse percebido nada de errado com o filho, o professor da pré-escola o achou excepcionalmente "ativo" e sugeriu que examiná-lo não seria má ideia. Eu não era o primeiro médico a vê-lo por causa dessa inquietação. Na semana anterior, a mãe de Stuart o havia levado ao pediatra da família, que o orientou a se tratar de "TDAH" e escreveu uma receita de Ritalina.

Compreensivelmente, Nancy estava com medo de dar o remédio ao filho, e isso fez com que buscasse outras opções. Inicialmente, ela explicou que o filho tinha constantes explosões de raiva e que "tremia incontrolavelmente quando ficava frustrado". Ela contou que o professor da pré-escola queixou-se de que Stuart era incapaz de "se concentrar numa tarefa", o que me fez pensar que tipo, exatamente, de tarefa exige concentração exclusiva de uma criança de quatro anos de idade.

O histórico médico de Stuart era revelador. Ele havia sofrido várias infecções de ouvido e havia passado por incontáveis períodos sob antibióticos. Na verdade, quando eu o examinei, ele estava em meio a um período de seis meses de antibióticos profiláticos para reduzir o risco de novas otites. Mas, além do problema de ouvido, Stuart reclamava constantemente de dores nas juntas, a ponto de também estar tomando regularmente Naprosyn, um poderoso anti-inflamatório. Como eu previa, fiquei sabendo que Stuart não havia mamado quando bebê.

Em seu exame notei três coisas importantes. Primeiro, ele respirava pela boca, indicação clara de uma inflamação nas fossas nasais. Segundo, o rosto apresentava clássicas olheiras de rinite, círculos escuros sob os olhos que estão relacionados a alergias. E terceiro, de fato ele era muito ativo. Não conseguia ficar mais de dez segundos sentado. Levantava-se para explorar cada centímetro do consultório e rasgava o papel que costuma cobrir a maioria das mesas de exame.

Nosso exame de laboratório não foi profundo. Na verdade, tudo o que fizemos foi um simples teste de sensibilidade ao glúten, que mede o nível de anticorpos contra a gliadina, uma das proteínas do trigo. Sem surpresa, o nível de Stuart estava 300% acima do considerado normal pelo laboratório.

Em vez de procurar um medicamento para tratar os sintomas, decidimos atacar a causa dos problemas do menino, isto é, a inflamação, que estava desempenhando um papel central em praticamente tudo que estava acontecendo com a sua fisiologia, inclusive seus problemas de ouvido, das articulações e sua incapacidade de se concentrar.

Expliquei a Nancy que ele ia ter de parar de ingerir glúten. E para ajudar a recompor um intestino saudável, depois de tanta exposição aos antibióticos, precisávamos adicionar algumas bactérias benéficas, os probióticos, a seu regime. Por fim, a gordura ômega 3 DHA foi acrescentada à lista.

Um roteiro de cinema não teria um desfecho melhor. Depois de duas semanas e meia, os pais de Stuart receberam um telefonema do professor da pré-escola, agradecendo a eles por terem começado a medicá-lo, pois ele tinha apresentado uma "forte melhora" em suas maneiras. Os pais observaram que ele se acalmou, passou a interagir mais e a dormir melhor. Mas sua transformação não se devia a medicamentos. Foi puramente graças à dieta que ele foi capaz de ter "forte melhora" na atitude e na saúde.

Eu recebi um bilhete, dois anos e meio depois, dizendo: "Ele entrou no ensino básico como o aluno mais novo da classe. Tem brilhado tanto em leitura quanto em matemática e não prevemos mais nenhum problema em relação à hiperatividade. Ele está crescendo tão rápido que já é um dos garotos mais altos da turma".

O transtorno de déficit de atenção e hiperatividade (TDAH) é um dos diagnósticos mais frequentes nos consultórios pediátricos. Os pais de crianças hiperativas são levados a crer que seus filhos têm alguma forma de uma doença que limitará a capacidade de aprendizado. Frequentemente, o establishment médico convence os pais de que os medicamentos são a solução mais rápida. Toda a noção de que o TDAH é uma doença específica, rapidamente remediada por uma pílula, é convincente, mas alarmante. Em várias escolas americanas, até 25% dos alunos recebem regularmente medicação poderosa e modificadora da mente cujas consequências de longo prazo nunca foram estudadas!

Embora a Associação Pediátrica Americana afirme em seu Manual Diagnóstico e Estatístico de Transtornos Mentais que 3% a 7% das crianças em idade escolar sofrem de TDAH, pesquisas estimaram índices mais altos em amostragens em comunidades específicas, e dados de pesquisas com os pais, reunidos pelo Centro de Controle e Prevenção de Doenças (CDC), apresentam um quadro diferente.[1] Segundo os novos dados do CDC, divulgados em março de 2013, cerca de um em cada cinco meninos americanos em idade de cursar o ensino médio e 11% das crianças em idade escolar em geral tiveram um diagnóstico de TDAH. Isso se traduz numa estimativa de 6,4 milhões de jovens entre os quatro e os dezessete anos, o que representa um aumento de 16% desde 2007 e de 53% na última década.[2] Como publicado pelo The New York Times, "cerca de dois terços dos atualmente diagnosticados recebem receitas de estimulantes, como Ritalina e Adderall, que podem melhorar drasticamente a vida daqueles que têm TDAH, mas também podem viciar, provocar ansiedade e, ocasionalmente, psicose".[3] Isso levou a Associação Pediátrica Americana a pensar em mudar sua definição de TDAH de modo a aumentar o número de pessoas diagnosticadas... e tratadas com drogas. O dr. Thomas R. Frieden, diretor do CDC, disse que o aumento no número de receitas de estimulantes para crianças lembra o abuso de analgésicos e antibióticos em adultos, e eu concordo. Nas palavras do dr. Jerome Groopman, professor de medicina da Faculdade de Medicina de Harvard e autor do livro *How Doctors Think* [Como os médicos pensam], em entrevista ao *Times*, "há uma tremenda pressão para que, se o comportamento da criança for considerado, entre aspas, anormal — se ele não estiver sentado quietinho em sua mesa —, trata-se de uma patologia, em vez de simplesmente infância".[4] O que isso significa, então, quando nossa definição de infância é substituída por diagnósticos vagos como o TDAH?

Além do aumento dramático no uso de remédios para tratar o TDAH, o uso de drogas antiansiedade disparou entre 2001 e 2010: entre jovens até os dezenove anos, o uso de remédios antiansiedade aumentou 45% no sexo feminino e 37% no masculino. Segundo um relatório da Express Scripts, intitulado "America's State of Mind" [O estado mental dos americanos], o número total de americanos que tomam remédios para transtornos psicológicos e comportamentais sofreu um aumento substancial desde 2001. Em 2010, ano dos dados mais recentes, mais de um em cada cinco adultos estava tomando pelo menos um medicamento, um aumento de 22% em relação a dez anos antes. O interessante é que a probabilidade de mulheres tomarem uma droga para uma condição de saúde mental é muito maior que nos homens. Mais de um quarto da população adulta de sexo feminino tomava essas drogas em 2010 contra apenas 15% dos homens. (Pesquisadores de Harvard teorizam que isso pode ser provocado pelas transformações hormonais, nas mulheres, ligadas à puberdade, à gravidez e à menopausa. Embora a depressão possa afetar homens e mulheres da mesma maneira, mulheres são tipicamente mais suscetíveis a procurar auxílio médico.)[5]

Percentual da população usando medicamentos para a saúde mental
2001 x 2010

Onze por cento dos americanos acima dos doze anos tomam antidepressivos, mas esse percentual dispara quando se olha para o número de mulheres na faixa dos quarenta e cinquenta anos a quem foram receitados antidepressivos — impressionantes 23%.

Considerando o número em ascensão de transtornos mentais e comportamentais contra os quais cada vez mais são usadas drogas poderosas, por que ninguém chama a atenção para as razões subjacentes dessa tendência? E como podemos propor soluções que não tragam consigo produtos farmacêuticos temerários? O que está na raiz do problema? A proteína de trigo adesiva, o glúten. Embora o júri ainda não tenha chegado a um veredicto em relação à correlação entre a sensibilidade ao glúten e problemas psicológicos ou comportamentais, já conhecemos alguns fatos:

- quem sofre de doença celíaca tem um risco maior de atraso no desenvolvimento, dificuldades de aprendizagem, tiques nervosos e TDAH[6]

- a depressão e a ansiedade costumam ser fortes em pacientes com sensibilidade ao glúten.[7, 8] Isso se deve primordialmente às citocinas, que bloqueiam a produção de neurotransmissores cruciais para o cérebro, como a serotonina, essencial na regulagem do humor. Com a eliminação do glúten e, muitas vezes, dos derivados de leite, muitos pacientes se livraram não apenas dos transtornos de humor, mas de outras condições causadas por um sistema imunológico hiperativo, como alergias e artrite

- até 45% das pessoas com desordens do espectro do autismo (DEAS) têm problemas gastrointestinais.[9] Embora nem todos os sintomas gastrointestinais nas DEAS resultem de doença celíaca, os dados mostram uma prevalência maior desta em casos pediátricos de autismo em comparação com a população pediátrica em geral

A boa notícia é que podemos reverter muitos dos sintomas das desordens neurológicas, psicológicas e comportamentais simplesmente cortando o glúten e acrescentando à nossa dieta suplementos como o DHA e probióticos. E para ilustrar o impacto de uma prescrição tão simples, sem remédios, veja a história de KJ, que eu conheci há mais de uma década. Ela tinha cinco anos de idade na época e um diagnóstico de síndrome de Tourette, uma espécie de transtorno do espectro obsessivo-compulsivo caracterizada por movimentos repentinos, repetitivos, não rítmicos (tiques motores) e vocalizações que envolvem determinados grupos musculares. Os cientistas dizem que a causa exata dessa anomalia neurológica é desconhecida, mas a verdade é que sabemos que, como muitas desordens neuropsiquiátricas, ela tem raízes genéticas que podem ser agravadas por fatores ambientais. Acredito que pesquisas futuras vão revelar a verdade por trás de muitos casos de Tourette e mostrar a sensibilidade ao glúten em ação.

Na primeira visita de KJ ao consultório, a mãe explicou que no ano anterior sua filha começou a ter contrações involuntárias dos músculos do pescoço, por razões desconhecidas. Ela já tinha recebido vários tipos de massoterapia, que trouxeram alguma melhoria, mas o problema ia e vinha. Acabou piorando a ponto de KJ sofrer com movimentos agressivos na mandíbula, no rosto e na nuca. Ela também limpava a garganta o tempo todo, produzindo diferentes grunhidos. Seu médico havia diagnosticado a síndrome de Tourette.

Quando assumi seu caso, percebi que três anos antes do surgimento de seus graves sintomas neurológicos, a menina começou a ter crises de diarreia e dor abdominal crônica, das quais ela ainda sofria. Como você pode imaginar, fiz um teste de sensibilidade ao glúten, que de fato confirmou que a pobre menina vivia com uma sensibilidade não diagnosticada. Dois dias depois de iniciar uma dieta sem glúten, todos os movimentos anormais, o limpar da garganta, os grunhidos e até as dores abdominais haviam desaparecido. Até hoje KJ está livre dos sintomas e não pode mais ser considerada uma paciente de síndrome de Tourette. Foi uma reação tão convincente que eu costumo citar seu caso em minhas palestras a profissionais da área da saúde.

> Advertência: drogas usadas no tratamento do TDAH resultaram em casos permanentes de síndrome de Tourette. Os cientistas vêm documentando esses casos desde o início dos anos 1980.[10] Agora que dispomos das pesquisas que provam o poderoso efeito de cortar o glúten, é hora de mudarmos — ou melhor, de fazermos — a história.

Outro caso que eu gostaria de compartilhar nos traz de volta ao TDAH. Os pais de KM, uma linda menininha de nove anos, trouxeram-na a meu consultório com os sintomas clássicos de TDAH e "memória fraca". O que havia de interessante no caso dela era que os pais disseram que suas dificuldades de concentração e raciocínio "duravam dias", depois dos quais ela ficava "bem" durante vários dias. Testes acadêmicos mostraram que ela tinha um desempenho de uma aluna de ensino fundamental. Ela parecia muito comportada e atenta, e quando revisei seus boletins, confirmei que de fato ela tinha um desempenho de ensino fundamental, normal para sua idade.

Exames de laboratório identificaram dois culpados em potencial por seus problemas — sensibilidade ao glúten e níveis de DHA no sangue abaixo do normal. Receitei uma dieta sem glúten, 400 miligramas diários de suplemento de DHA e pedi que ela parasse de consumir adoçantes à base de aspartame, já que ela bebia vários refrigerantes diet por dia. Três meses depois, o pai e a mãe de KM estavam empolgados com sua evolução, e até ela mesma sorria de orelha a orelha. Novos testes escolares mostraram que seu nível em matemática era de segunda série, seu desempenho escolar geral era de primeira série, e a capacidade de recordar histórias era de quinta série.

Cito uma carta que recebi de sua mãe: "[KM] está terminando o jardim este ano. Antes de tirar o glúten da dieta dela, as matérias, principalmente matemática, eram difíceis. Como você pode ver, agora ela está voando em matemática. Com base nesse teste, ela seria a melhor da turma se estivesse na primeira série. O professor disse que se ela pulasse a primeira série e fosse para a segunda, estaria no meio da turma. Que feito!".

Casos assim são comuns em minha carreira. Já conheço há muito tempo o "efeito escolar" de cortar o glúten e felizmente as provas científicas estão finalmente acompanhando as evidências empíricas. Um estudo particularmente marcante para mim foi publicado em 2006; ele documentava uma história de "antes" e "depois" muito reveladora, envolvendo pacientes de TDAH que cortaram o glúten durante seis meses. O que mais me agrada nesse estudo específico é o fato de que ele avaliou um amplo espectro de indivíduos — dos três aos 57 anos — e usou uma escala comportamental para TDAH muito respeitada, a chamada Escala de Conners. Em seis meses, a melhora foi significativa:[11]

"Não presta atenção em detalhes" caiu 36%

"Dificuldade de manter a atenção" caiu 12%

"Não termina o que começa" caiu 30%

"Desatento, facilmente distraído" caiu 46%

"Solta respostas e frases repentinas" caiu 11%

A "nota média" total para esses indivíduos caiu 27%. Minha esperança é que mais pessoas se unam à minha cruzada e ajam, para que todos nós sejamos mais saudáveis — e mais inteligentes.

---

### COMO AS CESARIANAS AUMENTAM O RISCO DE TDAH

Os pontinhos que ligam o risco maior de um bebê desenvolver TDAH se nascer de uma cesariana não são tão aleatórios quanto se imagina. Eis o motivo: quando o bebê passa pelo canal de nascimento naturalmente, bilhões de bactérias saudáveis banham a criança, inoculando no recém-nascido probióticos adequados, cujos efeitos sobre a saúde durarão a vida toda. Se uma criança nasce de cesariana, porém, não passará por essa espécie de banho, e isso arma o cenário para uma inflamação intestinal e, com ela, um risco maior de sensibilidade ao glúten e, mais adiante, TDAH.[12]

Novas pesquisas estão dando às mães outro motivo para amamentar. Estudos mostraram que bebês que tomam leite materno regularmente têm 52% menos risco de desenvolver doença celíaca ao serem expostos pela primeira vez a alimentos com glúten.[13] Uma das possíveis razões para isso é o fato de a amamentação cortar diversas infecções gastrointestinais, reduzindo o risco de comprometimento do revestimento do intestino. Isso também pode prevenir a resposta imune ao glúten.

---

## O AUTISMO PODE SER TRATADO COM UMA DIETA SEM GLÚTEN?

É comum que me façam perguntas sobre a possível relação entre o glúten e o autismo. Uma em cada 150 crianças nascidas hoje desenvolverá alguma forma dessa condição, dentro de um amplo espectro. Em 2013, um novo relatório do governo americano indicava que uma em cada cinquenta crianças em idade escolar, hoje — ou seja, cerca de um milhão de crianças —, teve um diagnóstico de alguma forma de autismo.[14] Transtorno neurológico que costuma aparecer por volta dos três anos de idade, o autismo afeta o desenvolvimento de habilidades sociais e de comunicação. Os cientistas estão tentando entender as causas exatas do autismo, que provavelmente tem origens tanto genéticas quanto ambientais. Diversos fatores de risco estão sendo estudados, inclusive infecciosos, metabólicos, nutricionais e ambientais, mas menos de 10% a 12% dos casos têm causas específicas que podem ser identificadas.

Sabemos que não existe uma bala de prata para curar o autismo, assim como não há tampouco para a esquizofrenia ou o transtorno bipolar. São doenças cerebrais diferentes umas das outras, mas todas elas têm uma característica subjacente: os processos inflamatórios, alguns dos quais podem ser simplesmente resultado de uma sensibilidade a escolhas alimentares. Embora isso ainda seja tema de debate, algumas pessoas que sofrem de autismo reagem positivamente à retirada do glúten, do açúcar e, às vezes, dos derivados de leite de suas dietas. Em um caso particularmente dramático, descobriu-se que um menino de cinco anos diagnosticado com autismo severo também sofria de uma grave doença celíaca que o impedia de absorver nutrientes. Seus sintomas de autismo diminuíram quando ele deixou de comer glúten, o que levou seus médicos a recomendar que todas as crianças com problemas de desenvolvimento neurológico passassem por exames de deficiências nutricionais e síndromes de má absorção, como a doença celíaca. Em alguns casos, as deficiências nutricionais que afetam o sistema nervoso podem estar na raiz de atrasos de desenvolvimento semelhantes ao autismo.[15]

Reconheço que ainda falta o tipo definitivo de pesquisa científica de que necessitamos para extrair correlações conclusivas, mas vale a pena fazermos um apanhado geral do tema e pensarmos em algumas conclusões lógicas.

Para começar, vamos apontar uma tendência paralela no crescimento do autismo e da doença celíaca. Não se está afirmando que ambos estão categoricamente relacionados, mas é interessante notar um padrão semelhante nos números puros. O que as duas condições têm em comum, porém, é a mesma característica fundamental: o processo inflamatório. Da mesma forma que a doença celíaca é uma desordem inflamatória dos intestinos, o autismo é uma desordem inflamatória do cérebro. Está bem documentado que indivíduos autistas têm um nível mais alto de citocinas inflamatórias no organismo. Só isso já bastaria para ponderar a eficácia da redução de todas as interações anticorpos-antígenos no corpo, incluindo as que envolvem glúten.

Pesquisas mostraram que algumas crianças com autismo se beneficiaram de uma dieta sem glúten e sem caseína (proteína do leite). Um estudo britânico, publicado em 1999, monitorou 22 crianças autistas com dieta sem glúten durante cinco meses, e ocorreram algumas melhoras comportamentais. O mais alarmante é que, quando as crianças ingeriram glúten acidentalmente, depois de haver iniciado a dieta sem glúten, "a velocidade com que o comportamento retornou, como resultado (...) foi dramática e percebida por muitos pais".[16] O estudo também observou que levou pelo menos três meses para as crianças apresentarem melhora no comportamento. Para qualquer pai que controla a dieta do filho, é importante não perder as esperanças no começo caso não ocorram alterações imediatas de comportamento. Mantenha a linha durante três a seis meses antes de esperar qualquer melhora perceptível.

Alguns especialistas questionaram se os alimentos que contêm glúten e proteínas do leite podem liberar ou não compostos semelhantes às morfinas ("exorfinas"), que estimulam diversos receptores no cérebro, e elevar não apenas o risco de autismo, mas igualmente de esquizofrenia.[17] São necessárias novas pesquisas para desmentir esse tipo de teoria. Mas existe o potencial para redução do risco de desenvolver essas condições e administrá-las melhor.

Apesar da falta de estudos, está claro que o sistema imunológico desempenha um papel no desenvolvimento do autismo, e que esse mesmo sistema imunológico conecta a sensibilidade ao glúten ao cérebro. Também é preciso mencionar o "efeito de camadas", em que um problema biológico leva a outro, numa cadeia de eventos. Quando uma criança é sensível ao glúten, a resposta imune no intestino pode levar a sintomas comportamentais e psicológicos. No autismo, isso pode levar a uma "exacerbação de efeitos", como a chamou uma equipe de cientistas.[18]

DEPRÊ

É um fato desolador: a depressão é a maior causa de incapacidade no planeta. Também dá a quarta maior contribuição para o fardo das doenças no mundo inteiro. A Organização Mundial de Saúde estimou que até 2020 a depressão se tornará a segunda maior causa de sofrimento — perdendo apenas para as doenças cardíacas. Em muitos países desenvolvidos, como os Estados Unidos, a depressão já está entre as maiores causas de mortalidade.[19]

Mas o que é mais inquietante é o elefante sentado nos consultórios médicos de muitas pessoas com depressão: os vidrinhos dos chamados "antidepressivos". Medicamentos como Prozac, Paxil, Zoloft e incontáveis outros são, de longe, o tratamento mais comum contra a depressão nos EUA, apesar de em muitos casos não terem se mostrado mais eficazes que um placebo, e de em alguns casos serem excessivamente perigosos e até conduzir a suicídios. Novas pesquisas estão começando a mostrar até que ponto esses medicamentos podem ser assassinos. Anote: quando pesquisadores em Boston analisaram mais de 136 mil mulheres entre as idades de cinquenta e 79 anos, descobriram uma relação indiscutível entre aquelas que estavam tomando antidepressivos e o risco de derrames e de morte em geral. Mulheres tomando antidepressivos tinham uma probabilidade 45% maior de sofrer derrames e um risco 32% de morrer, somadas todas as causas.[20] Essas descobertas, publicadas na revista *Archives of Medicine*, foram divulgadas na Women's Health Initiative, uma importante investigação de saúde pública voltada para as mulheres americanas. E não fazia diferença se estavam sendo usadas novas formas de antidepressivos, conhecidas como inibidores seletivos da recaptação de serotonina (SSRIS), ou outras formas de antidepressivos conhecidos como antidepressivos cíclicos, como o Elavil. Os SSRIS costumam ser usados como antidepressivos, mas podem ser receitados no tratamento de transtornos de ansiedade e de alguns transtornos de personalidade. Eles funcionam impedindo que o cérebro reabsorva o neurotransmissor serotonina. Ao alterar o equilíbrio da serotonina no cérebro, os neurônios enviam e recebem melhor as mensagens, o que, por sua vez, melhora o humor.

Estudos perturbadores levaram a um ponto de inflexão, e alguns gigantes da indústria farmacêutica recuaram do desenvolvimento de drogas antidepressivas (embora ainda ganhem muito dinheiro nesse setor — algo em torno de 15 bilhões de dólares por ano). Como foi noticiado recentemente no *Journal of the American Medical Association*, "a dimensão dos benefícios dos remédios antidepressivos, se comparados ao placebo, aumenta com a gravidade dos sintomas de depressão, e pode ser mínima ou inexistente, na média, em pacientes com sintomas leves ou moderados".[21]

Isso não quer dizer que certos medicamentos não ajudem em alguns casos graves, mas as consequências são pesadas. Vamos rever rapidamente algumas outras descobertas instigantes que inspirarão quem quer que esteja pensando em tomar um antidepressivo a tentar outro caminho para a felicidade.

## HUMOR EM BAIXA, COLESTEROL EM BAIXA

Já apresentei meus argumentos em favor do colesterol como nutriente para a saúde do cérebro. Ocorre que inúmeros estudos demonstraram que a depressão é muito mais frequente em pessoas com colesterol baixo.[22] E quem começa a tomar remédios redutores de colesterol (isto é, estatinas) pode ficar muito mais deprimido.[23] Em meu trabalho, testemunhei isso pessoalmente. Não está claro se a depressão é um resultado direto da droga propriamente dita ou se é simplesmente uma consequência da redução do nível de colesterol. Tendo a acreditar nesta última explicação.

Estudos que remontam a mais de uma década mostram uma correlação entre a depressão e um colesterol total baixo, sem mencionar comportamentos impulsivos, inclusive suicídios e violência. O dr. James M. Greenblatt, psiquiatra duplamente diplomado, que trata tanto de crianças como de adultos, e autor do livro *The Breakthrough Depression Solution* [A solução revolucionária para a depressão], escreveu em 2011 um belo artigo na revista *Psychology Today*, em que resume as evidências.[24] Em 1993, concluiu-se que homens idosos com colesterol baixo tinham um risco de depressão trezentas vezes maior que seus pares com colesterol mais alto.[25] Um estudo sueco de 1997 identificou um padrão semelhante: entre trezentas mulheres sem outros problemas de saúde, entre 31 e 65 anos de idade, aquelas cujo nível de colesterol estava no décimo percentil inferior sofreram de sintomas depressivos significativamente mais que aquelas no estudo com níveis de colesterol mais elevados.[26] Em 2000, cientistas holandeses divulgaram que homens com níveis de colesterol total baixo a longo prazo sofriam de mais sintomas depressivos que aqueles com níveis de colesterol mais elevados.[27] Segundo um estudo de 2008, publicado no *Journal of Clinical Psychiatry*, "baixo colesterol sérico pode estar associado a um histórico de tentativas de suicídio".[28] Os pesquisadores observaram um grupo de 417 pacientes que haviam tentado suicídio — 138 homens e 279 mulheres — e os compararam com 155 pacientes psiquiátricos que não haviam tentado, além de 358 pacientes saudáveis de controle. O estudo definiu "baixo colesterol sérico" como menos de 160. Os resultados foram bastante impressionantes. Mostrou-se que os indivíduos na categoria de colesterol baixo tinham 200% mais probabilidade de ter tentado suicídio. E em 2009 o *Journal of Psychiatric Research* publicou um estudo que acompanhou quase 4500 veteranos das Forças Armadas americanas durante quinze anos.[29] Em homens depressivos com níveis baixos de colesterol total, o risco de morrer prematuramente de causas não naturais, como suicídio e acidentes, era sete vezes maior em relação aos demais participantes do estudo. Como foi comentado acima, há muito tempo se registra um maior índice de tentativas de suicídio entre pessoas com colesterol total baixo.

Eu poderia ir adiante mostrando estudos do mundo inteiro que chegam à mesma conclusão, tanto em relação aos homens quanto às mulheres: se você tem colesterol baixo, seu risco de desenvolver depressão é muito maior. E quanto mais ele baixar, maior a chance de ter ideias suicidas. Não afirmo isso de maneira leviana. Hoje em dia temos provas documentais, de muitas instituições reconhecidas, a respeito da seriedade dessa relação de causa e efeito. Essa relação também é bem documentada no terreno do distúrbio bipolar.[30] Aqueles que o possuem têm uma probabilidade muito maior de tentar o suicídio quando têm colesterol baixo.

## O GLÚTEN QUE DEPRIME

Há muito tempo os cientistas observam uma interseção entre a doença celíaca e a depressão, assim como uma interseção entre a doença celíaca, o TDAH e outros transtornos comportamentais. Relatos de depressão entre pacientes de doença celíaca começaram a aparecer nos anos 1980. Em 1982, pesquisadores suecos relataram que a "psicopatologia depressiva é uma característica da doença celíaca adulta".[31] Um estudo de 1998 mostrou que cerca de um terço dos que sofrem de doença celíaca também têm depressão.[32, 33]

Em um estudo particularmente grande publicado em 2007, pesquisadores suecos avaliaram, uma vez mais, 14 mil pacientes de doença celíaca e compararam-nos a mais de 66 mil pessoas saudáveis como grupo de controle.[34] Eles queriam descobrir qual o risco de ficar depressivo quando se tem doença celíaca, assim como o risco de ter doença celíaca quando se tem depressão. Observou-se que os pacientes com doença celíaca tinham um risco de depressão 80% mais elevado, e que o risco de se ter um diagnóstico de doença celíaca em indivíduos com depressão aumentava 230%. Em 2011, outro estudo sueco mostrou que o risco de suicídio entre pessoas com doença celíaca aumentava 55%.[35] E outro estudo, feito por uma equipe de pesquisadores italianos, concluiu que a doença celíaca aumenta o risco de uma depressão grave em incríveis 270%.[36]

Hoje em dia, encontra-se depressão em nada menos que 52% dos indivíduos sensíveis ao glúten.[37] Adolescentes com sensibilidade ao glúten também se veem diante de taxas mais altas de depressão; aqueles com doença celíaca são particularmente vulneráveis, com um risco de depressão de 31% (apenas 7% dos adolescentes saudáveis correm risco semelhante).[38]

Uma pergunta se impõe: como a depressão pode ter a ver com um intestino maltratado? Quando o revestimento intestinal é ferido pela doença celíaca, ele se torna ineficaz na absorção de nutrientes essenciais, muitos dos quais mantêm o cérebro saudável, como o zinco, o triptofano e as vitaminas do complexo B. Além disso, esses nutrientes são ingredientes necessários para a produção de substâncias químicas neurológicas, como a serotonina. A grande maioria dos hormônios e das substâncias químicas que causam bem-estar também é produzida na região dos intestinos, por aquilo que os cientistas passaram a chamar de "segundo cérebro".[39] As células nervosas no seu intestino não apenas regulam músculos, células imunes e hormônios, mas também fabricam cerca de 80% a 90% da serotonina do corpo. Na verdade, seu cérebro intestinal fabrica mais serotonina que o cérebro que fica dentro do seu crânio.

Algumas das deficiências nutricionais mais cruciais que foram relacionadas à depressão incluem a vitamina D e o zinco. Você já conhece a importância da vitamina D em vários processos psicológicos, inclusive a regulagem do humor. O zinco, da mesma forma, é um curinga da mecânica do corpo. Além de ajudar o sistema imunológico e manter a memória aguçada, o zinco é exigido na produção e no uso desses neurotransmissores bons para o humor. Isso ajuda a explicar por que se tem constatado que os suplementos de zinco melhoram os efeitos dos antidepressivos em pessoas com depressão grave (a propósito: um estudo de 2009 mostrou que em pessoas nas quais os antidepressivos não faziam efeito, o início do uso de suplementos com zinco levou a uma melhora importante).[40] O dr. James M. Greenblatt, que eu mencionei anteriormente, escreveu muitos textos sobre esse tema. Ele, como eu, examina vários pacientes em quem os antidepressivos fracassaram, mas quando eles param de ingerir alimentos contendo glúten seus sintomas psicológicos se resolvem. Em outro artigo para a revista *Psychology Today*, ele escreveu: "A doença celíaca não diagnosticada pode exacerbar os sintomas de depressão ou até ser sua causa subjacente. Pacientes com depressão devem ser submetidos a testes de deficiência nutricional. Quem sabe se a doença celíaca é o diagnóstico correto, e não depressão?".[41] Muitos médicos ignoram deficiências nutricionais e nem sequer lhes ocorre pedir testes de sensibilidade ao glúten porque eles estão muito acostumados (e à vontade) com a prescrição de medicamentos. Esta é a verdade.

É importante observar que um elemento comum em muitos desses estudos é o espaço de tempo necessário para que as transformações no cérebro ocorram. Como é o caso com outros transtornos de comportamento, como o TDAH e o transtorno de ansiedade, pelo menos três meses podem transcorrer até que o indivíduo sinta uma sensação completa de alívio. É crucial perseverar quando se entra numa dieta sem glúten. Não perca as esperanças caso não haja melhora significativa imediata, mas tenha em mente que é provável que você vivencie uma melhora drástica, sob diversos aspectos. Certa vez eu cuidei de um treinador de tênis profissional, que a depressão deixara incapacitado. Ele não melhorava, apesar do emprego de múltiplos medicamentos antidepressivos receitados por outros médicos. Quando eu diagnostiquei sua sensibilidade ao glúten e ele adotou uma dieta sem esse produto, tudo se transformou. Não apenas evaporaram-se seus sintomas depressivos, mas ele retornou ao desempenho máximo nas quadras.

## A ESTABILIDADE MENTAL ATRAVÉS DA DIETA

Não há dúvida de que todo o debate sobre a relação insidiosa do glúten com transtornos psicológicos comuns suscita questões sobre o papel do glúten em praticamente todos os males que envolvem a mente, da desordem mental mais comum nos Estados Unidos — a ansiedade, que afeta aproximadamente 40 milhões de adultos — a problemas complexos, como a esquizofrenia e o transtorno bipolar.

O que dizem, então, os cientistas sobre o glúten e as doenças mentais que nos deixam mais perplexos, como a esquizofrenia e o transtorno bipolar? São doenças complicadas em que entram em jogo fatores genéticos e ambientais, mas sucessivos estudos têm demonstrado que as pessoas que recebem esses diagnósticos frequentemente também têm sensibilidade ao glúten. E quando elas têm um histórico de doença celíaca, o risco de desenvolver esses transtornos psiquiátricos é maior que nas demais pessoas. Além disso, já dispomos de evidências documentais de que mães sensíveis ao glúten dão à luz bebês cuja probabilidade de vir a desenvolver esquizofrenia anos depois é 50% maior.

Esse estudo, publicado em 2012 pelo *American Journal of Psychiatry*, junta-se a um corpo cada vez maior de evidências de que muitas doenças que surgem durante a vida se originam antes e logo depois do parto. Os autores do estudo, do Instituto Karolinska, da Suécia, uma das maiores e mais respeitadas faculdades de medicina da Europa, e da Universidade Johns Hopkins, nos EUA, colocaram os fatos de maneira precisa:

> O estilo de vida e os genes não são os únicos fatores que moldam o risco de doenças, e fatores e exposições antes, durante e após o nascimento podem ajudar a pré-programar muito de nossa saúde adulta. Nosso estudo é um exemplo ilustrativo que sugere que uma sensibilidade alimentar prévia ao parto pode ser um catalisador do desenvolvimento de esquizofrenia ou uma condição similar 25 anos depois.[42]

Se você está pensando em como eles conseguiram fazer essa correlação, basta dar uma olhada nos detalhes de suas análises, que exigiram o exame de registros de nascimento e amostras de sangue neonatal de crianças nascidas na Suécia entre 1975 e 1985. Cerca de 211 das 764 examinadas desenvolveram desordens mentais durante a vida, caracterizadas por um desvio de personalidade significativo e uma perda de contato com a realidade. A equipe mediu os níveis de anticorpos IgG para leite e trigo em amostras de sangue e concluiu que "crianças de mães com níveis anormalmente elevados de anticorpos para a proteína do trigo tinham quase 50% mais probabilidade de desenvolver esquizofrenia durante a vida que crianças de mães com níveis normais de anticorpos para o glúten".[43] Essa associação permanecia válida mesmo depois que os cientistas eliminaram outros fatores que sabidamente elevam o risco de desenvolver esquizofrenia, como a idade da mãe durante a gravidez e se a criança nasceu pela via vaginal ou por cesariana (na maioria dos casos, fatores genéticos e impactos ambientais *in utero* pesam muito mais no risco de esquizofrenia que os fatores ambientais encontrados mais tarde na vida). Mas as crianças de mães com níveis anormalmente altos de anticorpos à proteína do leite não mostraram risco maior de transtornos psiquiátricos.

Os autores também acrescentaram uma fascinante observação histórica ao artigo. Foi só na Segunda Guerra Mundial que começou a aflorar a suspeita de uma correlação entre transtornos psiquiátricos e sensibilidade alimentar materna. Um pesquisador do exército americano, o dr. F. Curtis Dohan, foi um dos primeiros cientistas a perceber uma relação entre a escassez de alimentos na Europa do pós-guerra (e, consequentemente, uma falta de trigo na dieta) e um número consideravelmente menor de hospitalizações por esquizofrenia. Embora essa observação, na época, não tenha permitido provar uma associação, desde então temos o benefício de estudos de longo prazo e tecnologias modernas para julgar os argumentos contra o glúten.

Os estudos também mostraram que uma dieta pobre em carboidratos e rica em gorduras, como aquela que exponho no capítulo 7, pode mitigar não apenas a depressão, mas também a esquizofrenia. Uma mulher citada na literatura médica, conhecida apenas pelas iniciais CD, solucionou completamente seus sintomas de esquizofrenia quando adotou uma dieta sem glúten e pobre em carboidratos.[44] Ela teve o primeiro diagnóstico aos dezessete anos e vivenciou paranoia, fala desestruturada e alucinações diárias durante toda a vida. Antes de adotar uma dieta pobre em carboidratos, aos setenta anos de idade, ela fora hospitalizada inúmeras vezes por tentativas de suicídio e sintomas psicológicos severos. Os medicamentos não conseguiram minorar seus sintomas. Na primeira semana da nova dieta, CD relatou se sentir melhor, com mais energia. E em três semanas ela não ouvia mais vozes nem "via esqueletos". Dentro de um ano, CD também perdeu peso, e mesmo em ocasiões eventuais em que fugiu da dieta e comeu massas, pães e bolos, suas alucinações nunca voltaram.

## UMA CURA PARA A CEFALEIA COMUM?

Não consigo imaginar o que deva ser sofrer de dores de cabeça diárias, mas tratei muitos pacientes que tiveram de carregar o fardo desse tipo de sofrimento por toda a vida. Tome-se, por exemplo, o caso de um senhor de 66 anos que eu examinei pela primeira vez em janeiro de 2012. Vou chamá-lo de Cliff.

Cliff havia suportado trinta longos anos sentindo a mesma dor de cabeça incessante e merece uma medalha de ouro por tudo que fez no esforço para se livrar da dor. Suas tentativas incluíram uma batelada de remédios, daqueles feitos para enxaqueca, como o Suma-triptan, a analgésicos narcóticos, como o Tramadol, receitados depois de consultas com as melhores clínicas de cefaleia — sem resultado. Além de serem ineficazes, muitos desses medicamentos, ele desco-briu, tiravam sua energia. Embora Cliff tenha mencionado achar que suas dores de cabeça tinham a ver com a alimentação, ele não sabia dizer se esse era o caso o tempo todo. Nada no seu histórico médi-co me chamou a atenção, mas quando falamos sobre seu histórico familiar ele disse que a irmã também sofria de enxaquecas e tinha importantes intolerâncias alimentares. Esse fiapo de informação me levou a investigar um pouco mais. Fiquei sabendo que Cliff tinha um histórico de vinte anos de rigidez muscular, e que a irmã possuía um anticorpo específico, relacionado à sensibilidade ao glúten, que também é associado àquilo que os médicos chamam de "síndrome da pessoa rígida".

Quando pedi um exame de sangue para testar a sensibilidade de Cliff ao glúten, várias coisas chamaram a atenção. Ele era altamente reativo a onze proteínas relacionadas ao glúten. Como a irmã, ele mos-trava uma forte reação em relação ao anticorpo associado à síndrome da pessoa rígida. E também percebi que ele era bastante intolerante ao leite de vaca. Assim como muitos de meus pacientes, prescrevi-lhe uma dieta que restringia glúten e laticínios. Depois de três meses, ele me relatou que não havia necessitado de Tramadol durante todo o mês anterior, e numa escala de 1 a 10 suas piores dores de cabeça agora estavam num suportável 5, em vez de um 9 (que o fazia gritar).

O melhor de tudo é que suas dores de cabeça deixaram de se arrastar pelo dia inteiro; agora duravam apenas três ou quatro horas. Embora Cliff não estivesse totalmente curado, seu alívio era substancial e, para ele, muito recompensador. Na verdade, ele estava tão satisfeito com os resultados que me permitiu usar sua fotografia ao apresentar seu caso, agora publicado, a profissionais da área da saúde.

Tive muitos outros pacientes que entraram pela minha porta e saíram com a cabeça livre da dor, graças à adoção de uma dieta sem glúten. Uma mulher com uma experiência semelhante fora a incontáveis médicos, havia tentado inúmeros remédios e passado por tomografias cerebrais de alta tecnologia. Nada funcionou, até que ela se consultou comigo e meu bloco de receitas, e fez um teste de sensibilidade ao glúten. E, surpresa, o vilão foi identificado — e com ele a cura.

A dor de cabeça é uma de nossas doenças mais comuns. Só nos EUA, mais de 45 milhões de pessoas sofrem de dores de cabeça crônicas, das quais 28 milhões sofrem de enxaquecas.[45] Incrivelmente, a medicina do século XXI continua focada no tratamento dos *sintomas* de um problema que é totalmente prevenível. Se você sofre de dores de cabeça crônicas, por que não tentar uma dieta sem glúten? O que você tem a perder?

## UM RESUMO DAS GRANDES DORES DE CABEÇA

Para a discussão deste livro, incluí todos os tipos de dor de cabeça numa única categoria. Assim, esteja você lidando com dores de cabeça de tensão, cefaleia em salvas, dor nos seios da face ou enxaquecas, na maior parte do tempo referir-me-ei às dores de cabeça como uma "cesta" coletiva de condições que têm a mesma característica: dor na cabeça provocada por alterações físicas e bioquímicas no cérebro. Registre-se que as enxaquecas tendem a ser o tipo mais doloroso e muitas vezes vêm acompanhadas de náusea, vômitos e fotofobia. Mas dor de cabeça é dor de cabeça, e se você tiver uma, sua prioridade é encontrar uma solução. De vez em quando, porém, farei referência específica às enxaquecas.

Um número enorme de coisas pode desencadear uma dor de cabeça, de uma noite ruim de sono a mudanças no tempo, substâncias químicas na comida, congestão dos seios da face, trauma na cabeça, tumores no cérebro ou excesso de álcool. A bioquímica exata das dores de cabeça, principalmente das enxaquecas, continua a ser estudada. Mas sabemos muito mais hoje em dia do que antes. E para aqueles sofredores que não conseguem encontrar a causa (e, assim, a provável solução) de suas dores de cabeça, minha aposta é que em nove de cada dez casos essa razão pode ser uma sensibilidade ao glúten não diagnosticada.

Em 2012, pesquisadores do Centro Médico da Universidade Columbia, em Nova York, completaram um estudo de um ano de duração que documentou dores de cabeça crônicas em 56% das pessoas que tinham sensibilidade ao glúten e 30% daqueles com doença celíaca (os considerados "sensíveis ao glúten" não testaram positivo para a doença celíaca, mas relataram alguns sintomas quando ingeriam alimentos com trigo).[46] Eles também descobriram que 23% daqueles com doenças inflamatórias do intestino também tinham dores de cabeça crônicas. Quando os pesquisadores se voltaram para a prevalência de enxaquecas, encontraram percentuais muito mais altos no grupo com doença celíaca (21%) e no grupo com doenças inflamatórias do intestino (14%) que no grupo de controle (6%). Quando perguntaram a ela qual a explicação para a correlação, a principal autora do estudo, a dra. Alexandra Dimitrova, fez alusão ao maior culpado de todos: o processo inflamatório. Citando a dra. Dimitrova:

É possível que pacientes com [doenças intestinais inflamatórias] tenham uma reação inflamatória generalizada, e isso pode ser similar em pacientes de doença celíaca, em que o corpo inteiro, inclusive o cérebro, é afetado pela inflamação [...]. A outra possibilidade é que haja anticorpos na doença celíaca que podem [...] atacar as células cerebrais e as membranas que envolvem o sistema nervoso, o que de alguma maneira causa dores de cabeça. O que sabemos com certeza é que há uma prevalência maior de dores de cabeça de todos os tipos, inclusive enxaqueca, em relação ao grupo de controle saudável.

Ela acrescentou que muitos de seus pacientes relataram grande melhora na frequência e na intensidade de suas dores de cabeça depois que adotaram uma dieta sem glúten; em alguns, as dores de cabeça desapareceram completamente.

O dr. Marios Hadjivassiliou, que mencionei ao longo deste livro, realizou extensos estudos sobre a dor de cabeça e a sensibilidade ao glúten.[47] Entre seus trabalhos mais impressionantes estão ressonâncias magnéticas cerebrais que mostram profundas alterações na substância branca dos pacientes de dor de cabeça com sensibilidade ao glúten. Essas anormalidades indicam processos inflamatórios. A maioria desses pacientes era resistente aos tratamentos normais contra dor de cabeça. No entanto, assim que adotaram uma dieta sem glúten, se livraram do sofrimento.

O dr. Alessio Fasano, que chefia o Centro de Pesquisa Celíaca do Hospital Geral de Massachusetts, é um gastroenterologista pediátrico de renome mundial e importante pesquisador na área de sensibilidade ao glúten.[48] Quando eu me encontrei com ele em um congresso nacional sobre sensibilidade ao glúten, em que ambos éramos palestrantes, ele me disse que não considera mais novidade que pacientes sensíveis ao glúten, inclusive aqueles com diagnóstico de doença celíaca, frequentemente sofram de cefaleia. Lamentamos juntos a infelicidade de esse tipo de dor de cabeça desencadeada pelo glúten ser tão mal compreendida pelo público em geral. A solução é tão simples e, no entanto, poucos dos que sofrem com ela sabem que são sensíveis ao glúten.

Quando pesquisadores italianos realizaram uma experiência de supressão de glúten em 88 crianças com doença celíaca e dores de cabeça crônicas, descobriram que 77,3% delas tiveram uma melhora significativa nas dores de cabeça, e 27,3% das que melhoraram se livraram totalmente delas ao manter uma dieta sem glúten. O estudo também mostrou que 5% das crianças com dores de cabeça que não tinham diagnóstico anterior de doença celíaca na verdade a possuíam — percentual muito maior que o 0,6% que os pesquisadores haviam documentado na população geral de crianças do estudo. Portanto, o risco de dores de cabeça no grupo com doença celíaca aumentou em incríveis 833%. Os autores concluíram: "Registramos — em nossa região geográfica — uma elevada frequência de dores de cabeça em pacientes com doença celíaca e vice-versa, com um efeito benéfico de uma dieta sem glúten. Testes de doença celíaca podem ser recomendáveis no processo diagnóstico de pacientes com dor de cabeça".[49]

A prevalência de enxaquecas na população pediátrica está aumentando. Antes do início da puberdade, a enxaqueca afeta meninas e meninos na mesma proporção. Depois disso, as mulheres superam os homens numa proporção de três para um, aproximadamente. Crianças com enxaquecas têm um risco 50% a 75% maior de sofrerem de enxaqueca quando adultos, e a doença é hereditária em 80% dos casos. A enxaqueca infantil representa a terceira principal causa de absenteísmo escolar.[50]

É coincidência que tantas crianças com dores de cabeça crônicas também tenham uma forte sensibilidade ao glúten? E é fortuito que a retirada do glúten de suas dietas tenha feito as dores de cabeça desaparecerem como num passe de mágica? Não e não. Infelizmente, muitas crianças com dores de cabeça crônicas nunca passam por testes de sensibilidade ao glúten; em vez disso, lhe são receitadas drogas poderosas. A abordagem padrão ao tratamento de dores de cabeça infantis inclui o uso de medicamentos anti-inflamatórios não esteroides, compostos com aspirina, triptanas, ergotaminas e antagonistas de dopamina. Para prevenir dores de cabeça, algumas das drogas usadas incluíam antidepressivos tricíclicos, diversos anticonvulsivos, incluindo sódio divalproex e, mais recentemente, topiramato, agentes antisserotoninérgicos, betabloqueadores, bloqueadores do canal de cálcio e, uma vez mais, medicamentos anti-inflamatórios não esteroides. O topiramato, que é usado no tratamento da epilepsia, traz consigo efeitos colaterais desagradáveis que causariam receio em qualquer pai e desconforto à criança. Eles incluem perda de peso, anorexia, dores abdominais, dificuldades de concentração, sedação e parestesia (a sensação de "formigamento", ou de um membro "dormente").[51] Não sei você, mas eu não gostaria que meu filho sofresse esses efeitos colaterais, ainda que temporariamente, para tratar de uma dor de cabeça que não tem nada a ver com aquilo para que a droga foi concebida. Nos últimos anos, diversos estudos surgiram mostrando que, na maior parte, os anticonvulsivos não aliviam dores de cabeça em crianças mais do que um placebo.[52] Na verdade, os maiores pesquisadores da dor de cabeça têm feito pressão em favor de mais estudos em crianças, porque poucas drogas se mostraram úteis, eficazes e seguras. Infelizmente, o foco nas drogas, em vez das escolhas alimentares e dos suplementos nutricionais, nos afasta da abordagem da causa subjacente da dor de cabeça.

## GRANDES BARRIGAS, GRANDES DORES DE CABEÇA

Você já sabe que a gordura abdominal é a pior e que aumenta o risco de uma série de problemas de saúde (doenças cardíacas, diabetes, demência, entre outras). Mas as pessoas não pensam no maior risco de dores de cabeça provocado pela circunferência da cintura. Surpresa: a circunferência é um previsor melhor de crises de enxaqueca que a obesidade em geral, tanto em homens quanto em mulheres, até os 55 anos. Somente nos últimos anos foi possível mostrar cientificamente a força dessa relação, em parte graças aos pesquisadores da Faculdade de Medicina da Universidade Drexel, na Filadélfia, que analisaram dados de mais de 22 mil participantes na Pesquisa Nacional de Saúde e Nutrição (na sigla em inglês, NHANES), ainda em andamento.[53] Os dados incluem um tesouro de informações valiosas a examinar, de cálculos de obesidade abdominal (medida pela circunferência da cintura) e obesidade geral (determinada pelo índice de massa corporal) a relatos das pessoas a respeito da frequência das dores de cabeça e enxaquecas. Mesmo depois de ponderar a obesidade geral, os pesquisadores determinaram que tanto entre homens quanto entre mulheres dos vinte aos 55 anos — a faixa de idade em que a enxaqueca é mais comum — o excesso de gordura abdominal estava relacionado a um aumento significativo das crises de enxaqueca. E mulheres com gordura em excesso em volta da barriga tinham 30% mais probabilidade de sofrer de enxaqueca que aquelas sem. Isso se manteve mesmo quando os pesquisadores ponderaram a obesidade total, fatores de risco para doenças cardíacas e características demográficas.

Vários outros estudos mostram o elo inexorável entre a obesidade e o risco de dores de cabeça crônicas.[54] Um estudo particularmente grande, publicado em 2006, avaliou mais de 30 mil pessoas e concluiu que dores de cabeça crônicas diárias eram 28% mais comuns no grupo de obesos que no grupo de controle saudável, de peso normal. Aqueles que sofriam de obesidade mórbida tiveram um aumento de 74% no risco de ter dores de cabeça crônicas diárias. Quando os pesquisadores examinaram mais de perto aqueles que sofriam especificamente de enxaquecas, as pessoas com sobrepeso tiveram um aumento de 40% no risco, e os obesos tiveram um aumento de 70%.[55]

A esta altura do livro você já sabe que a gordura é um poderosíssimo órgão hormonal, e é um sistema que pode gerar compostos que favoreçem processos inflamatórios. As células de gordura liberam uma enorme quantidade de citocinas, que desencadeiam processos inflamatórios. As dores de cabeça são, na raiz, manifestações de processos inflamatórios, tanto quanto a maioria dos outros males relacionados ao cérebro que abordamos.

Por isso, faz sentido que os estudos que examinam a relação entre fatores de estilo de vida (isto é, sobrepeso, pouca atividade física e fumo) e dores de cabeça recorrentes estabeleçam uma conexão entre gordura abdominal e dores de cabeça crônicas. Alguns anos atrás, pesquisadores noruegueses entrevistaram 5847 estudantes adolescentes a respeito de suas dores de cabeça e fizeram com que preenchessem um questionário abrangente sobre seus hábitos de vida, além de submetê-los a um exame clínico.[56] Aqueles que disseram praticar atividade física regular e que não eram fumantes foram classificados como possuidores de um bom estilo de vida. Esses estudantes foram comparados com aqueles considerados menos saudáveis, em razão de um ou mais hábitos de vida "negativos".

O resultado? Os garotos com sobrepeso tinham 40% mais probabilidade de sofrer de dores de cabeça; o risco era 20% maior naqueles que não se exercitavam muito; e os fumantes tinham um risco 50%

superior. Esses percentuais, porém, se acumulavam quando um estudante podia marcar mais de um fator de risco. Isto é, se um estudante fumasse, tivesse sobrepeso e não fizesse exercícios, ele ou ela possuía um risco muito maior de sofrer de dores de cabeça crônicas. E uma vez mais o estudo apontava para os efeitos dos processos inflamatórios como causa do incêndio.

Quanto maior a sua barriga, maior o seu risco de ter dores de cabeça. É raro pensarmos no nosso estilo de vida e na nossa dieta quando temos dor de cabeça. Em vez disso, nós nos voltamos para as drogas e ficamos à espera da próxima pancada na cabeça. Todos os estudos até hoje, porém, mostram o impacto do estilo de vida quando se trata de cuidar, tratar e curar permanentemente as dores de cabeça. Se você puder reduzir as fontes de processos inflamatórios (perder os quilos a mais, eliminar o glúten, adotar uma dieta pobre em carboidratos e rica em gorduras boas, e manter um equilíbrio saudável do açúcar no sangue), você pode atacar e controlar as dores de cabeça.

---

## OS MANDAMENTOS PARA SE LIVRAR DA DOR DE CABEÇA

Várias coisas podem desencadear a dor de cabeça. Não há como relacionar todos os possíveis culpados, mas posso oferecer algumas dicas para acabar com o sofrimento. Experimente as seguintes:

- mantenha um ciclo de sono muito rigoroso. Isso é chave para regular os hormônios de seu corpo e manter a homeostase — o estado preferido do corpo, em que a fisiologia está em equilíbrio

- perca peso; quanto mais você pesa, maior a probabilidade de sofrer de dores de cabeça

- mantenha-se ativo; ficar sedentário enseja processos inflamatórios

- não pule refeições nem mantenha hábitos alimentares inconstantes; assim como acontece com o sono, seu padrão alimentar controla muitos processos hormonais que podem, por sua vez, afetar seu risco de dores de cabeça

- controle o estresse emocional, a ansiedade, as preocupações e até a excitação; essas emoções estão entre as que mais comumente provocam dores de cabeça e quem sofre de enxaqueca costuma ser sensível a eventos estressantes, que levam à liberação de certas substâncias químicas no cérebro que podem provocar alterações vasculares e causar enxaquecas; para piorar as coisas, emoções como a ansiedade e a preocupação podem aumentar a tensão muscular e dilatar vasos sanguíneos, aumentando a intensidade da enxaqueca

- corte o glúten, os conservantes, os aditivos e as comidas processadas; a dieta baixa em glicemia, baixa em carboidratos e rica em gorduras saudáveis apresentada no capítulo 11 ajudará muito a reduzir seu risco de ter dor de cabeça; tome cuidado, em especial, com queijos maturados, carnes salgadas e fontes de glutamato monossódico (muito encontrado na comida chinesa), pois esses ingredientes podem ser responsáveis por desencadear até 30% das enxaquecas

- investigue os padrões de sua experiência com a cefaleia; sempre ajuda saber quando seu risco de ter uma aumenta; muitas mulheres, por exemplo, descobrem padrões em torno do ciclo menstrual; se você for capaz de definir esses padrões, entenderá melhor a peculiaridade da sua dor de cabeça e agirá de acordo

A noção de que podemos tratar — e, em alguns casos, eliminar totalmente — males neurológicos comuns apenas através da dieta nos dá força. A maioria das pessoas se volta imediatamente para os medicamentos em busca de uma solução, sem se dar conta da cura que espera por elas com umas poucas mudanças de estilo de vida, que são altamente práticas e totalmente gratuitas. Entre meus pacientes e suas circunstâncias individuais, alguns precisam de mais apoio de curto prazo para lidar com certas condições, e isso pode vir sob a forma de piscoterapia ou até medicação suplementar. Mas a grande maioria reage positivamente apenas dando uma limpeza na própria dieta e deixando de lado ingredientes enervantes (literalmente). E aqueles que necessitam de auxílio médico extra muitas vezes descobrem que podem se livrar dos remédios e colher os frutos que uma vida livre deles tem a oferecer. Lembre-se, se você seguir apenas uma recomendação deste livro, eliminar o glúten e os carboidratos refinados, você sentirá efeitos profundamente positivos, além daqueles descritos neste capítulo. Além de sentir seu humor melhorar, você verá seu peso diminuir e sua energia aumentar no espaço de poucas semanas. A capacidade de cura inata do seu corpo estará em alta rotação, assim como as funções do seu cérebro.

PARTE II

# COMO CURAR SEU CÉREBRO

Agora que você teve uma visão panorâmica do problema, que abrange mais que apenas grãos e inclui virtualmente todos os carboidratos, é hora de debruçar-se sobre as formas pelas quais você pode ajudar a saúde e o funcionamento das ideias no seu cérebro. Nesta seção do livro, vamos examinar três hábitos fundamentais: dieta, exercícios e sono. Cada um deles desempenha um papel significativo no bom ou mau funcionamento do cérebro. E com as lições aprendidas nesta parte, você estará totalmente preparado para executar o programa de quatro semanas apresentado na terceira parte.

# 7. O regime alimentar para o cérebro ideal
## Bom dia, jejum, gordura e suplementos essenciais

*Eu jejuo para ter maior eficiência física e mental.*
Platão (428-348 a.C.)

O tamanho do nosso cérebro, em comparação com o resto do corpo, é uma das características mais importantes que nos distinguem de todos os demais mamíferos. Um elefante, por exemplo, tem um cérebro que pesa 7500 gramas, bem mais que nosso cérebro de 1400 gramas. Mas o cérebro do elefante representa 1/550 do peso total de seu corpo, enquanto o nosso pesa 1/40 do total. Por isso, não podemos fazer nenhuma comparação de "potência cerebral" ou inteligência apenas com base no tamanho do cérebro. A razão entre o tamanho do cérebro e o tamanho do corpo é essencial quando se leva em conta a capacidade funcional do cérebro.[1]

Mas ainda mais importante que nosso impressionante volume de massa cerebral é o fato de, grama por grama, nosso cérebro consumir uma quantidade enormemente desproporcional de energia. Ele representa 2,5% do peso total de nosso corpo, mas consome incríveis 22% do gasto de energia corporal em repouso. O cérebro humano gasta cerca de 350% a mais de energia que o de outros antropoides, como os gorilas, os orangotangos e os chimpanzés. Por isso, manter nosso cérebro funcionando exige muitas calorias alimentares. Felizmente para nós, porém, nossos cérebros grandes e poderosos nos permitiram desenvolver as habilidades e a inteligência necessárias para sobreviver em condições extremas, como a escassez de comida. Podemos conceber o futuro e planejá-lo, uma característica singular do ser humano.

E ter uma compreensão das incríveis habilidades do cérebro nos ilumina em relação às maneiras de otimizar nossa dieta para um cérebro de funcionamento saudável.

## O PODER DO JEJUM

Um mecanismo crítico do corpo humano, que eu já abordei, é a capacidade de converter gordura em combustível vital durante períodos de fome. Podemos decompor a gordura em moléculas especializadas chamadas *cetonas*, e uma delas, especificamente, já citada — o beta-hidroxibutirato (beta-HBA) —, é um combustível superior para o cérebro. Isso não apenas é um argumento convincente em favor dos benefícios de jejuns intermitentes para, por mais contraditório que possa parecer, alimentar o cérebro, mas também serve como explicação para uma das questões que geram debates mais acalorados na antropologia: por que nossos parentes Neandertais desapareceram entre 40 mil e 30 mil anos atrás. Embora seja conveniente e quase dogmático aceitar que os Neandertais foram exterminados por *Homo sapiens* mais inteligentes, muitos cientistas acreditam hoje em dia que a escassez de comida possa ter tido um papel preponderante em seu desaparecimento. Pode ser que os Neandertais simplesmente não tivessem a "resistência mental" para perseverar, porque lhes faltava o processo químico para utilizar a gordura como alimentação para o cérebro.

Ao contrário dos outros mamíferos, nosso cérebro pode usar uma fonte alternativa de calorias em períodos de fome. Em geral, nosso consumo alimentar diário fornece glicose como combustível para o cérebro. Entre uma e outra refeição, nosso cérebro é abastecido permanentemente com um fluxo constante de glicose gerado a partir da decomposição do glicogênio, na maior parte do fígado e dos músculos. Mas os estoques de glicogênio podem fornecer glicose apenas até certo ponto. Quando essas reservas se esgotam, nosso metabolismo muda e somos capazes de criar moléculas novas de glicose a partir de aminoácidos tirados de proteínas encontradas primordialmente nos músculos. Esse processo é chamado, apropriadamente, de gluconeogênese. O lado positivo é que isso acrescenta ao sistema a tão necessária glicose; o negativo é que sacrifica os músculos. E uma decomposição dos músculos não é algo bom para um caçador-coletor faminto.

Felizmente, a fisiologia humana oferece um processo a mais para produzir energia para o cérebro. Quando não há mais comida disponível, depois de uns três dias, o fígado começa a usar a gordura do corpo para criar as cetonas. É aí que o beta-HBA atua como uma eficiente fonte de energia para o cérebro, que nos possibilita longos períodos de funcionamento cognitivo durante a escassez de comida. Tal fonte alternativa de energia ajuda a reduzir nossa dependência da gluconeogênese, preservando, assim, nossa massa muscular.

Mas, mais do que isso, nas palavras do professor George F. Cahill, da Faculdade de Medicina de Harvard:

> estudos recentes mostraram que o beta-hidroxibutirato, a principal cetona, não apenas é um combustível, mas também um supercombustível, que produz energia ATP de maneira mais eficiente que a glicose. Ele também protegeu as células neuronais, em uma cultura de tecidos, contra a exposição a toxinas associadas ao Alzheimer ou ao Parkinson.[2]

De fato, o dr. Cahill e outros pesquisadores estabeleceram que o beta-HBA, que pode ser obtido facilmente pelo acréscimo de óleo de coco à dieta, melhora a função antioxidante, aumenta o número de mitocôndrias e estimula o crescimento de novas células cerebrais.

No capítulo 5 exploramos a necessidade de reduzir a ingestão de calorias para aumentar o BDNF, como forma de estimular o crescimento de novas células cerebrais, assim como de estimular o funcionamento dos neurônios existentes. A ideia de reduzir substancialmente a ingestão diária de calorias não atrai muita gente, apesar do fato de ser uma maneira poderosa não apenas de aprimorar o cérebro, mas também a saúde como um todo. Mas jejuns intermitentes — uma restrição total de alimentos, por 24 a 72 horas, a intervalos regulares ao longo do ano — são mais administráveis, e eu recomendo e delineio um programa no capítulo 10. Pesquisas mostraram que muitos dos mesmos processos genéticos bons para a saúde e para o cérebro, ativados pela restrição calórica, também o são pelo jejum, mesmo que por períodos de tempo relativamente curtos.[3] Isso vai contra o senso comum, que diz que o jejum reduz o metabolismo e força o organismo a estocar gordura, num suposto "modo fome". Bem ao contrário, o jejum produz benefícios para o corpo, que podem acelerar e estimular a perda de peso, sem falar na melhora da saúde cerebral.

O jejum não apenas ativa a engrenagem genética da produção de BDNF, mas também acelera o processo de Nrf2 que eu descrevi anteriormente, levando a uma desintoxicação superior, a uma redução dos processos inflamatórios e uma produção maior de antioxidantes que protegem o cérebro. Jejuar também faz o cérebro trocar o uso da glicose como combustível pelas cetonas fabricadas no fígado. Quando o cérebro está metabolizando cetonas como combustível, até mesmo o processo de suicídio celular (apoptose) se reduz, enquanto os genes mitocondriais são ativados, o que leva à replicação mitocondrial. Simplificando, o jejum aumenta a produção de energia e prepara o caminho para um funcionamento melhor e mais claro do cérebro.

O jejum durante buscas espirituais é uma parte integral da história das religiões. Todas as grandes religiões promovem o jejum como algo mais que um ato simplesmente cerimonial. O jejum sempre foi uma parte fundamental da prática espiritual, como no Ramadã muçulmano ou no Yom Kippur judeu. Os iogues praticam a austeridade em suas dietas e os xamãs jejuam durante suas buscas visionárias. O jejum também é uma prática comum entre os cristãos devotos, e a Bíblia tem exemplos de jejuns de um, três, sete e quarenta dias.

## O QUE O JEJUM E AS DIETAS CETOGÊNICAS TÊM EM COMUM

O que acontece quando você reduz substancialmente sua ingestão de carboidratos e obtém uma quantidade maior de calorias a partir da gordura? Acabei de explicar os benefícios do jejum, que estimula o cérebro a recorrer à gordura como combustível, sob forma de cetonas. Uma reação similar ocorre quando você segue uma dieta pobre em carboidratos e rica em gorduras e proteínas saudáveis. Essa é a base do programa dietético deste livro.

Ao longo de nossa história recorremos à gordura como uma fonte alimentar densa em calorias. Ela nos manteve esbeltos e nos foi útil nos tempos de caçadores-coletores. Como você já sabe, ingerir carboidratos estimula a produção de insulina, que leva à produção e à retenção de gordura, e a uma capacidade menor de queimá-la. Além disso, ao consumir carboidratos estimulamos uma enzima chamada lipoproteína lipase, que tende a transportar a gordura para as células; a insulina liberada quando consumimos carboidratos piora as coisas ao desencadear enzimas que prendem a gordura em nossas células adiposas.

Como já expliquei, quando queimamos gordura, em vez de carboidratos, entramos na cetose. Não há nada intrinsicamente errado nisso. Nosso corpo está preparado para essa atividade desde que começamos a caminhar pela Terra. Um leve estado de cetose é, na verdade, saudável. Ficamos levemente cetóticos quando acordamos, de manhã, e nosso fígado está mobilizando a gordura do corpo para utilizar como combustível. Tanto o coração quanto o cérebro funcionam de forma até 25% mais eficiente com cetonas do que com o açúcar do sangue. As células cerebrais normais e saudáveis prosperam quando se alimentam de cetonas. Algumas células de tumores cerebrais, porém, só conseguem utilizar a glicose como combustível. O tratamento padrão para o glioblastoma, um dos tipos mais agressivos de tumores cerebrais, é cirurgia, radioterapia e quimioterapia. Mas, para ser franco, os resultados dessa abordagem são bastante decepcionantes. Tirando partido do fato de que as células do glioblastoma só podem usar glicose, e não cetonas, o dr. Giulio Zuccoli, da Faculdade de Medicina da Universidade de Pittsburgh, argumentou que uma dieta cetogênica pode, na verdade, mostrar-se eficaz no tratamento do glioblastoma, junto com os tratamentos tradicionais.[4] E, de fato, ele publicou um estudo de caso de tratamento de um paciente de glioblastoma com a dieta cetogênica com resultados impressionantes. Se uma dieta cetogênica pode prolongar a vida de um paciente de câncer, o que poderia conseguir num indivíduo saudável?

Uma dieta puramente cetogênica obtém 80% a 90% das calorias a partir de gorduras, e o restante de carboidratos e proteínas. É, certamente, radical, mas é preciso reconhecer que as cetonas são um combustível muito mais eficiente para o cérebro. Em 1921, quando Russell Wilder, da Clínica Mayo, criou a dieta cetogênica, ela basicamente só propunha a ingestão de gorduras. Nos anos 1950, descobriram-se os triglicérides de cadeia média (MCT), que atuam como precursores do beta-HBA no organismo e podem ser consumidos no óleo de coco.

O programa alimentar delineado no capítulo 10 respeita os princípios cetogênicos gerais ao reduzir significativamente os carboidratos, obrigando o corpo a queimar gorduras, ao mesmo tempo que aumenta as gorduras alimentares e acrescenta nutrientes para elevar a produção de beta-HBA. Você limitará seu consumo de carboidratos a apenas trinta a quarenta gramas diárias, durante quatro semanas, após o que aumentará essa quantidade para sessenta gramas. O grau de cetose que você é capaz de atingir pode, na verdade, ser medido com tiras de teste de cetona, como as usadas pelos diabéticos, disponíveis em qualquer farmácia. Exigem apenas uma ou duas gotas de urina e fornecem imediatamente informação sobre o grau de cetose que você atingiu. Procure traços de níveis reduzidos de cetose, em torno de cinco a quinze; a maioria das tiras de teste de cetona, como a Ketostix, usa um código de cores, e o rosa claro costuma indicar a presença de traços e quantidades bem pequenas. Isso significa que seu organismo está usando as cetonas de forma eficaz como energia. Se você seguir meu programa, a expectativa é que se torne levemente cetótico depois de mais ou menos uma semana, e pode ter interesse em fazer o teste por conta própria para verificar esse efeito. Algumas pessoas se sentem melhor em níveis mais altos de cetose.

# SETE SUPLEMENTOS BONS PARA O CÉREBRO

A dieta de carboidratos que eu te passei há vinte anos acabou gerando diabetes, alta pressão sanguínea e problemas no coração. Ups!

Eu gosto muito de cartuns que oferecem sabedoria em uma questão de segundos, o tempo necessário para se captarem a imagem e a legenda. Este chamou minha atenção alguns anos atrás. Como eu gostaria que mais médicos fossem tão inteligentes quanto o cartunista Randy Glasbergen. Considerando todo o conhecimento científico acumulado desde que esse cartum foi publicado pela primeira vez, em 2004, poderíamos acrescentar à legenda: "e deixa você pronto para doenças cerebrais". Isso despertaria um duplo "Ups!".

A dura realidade na profissão médica atual é que é improvável que você obtenha muitos bons conselhos sobre como evitar transtornos cerebrais durante uma visita ao seu clínico. Hoje em dia, você não consegue mais que quinze minutos (se tanto) com o médico, que pode ou não estar treinado em relação aos conhecimentos mais recentes sobre como manter suas faculdades mentais. O que é mais perturbador é o fato de muitos dos médicos de hoje, originalmente treinados décadas atrás, não terem qualquer noção de nutrição e de seus efeitos sobre a saúde. Não digo isso para desprezar meus colegas, estou simplesmente apontando uma verdade que é, em grande parte, consequência da situação econômica. Minha esperança é de que a próxima geração de médicos esteja mais bem preparada para fazer a balança pender para o lado da prevenção, em vez de se concentrar tanto no tratamento.

Isso me leva a meus suplementos recomendados (veja na p. 240 as doses exatas e as instruções em relação a quando tomar cada um deles diariamente).

DHA: Como citei acima, o ácido docosaexaenoico (DHA) é o astro no reino dos suplementos. O DHA é um ácido graxo ômega 3 que representa mais de 90% das gorduras ômega 3 no cérebro. Cinquenta por cento do peso da membrana plasmática de um neurônio é composto de DHA. E ele é um componente-chave no tecido cardíaco. Eu poderia redigir um capítulo inteiro apenas a respeito do DHA, mas vou poupá-lo de tamanho grau de detalhe. Basta dizer que o DHA é um dos queridinhos mais bem documentados na proteção do cérebro.

Em minhas palestras, costumo perguntar aos médicos qual é, na opinião deles, a fonte mais rica de DHA natural. Ouço todo gênero de resposta — óleo de fígado de bacalhau, óleo de salmão, óleo de anchova. Alguns chutam óleo de linhaça ou de abacate, mas nenhum dos dois contém DHA o suficiente. A fonte natural mais rica em DHA é o leite materno humano. Isso explica por que a amamentação é sempre promovida como algo importante para a saúde neurológica e o desempenho de longo prazo da criança.

Muitos suplementos de DHA de alta qualidade estão disponíveis hoje em dia, e há mais de quinhentos produtos alimentares enriquecidos com DHA. Não importa muito se você comprar DHA derivado de óleo de peixe ou de algas. Se você for um vegetariano convicto, escolha a variedade derivada de algas.

RESVERATROL: A mágica por trás dos benefícios à saúde de tomar uma taça diária de vinho tinto tem muito a ver com esse composto natural, encontrado na uva, que não apenas retarda o processo de envelhecimento, estimula o fluxo de sangue no cérebro e ajuda a saúde do coração, mas também comprovadamente inibe o desenvolvimento de células adiposas. Uma taça de vinho, porém, não tem a dose suficiente de resveratrol. Daí a necessidade de suplementá-la com doses mais altas, para colher seus benefícios.

Como essa chamada "molécula milagrosa" protege contra uma notável série de doenças, ela costuma ser anunciada como auxiliar ao sistema de defesa e ao sistema imunológico do organismo. Na última década descobrimos exatamente como isso acontece, em grande parte graças ao trabalho do dr. David Sinclair, de Harvard, que descobriu a capacidade que esse suplemento tem de ativar certos genes, chamados sirtuínas, que influenciam a longevidade.[5] Em 2010, cientistas da Universidade Northumbria, no Reino Unido, publicaram um estudo no *American Journal of Clinical Nutrition* que discutia por que, exatamente, o resveratrol consegue ser tão eficiente na otimização das funções cerebrais.[6] No estudo, explicam os autores, deu-se resveratrol a 24 estudantes e registraram-se fortes aumentos no fluxo de sangue no cérebro ao realizar exercícios mentais. E quanto mais difícil a tarefa, maior o efeito do resveratrol.

Quer isso signifique ou não que todos nós deveríamos tomar resveratrol antes de embarcar numa tarefa mais séria, como um teste ou uma entrevista, é uma questão em aberto. Mas o que sabemos por ora é que podemos fazer bem ao cérebro com o acréscimo de uma modesta dose diária. E veja bem, eu disse "modesta". Embora acima eu tenha insinuado que doses muito altas são necessárias para colher benefícios (doses equivalentes a beber centenas de garrafas de vinho), estudos mais recentes demonstraram claramente que doses menores (de 4,9 miligramas diários) conferem efeitos positivos.

CÚRCUMA: A cúrcuma (*Curcuma longa*), integrante da família do gengibre, é tema de intensas pesquisas científicas, muitas delas para avaliar os efeitos anti-inflamatórios e antioxidantes que vêm de seu ingrediente ativo, a curcumina. A cúrcuma é um tempero que dá a cor amarelada ao pó do curry e, como mencionei acima, é usada há milhares de anos nas medicinas chinesa e indiana como medicamento natural para uma série de males. Em um estudo para o *American Journal of Epidemiology*, pesquisadores investigaram a correlação entre o nível de consumo de curry e as funções cognitivas em idosos asiáticos.[7] Aqueles que consumiam curry "ocasionalmente" e "frequentemente" ou "muito frequentemente" tiveram resultados muito melhores em testes específicos criados para medir as funções cognitivas, em relação àqueles que "nunca" ou "raramente" ingeriam curry.

Uma das armas secretas da curcumina é a capacidade de ativar genes que produzem uma vasta gama de antioxidantes que servem para proteger nossas preciosas mitocôndrias. Ela também melhora o metabolismo da glicose. Todas essas propriedades ajudam a reduzir o risco de doenças cardíacas. A menos que você prepare um monte de pratos com curry em casa, provavelmente você não obterá muita cúrcuma em sua dieta regularmente.

PROBIÓTICOS: Novas e impressionantes pesquisas mostraram que ingerir alimentos ricos em probióticos — microrganismos vivos que auxiliam as bactérias residentes no nosso intestino — pode influenciar o comportamento do cérebro e ajudar a aliviar o estresse, a ansiedade e a depressão.[8, 9, 10] Essas tribos de "bactérias boas" que moram no seu intestino e auxiliam a digestão são estimuladas e nutridas pelos probióticos. Eles desempenham um papel na produção, na absorção e no transporte de substâncias neuroquímicas como a serotonina, a dopamina e o fator de crescimento nervoso, essenciais para um cérebro saudável e para a função nervosa.

Compreender como isso acontece requer uma aula rápida sobre a ciência da comunicação do "cérebro da microflora intestinal".[11] É fato que o intestino é o seu "segundo cérebro".[12] É uma área de pesquisas atuantes e fascinantes, e muitas delas, nos últimos anos, demonstraram a existência de uma via de comunicação íntima entre o cérebro e o sistema digestório. Por esse canal de mão dupla, o cérebro recebe informações sobre o que está ocorrendo em seu intestino, enquanto o sistema nervoso central envia informação de volta ao intestino, para garantir o funcionamento ideal.

Essa transmissão em vaivém nos possibilita controlar o comportamento alimentar e a digestão, e até mesmo ter um sono reparador à noite. O intestino também envia sinais hormonais que transmitem ao cérebro sensações de saciedade, fome e até dor provocada por inflamação intestinal. Nas doenças e males que afetam o intestino, como doença celíaca não controlada, síndrome do intestino irritável ou doença de Crohn, o intestino pode ter uma influência decisiva no bem-estar — como nos sentimos, se dormimos bem, qual o nosso nível de energia, quanta dor sentimos e até como pensamos. Atualmente, os pesquisadores estão investigando o possível papel de algumas cepas de bactérias intestinais sobre a obesidade, desordens gastrointestinais funcionais e inflamatórias, dores crônicas, autismo e depressão. Também estão investigando o papel que essas bactérias desempenham em nossas emoções.[13]

Esse sistema é tão intrincado e influente que a saúde do nosso intestino pode ter um papel em nossa percepção geral de saúde maior do que jamais imaginamos. As informações processadas pelo intestino e enviadas ao cérebro têm tudo a ver com nossa sensação de bem-estar. E se pudermos auxiliar esse sistema, simplesmente ingerindo os colaboradores mais importantes do intestino — bactérias intestinais saudáveis —, por que não? Embora vários alimentos — como o iogurte e certas bebidas — hoje sejam fortificados com probióticos, esses produtos costumam vir com muito açúcar. O ideal é conseguir probióticos através de suplementos que ofereçam uma boa variedade de estirpes (pelo menos dez), incluindo *lactobacillus acidophilus* e *bifidobacterium*, e que contenham pelo menos 10 bilhões de bactérias ativas por cápsula.

óleo de coco: Conforme já descrevi, o óleo de coco pode ajudar a prevenir e tratar doenças neurodegenerativas. Ele não apenas é um supercombustível para o cérebro, mas também reduz processos inflamatórios. Você pode tomar diretamente uma colher de chá ou usá-lo na preparação de refeições. O óleo de coco tem boa estabilidade térmica. Por isso, você pode usá-lo para cozinhar em altas temperaturas. Na parte de receitas, eu lhe darei algumas ideias para trabalhar com o óleo de coco na cozinha.

ÁCIDO ALFA-LIPOICO: Esse ácido graxo se encontra em todas as células do corpo, onde é necessário para produzir a energia para o funcionamento normal. Ele cruza a barreira hemato-encefálica e atua como um poderoso antioxidante no cérebro, tanto nos tecidos adiposos quanto aquosos. Hoje em dia os cientistas o investigam como um tratamento potencial para derrames e outras condições cerebrais que envolvem danos aos radicais livres, como a demência.[14] Embora o corpo consiga produzir suprimentos adequados desse ácido graxo, nosso estilo de vida moderno e nossas dietas adequadas podem tornar útil a suplementação.

VITAMINA D: É um erro chamar a vitamina D de "vitamina", porque na verdade ela é um hormônio esteroide lipossolúvel. Embora a maioria das pessoas a associe simplesmente à saúde dos ossos e ao nível de cálcio — daí ser ela adicionada ao leite —, a vitamina D tem efeitos de longo alcance sobre o corpo e, especialmente, sobre o cérebro. É sabido que existem receptores de vitamina D em todo o sistema nervoso central; também sabemos que a vitamina D ajuda a regular enzimas no cérebro e o fluido cérebro-espinhal, envolvidos na produção de neurotransmissores e que estimulam o crescimento de nervos. Estudos tanto com animais quanto em laboratório sugerem que a vitamina D protege os neurônios dos efeitos danosos dos radicais livres e reduz os processos inflamatórios. Veja abaixo algumas descobertas-chave:[15]

- estudos mostraram uma redução de 25% no risco de declínio cognitivo nos indivíduos com níveis mais elevados de vitamina D (indivíduos com severa deficiência, num desses estudos, mostraram uma probabilidade 60% maior de sofrer declínio cognitivo durante um acompanhamento de seis anos)[16]

- um estudo feito ao longo de sete anos entre 498 mulheres mostrou que aquelas com uma elevada ingestão de vitamina D tinham uma redução de 77% no risco de desenvolver Alzheimer[17]

- quando foi avaliado o estado mental de 858 adultos, entre 1998 e 2006, houve um declínio substancial nas funções mentais naqueles com severa deficiência de vitamina D[18]

- diversos estudos associaram níveis baixos de vitamina D ao risco de Parkinson e de recidiva em pacientes com esclerose múltipla (a propósito, estudos mostraram que cada acréscimo de 5 ng/mL nos níveis de vitamina D no sangue está associado a uma redução de 16% nas recidivas de esclerose múltipla)[19]

- já há muito tempo a literatura médica tem mostrado que níveis baixos de vitamina D contribuem para a depressão e até para a fadiga crônica;[20] um nível adequado de vitamina D é exigido pelas glândulas suprarrenais para ajudar a regular uma enzima necessária para a produção de dopamina, epinefrina e norepinefrina — hormônios cerebrais cruciais que influenciam o humor, a administração do estresse e a energia; sabe-se que quem tem depressão, de moderada a severa, vivencia reviravoltas e melhorias apenas com a suplementação

Consertar a insuficiência de vitamina D pode exigir vários meses de suplementação, mas melhora significativamente toda a química do seu organismo — da saúde dos ossos à do cérebro — e até a sensibilidade à insulina. Meu programa alimentar também fornecerá boas fontes de vitamina D encontradas na natureza, como peixes de águas frias e cogumelos.

# 8. Medicina genética
## Exercite seus genes para conquistar um cérebro melhor

*Uma mente velha é como um cavalo velho;*
*é preciso exercitá-lo se queremos que continue funcionando.*
John Adams

Uma enquete: o que vai torná-lo mais inteligente e menos sujeito a doenças cerebrais: a) resolver um quebra-cabeças complexo ou b) dar uma caminhada? Se você respondeu (a), não vou recriminá-lo, mas eu lhe aconselharia a dar uma caminhada antes (o mais rápido que puder) e depois sentar-se para tentar resolver o quebra-cabeça. Pois a resposta é (b). O simples ato de mover seu corpo fará mais por seu cérebro que qualquer charada, equação matemática, livro policial ou simples raciocínio.

Os exercícios têm inúmeros efeitos positivos para a saúde do corpo — principalmente do cérebro. Têm um papel importante no mundo da epigenética. Simplificando: quando você se exercita, literalmente exercita sua configuração genética. Exercícios aeróbicos não apenas acionam os genes relacionados à longevidade, mas também influenciam o gene que tem o código do BDNF, o "hormônio do crescimento" do cérebro. Constatou-se que exercícios aeróbicos revertem o declínio da memória nos idosos e até aumentam o surgimento de células no centro de memória.

Já há bastante tempo se sabe que os exercícios são bons para o cérebro, mas somente na última década fomos realmente capazes de quantificar e medir a qualidade da extraordinária relação entre a boa forma física e a boa forma mental.[1,2] Foi necessária a força coletiva de muitos pesquisadores inquiridores de diferentes áreas, inclusive neurocientistas, fisiologistas, bioengenheiros, psicólogos, antropólogos e médicos de vários outros campos da medicina. Também foi necessário o desenvolvimento de várias tecnologias avançadas para que fôssemos capazes de analisar e entender o funcionamento interno da massa cerebral propriamente dita, inclusive neurônios individuais. As descobertas mais recentes tornam inegavelmente claro que o elo entre os exercícios e a saúde cerebral não é apenas "uma" relação. Nas palavras do *The New York Times*, "é a relação".[3] Os exercícios, segundo as descobertas científicas mais recentes, "parecem construir um cérebro resistente ao encolhimento físico, além de estimularem a flexibilidade cognitiva". E isso pode significar que não há melhor instrumento ao nosso alcance que o movimento físico. Dê uma olhada nos dois gráficos a seguir. Um deles mostra a diferença percentual no risco de Alzheimer com base no nível de exercício; o outro, a diferença com base na intensidade. Acho que os dois são bastante reveladores:[4]

Risco de Alzheimer comparado ao nível de atividade física

Risco de Alzheimer comparado à intensidade da atividade física

## A MÁGICA DO MOVIMENTO

Como seres humanos, sempre fomos fisicamente ativos, até bem recentemente. A tecnologia moderna nos propiciou o privilégio de uma existência sedentária; virtualmente tudo de que necessitamos nos dias de hoje está disponível sem que tenhamos que exercer muito esforço, tampouco sair da cama. Mas nosso genoma, ao longo de milhões de anos, evoluiu num estado de constante desafio, do ponto de vista físico, na busca por comida. Na verdade, nosso genoma tem a expectativa de exercícios frequentes — ele *exige* exercícios aeróbicos regulares para sustentar a vida. Mas, infelizmente, muito poucos de nós respeitam essa exigência atualmente. E as doenças crônicas e a elevada taxa de mortalidade estão aí para mostrar isso.

A ideia de que o exercício possa nos tornar mais inteligentes intrigou não apenas pesquisadores tradicionais em laboratórios de biomedicina, mas também antropólogos em busca de pistas sobre a formação da humanidade ao longo dos milênios. Em 2004, a revista *Nature* publicou um artigo dos biólogos evolucionistas Daniel E. Lieberman, de Harvard, e Dennis M. Bramble, da Universidade de Utah, afirmando que sobrevivemos tanto tempo na história em virtude de nossas proezas atléticas.[5] Nossos ancestrais das cavernas foram capazes de suplantar os predadores e caçar presas valiosas como alimento, que permitiram a sobrevivência — gerando refeições e energia para procriar. E esses campeões de resistência precoces passaram seus genes adiante. É uma bela hipótese: fomos projetados para ser atletas, de modo a viver tempo o bastante para procriar. O que quer dizer que a seleção natural levou os primeiros humanos a evoluir de modo a se tornarem seres tremendamente ágeis — desenvolvendo pernas mais longas, dedos dos pés atarracados e ouvidos internos complexos, que nos ajudam a manter o equilíbrio e a coordenação ideais, quando de pé, e caminhar em apenas dois pés, em vez de usar quatro apoios.

Durante muito tempo, a ciência foi incapaz de explicar por que nossos cérebros ficaram tão grandes — desproporcionais, quando se leva em conta o tamanho de nosso corpo. Os cientistas evolucionistas do passado gostavam de falar de nossos hábitos carnívoros e de nossa necessidade de interação social. Ambas exigiam complexos padrões de raciocínio (para caçar e matar, assim como se relacionar com os demais). Mas hoje os cientistas dispõem de outro ingrediente para a mistura: a atividade física. Segundo as últimas pesquisas, devemos nossos incríveis cérebros à necessidade de pensar... e à necessidade de correr.

Para chegar a essa conclusão, os antropólogos buscaram padrões entre o tamanho do cérebro e a resistência de muitos animais, de porquinhos-da-índia a camundongos, de lobos a carneiros.[6] Eles perceberam que as espécies com a maior capacidade inata de resistência também tinham os maiores volumes cerebrais em relação ao tamanho do corpo. Em seguida, os pesquisadores levaram a experiência um passo além, estudando camundongos e ratos criados expressamente para serem "maratonistas". Foi criada uma linhagem de animais de laboratório excelentes em corridas, através do cruzamento entre aqueles que corriam mais nas rodas de atividade. Foi aí que a verdade começou a vir à tona: nos animais assim criados, começaram a aumentar os níveis de BDNF e outras substâncias boas para a saúde e para o crescimento de tecidos. Como você sabe, o BDNF também melhora o crescimento cerebral. Por essa razão, o novo conceito é de que a atividade física possa nos ter ajudado a evoluir e nos tornarmos seres inteligentes e de raciocínio rápido. David A. Raichlen, antropólogo da Universidade do Arizona e um dos mais importantes pesquisadores da evolução do cérebro humano, resumiu essa noção de maneira brilhante em sua explicação ao *The New York Times*, como citado por Gretchen Reynolds:

> [...] Os mais atléticos e ativos sobreviveram e, assim como os camundongos de laboratório, passaram adiante as características fisiológicas que melhoravam sua resistência, inclusive níveis elevados de BDNF. Por fim, esses atletas precoces vieram a ter BDNF suficiente correndo em seus organismos para que parte migrasse dos músculos para o cérebro, onde ele passou a estimular o crescimento de tecido cerebral.[7, 8]

Com uma capacidade turbinada de pensar, raciocinar e planejar, os primeiros humanos podiam aguçar as habilidades necessárias para sobreviver, como caçar e matar as presas. Eles se beneficiaram de um círculo virtuoso: não apenas mexer-se os tornava mais inteligentes, mas as mentes aguçadas também lhes permitiam manter-se em movimento e mover-se de forma mais eficiente. Ao longo do tempo, os seres humanos viriam a adotar raciocínios complexos e inventar coisas como a matemática, os microscópios e os Macbooks.

A conclusão é que, se a atividade física nos ajudou a desenvolver os cérebros que utilizamos hoje, é seguro dizer que precisamos de exercício para manter esse mesmo cérebro (sem falar em continuar a evoluir rumo a uma espécie mais inteligente, mais rápida e mais esperta).

## SEJA RÁPIDO E ÁGIL

A biologia que explica como os exercícios podem ser tão benéficos à saúde cerebral vai muito além do argumento de que estimula o fluxo sanguíneo para o cérebro e, com isso, traz os nutrientes necessários para o crescimento e a manutenção das células. De fato, o fluxo sanguíneo no cérebro é algo positivo. Mas isso já era sabido. As descobertas científicas mais recentes, que explicam a mágica do movimento que protege e preserva as funções cerebrais, são espantosas. Podem ser resumidas em cinco benefícios: o controle das inflamações, o aumento da sensibilidade à insulina, a influência num melhor controle do açúcar no sangue, a expansão do tamanho do centro da memória e, como já mencionei, a elevação dos níveis de BDNF.

Algumas das pesquisas mais interessantes foram realizadas nos últimos dois ou três anos.[9] Em 2011, o dr. Justin S. Rhodes e sua equipe, no Instituto Beckman de Ciência e Tecnologia Avançadas, na Universidade de Illinois, fizeram algumas descobertas usando quatro grupos de camundongos em quatro modos de vida diferentes.[10] Um grupo levou uma vida de luxo em um ambiente que incluía refeições fartas, boas para camundongos (castanhas, frutas, queijos e água com sabores), além de vários brinquedos divertidos para explorar, como espelhos, bolas e túneis. O segundo grupo teve acesso às mesmas iguarias e brinquedos, mas suas residências incluíam rodas de atividade. As gaiolas do terceiro grupo pareciam um hotel de uma estrela; nada tinham de extraordinário e a comida dos camundongos era comum. Ao quarto grupo de camundongos também faltava acesso aos confortos e à comida sofisticada, mas suas casas tinham rodas de atividade.

No começo do estudo, os camundongos passaram por uma série de testes cognitivos, e lhes injetaram uma substância que permitia aos pesquisadores acompanhar as alterações em suas estruturas cerebrais. Ao longo de vários meses, os cientistas deixaram os ratos fazer o que bem entendessem em seus respectivos lares. Depois disso, os pesquisadores voltaram a testar as funções cognitivas dos camundongos e examinaram seus tecidos cerebrais.

A única variável que se destacou claramente acima de todas as demais foi se os camundongos dispunham ou não de uma roda de atividade. Não importava se tinham outras coisas com que brincar em suas gaiolas. Os animais que se exercitaram eram aqueles que tinham os cérebros mais saudáveis e o melhor desempenho nos testes cognitivos. Aqueles que não corriam, mesmo vivendo num mundo com outros estímulos, não apresentaram melhora cognitiva. Os pesquisadores estavam observando, especificamente, melhoras cognitivas que implicassem um ganho no raciocínio complexo e na solução de problemas. Apenas os exercícios físicos se mostraram fundamentais para essa melhoria.

Sabemos que o exercício enseja a geração de novas células cerebrais. Os cientistas conseguiram medir esse efeito simplesmente comparando camundongos e ratos que correram durante algumas semanas em comparação com aqueles que eram sedentários. Os animais que corriam tinham duas vezes mais neurônios novos em seus hipocampos que os ratos de sofá. Outros estudos observaram que tipos de exercício são os mais eficientes. Em 2011, quando um grupo de 120 homens e mulheres idosos foi dividido em dois subgrupos — um praticou um programa de caminhadas e o outro, alongamentos —, os caminhantes prevaleceram.[11] Ao final de um ano, aqueles apresentaram hipocampos maiores e níveis mais altos de BDNF em suas correntes sanguíneas. Estes últimos, por sua vez, tiveram perda de volume cerebral, em razão da atrofia normal, e não se saíram tão bem nos testes cognitivos. Observe os resultados:

**Tamanho do hipocampo:**
**Exercícios aeróbicos x Alongamentos**

Qualquer que seja a atividade, temos provas suficientes para afirmar com segurança que os exercícios não precisam ser exaustivos para ser eficazes para o cérebro.

## FAÇA NOVAS REDES NASCEREM

Os exercícios mostraram não apenas induzir o crescimento de novos neurônios no cérebro, mas os cientistas revelaram o verdadeiro milagre que ocorre: a construção de novas redes. Uma coisa é fazer surgir novas células cerebrais; outra é organizar essas células numa rede que funciona harmonicamente. Nós não nos tornamos "mais espertos" apenas pela produção de novas células cerebrais. Precisamos ser capazes de interconectar essas células na rede neural existente. Do contrário, elas vagarão sem rumo e acabarão morrendo. Uma maneira de fazer isso é aprender coisas novas. Em um estudo de 2007, neurônios recém-nascidos de camundongos se integraram às redes cerebrais quando eles aprenderam a se orientar num labirinto aquático.[12] Essa é uma tarefa que exige mais força cognitiva que capacidade física. Os pesquisadores também observaram que as novas células tinham limitações em relação àquilo que conseguiam fazer; não eram capazes, por exemplo, de ajudar os camundongos a realizar outras tarefas cognitivas além do labirinto. Para fazer isso, os camundongos teriam que fazer esforço físico, o que estimularia essas células novas a se tornar ágeis e cognitivamente flexíveis.

E é aí que mora o benefício oculto dos exercícios: eles tornam os neurônios ágeis e flexíveis para várias tarefas diferentes. Não sabemos como os exercícios facilitam as transformações da mente em nível molecular, mas sabemos que o BDNF tem influência, fortalecendo as células e os axônios, enrijecendo as conexões entre os neurônios e desencadeando a neurogênese. Esta aumenta a capacidade do cérebro de aprender coisas novas, o que, por sua vez, fortalece essas novas células cerebrais e reforça ainda mais a rede neural. Lembre-se ainda de que níveis mais elevados de BDNF estão relacionados a uma redução do apetite. Por isso, para aqueles indivíduos incapazes de controlar o apetite, isso representa mais um motivo para se exercitar.

Com a compreensão da relação do BDNF com o exercício, os pesquisadores passaram a examinar o efeito do exercício físico em pessoas que têm risco ou já sofrem de transtornos e doenças cerebrais. Num artigo recente para o *Journal of the American Medical Association*, o professor Nicola Lautenschlager, da Universidade da Austrália Ocidental, descobriu que indivíduos idosos que se exercitaram regularmente por um período de 24 semanas tiveram uma melhora de 1800% nas medições de memória, capacidade linguística, atenção e outras importantes funções cognitivas, quando comparados a um grupo de controle.[13] O grupo que se exercitou fez aproximadamente 142 minutos de atividade física semanal, o que dá uma média de vinte minutos diários. Os pesquisadores atribuíram essa melhora a um fluxo sanguíneo superior, ao surgimento de novos vasos sanguíneos e de novas células cerebrais e a uma melhora da "plasticidade" do cérebro.

Num estudo similar, pesquisadores de Harvard identificaram uma forte associação entre os exercícios e as funções cognitivas em mulheres idosas, concluindo:

> Neste estudo amplo e prospectivo de mulheres mais velhas, níveis mais altos de atividade física regular de longo prazo mostraram forte correlação com níveis mais altos de funções cognitivas e menor declínio cognitivo. Especificamente, os benefícios cognitivos aparentes de uma maior atividade física foram equivalentes a ter três anos de idade a menos e estavam relacionados a um risco 20% menor de comprometimento cognitivo.[14]

Efeitos múltiplos se somam quando o corpo participa de atividades físicas. O exercício é um poderoso anti-inflamatório. Ao ativar o processo do Nrf2, que eu descrevi anteriormente, ele ativa os genes que suprimem as inflamações. E isso pode ser medido em laboratório. Cientistas comprovaram, repetidas vezes, que as proteínas C-reativas — um marcador de inflamação frequentemente usado em laboratório — são menores naqueles que mantêm uma rotina de exercícios. A sensibilidade à insulina também melhora. O exercício ajuda a equilibrar o açúcar no sangue e reduz a glicação de proteínas. Sabemos que isso é verdade graças a pesquisas a respeito dos efeitos do exercício físico sobre a hemoglobina A1C. Em um estudo notável, pesquisadores pediram a trinta participantes que não fizessem qualquer mudança de estilo de vida, enquanto outros 35 foram postos num programa de exercícios três vezes por semana.[15] O grupo de controle não participou de qualquer forma de exercício. Depois da 16ª semana, a hemoglobina A1C caiu 0,73 no grupo que se exercitava, mas aumentou 0,28 no grupo sem exercícios. Para contextualizar esses números, quando a hemoglobina A1C é de 6,0, uma redução de 0,73 acarretada pelos exercícios representa uma redução de 12%, o que é comparável a um remédio contra o diabetes.

## NÃO É PRECISO MUITO PARA CAUSAR IMPACTO

O.k., então os exercícios fazem bem ao corpo e ao cérebro. Mas quanto exercício? Quão rigoroso? Limpar a casa e atividades diárias habituais, como cuidar do jardim ou tirar o lixo, contam?

Para responder essa pergunta, vamos examinar um estudo do Projeto de Memória e Envelhecimento da Universidade Rush, uma instituição privada do estado de Illinois, nos EUA. É o estudo que gerou os gráficos que exponho nas páginas 209-10. Quando o dr. Aron S. Buchman estudou os efeitos dos exercícios físicos diários sobre o risco de Alzheimer, não tinha como prever que os resultados mostrariam diferenças radicais entre pessoas relativamente sedentárias e aquelas que realizam diversos tipos de atividade, inclusive atitudes simples como cozinhar, lavar pratos, jogar cartas, empurrar uma cadeira de rodas e limpar a casa. Ele conseguiu rastrear o nível de atividade das pessoas usando um novo aparelho, chamado Actigraph, que é usado no pulso e detecta e quantifica os movimentos. A idade média dos testados, nenhum deles com demência, era de 82 anos. Dos 716 iniciais, 71 desenvolveram completamente Alzheimer ao longo de aproximadamente três anos e meio de acompanhamento.[16]

Os resultados do estudo revelaram que os indivíduos no décimo percentil inferior de atividade física diária tiveram um aumento de

230% no risco de desenvolver Alzheimer, se comparados àqueles no décimo percentil mais alto de atividade física. Quando foram avaliados os dados em termos de intensidade de atividade física, os resultados foram ainda mais convincentes. Ao comparar aqueles no décimo percentil mais baixo com os indivíduos nos 10% mais altos, o dr. Buchman e sua equipe concluíram que o risco de Alzheimer quase triplicou naqueles que se exercitavam menos. O dr. Buchman argumentou, com razão, que não podemos subestimar o poder de atividades de baixo custo, fácil acesso e nenhum efeito colateral, que não são necessariamente exercícios formais. Os simples atos da vida cotidiana podem propiciar benefícios protetores do cérebro em qualquer idade.

## ESCOLHA UM JOGO

Evidentemente, você não precisa estabelecer a meta de escalar o monte Everest. Tampouco precisa treinar para uma prova de resistência. Mas exercícios regulares, que mantêm seu coração batendo forte, são indispensáveis. Embora um pequeno número de estudos tenha mostrado benefícios cognitivos entre idosos que apenas puxaram ferro durante um ano, a maioria dos estudos atuais e todas as experiências com animais envolviam correr ou outras atividades aeróbicas como a natação, o ciclismo, a caminhada em trilha ou a caminhada pesada, pelo menos cinco dias por semana, com pelo menos vinte minutos por sessão.

Tenho consciência de que os exercícios não estão na lista de prioridades da maioria das pessoas, mas espero que as evidências que apresentei neste capítulo o incentivem a repensar sua lista de tarefas, caso você já não possua uma rotina de exercícios. Peço que dedique uma semana, durante o programa, a se concentrar nessa área importante de sua vida, e comece a malhar regularmente, se é que já não o faz. E se já faz, use essa semana para aumentar a duração e a intensidade de seus exercícios.

# 9. Boa noite, cérebro
## Alavanque sua leptina para controlar os hormônios

*Encerre um dia antes de começar o outro,*
*e interponha uma sólida parede de sono entre os dois.*
Ralph Waldo Emerson

Quando Samuel, um corretor de ações de 48 anos, veio se consultar comigo num dia do final de novembro, ele me pediu para "otimizar sua saúde". Ele não era o primeiro a fazer um pedido tão genérico, até vago, mas eu sei o que ele realmente queria: ele queria que eu fosse fundo em seus problemas e o levasse a um estado de saúde vibrante que ele nunca sentira antes na vida. Missão dura para qualquer médico realizar, mas algo em seu rosto inchado me deu uma pista imediata de onde poderia estar o problema. Comecei me informando de seu histórico médico e de suas queixas principais. Ele tinha um histórico de baixo funcionamento da tireoide, que ele tratava com remédios. Disse que levava uma vida bastante estressante, mas classificou como "boa" sua saúde geral. Não havia muito a relatar no que diz respeito a problemas médicos anteriores. Mas é interessante notar que ele mencionou que o filho havia sido "sensível" a alimentos sólidos quando era bebê, e uma sensibilidade ao glúten havia sido diagnosticada. Discutimos em maiores detalhes o problema da tireoide e fiquei sabendo que ele tivera uma doença autoimune chamada tireoidite de Hashimoto, causada pela ativação anormal do sistema imunológico, que passa a atacar a glândula tireoide.

Fui adiante e pedi um exame de sensibilidade ao glúten, que deu resultados inegáveis. De fato, ele era altamente sensível ao glúten; apenas um de 24 anticorpos testados estava na faixa normal. Ele precisava experimentar uma dieta sem glúten.

A reação dele à dieta foi bastante notável e, francamente, bastante previsível à luz tanto da experiência do próprio filho como seu teste fora da curva. Quatro meses depois do início da dieta, recebi dele uma carta que me fez sorrir. Ele admitia por escrito o quanto sua vida tinha piorado até o momento em que marcou consulta comigo. Evidentemente, ele havia contado uma mentirinha quando me contou que sua saúde estava "bem". Longe disso. Ele escreveu:

> Antes do diagnóstico de sensibilidade ao glúten, minha saúde estava numa espiral negativa [...]. Embora eu apenas tivesse acabado de entrar na casa dos quarenta e fizesse exercícios diários, eu me sentia letárgico e mal conseguia chegar ao fim do dia [...]. Eu estava me tornado irascível e surtava facilmente, por qualquer motivo [...]. A depressão se instalou, já que eu não conseguia me livrar dos pensamentos negativos. Convenci-me de que ia morrer [...]. [Hoje] eu sou uma pessoa nova. Voltei a ser tranquilão e tenho energia o dia todo. Durmo a noite inteira regularmente e minha dor nas juntas desapareceu. Consigo pensar com clareza e não me distraio das minhas tarefas. A melhor parte é que aquela gordurinha teimosa em volta da minha região central virtualmente derreteu pela metade em duas semanas. Agradeço ao senhor por me devolver minha vida.

Embora Samuel não tenha mencionado seus problemas de sono na primeira consulta, meu palpite era que fazia tempo que ele não tinha um sono reparador. Tinha o ar exausto e todos os sinais padrão de uma falta de sono prolongada. Em muitos de meus pacientes antes do tratamento, a falta de sono é tão normal que eles chegam a esquecer o que é uma boa noite de sono até voltar a ter uma. Samuel deve ter achado que dormir a noite inteira fosse apenas um efeito colateral positivo da adoção de uma dieta sem glúten. Mas era mais do que isso. A partir do momento em que ele começou a ter um sono relaxante, uma noite após a outra, ele começou a "recarregar" profundamente o corpo — hormonal, emocional, física e até espiritualmente. Deixando de lado todos os problemas com o glúten e até o transtorno de tireoide, posso dizer sem sombra de dúvida que obter um sono reparador teve um grande papel na reversão de suas condições, conduzindo-o exatamente à posição onde queria estar: um estado de saúde ideal.

A maioria de nós subestima os benefícios do sono, mas é um dos poucos bens que possuímos que é totalmente gratuito e totalmente essencial para o bem-estar. Também é, como você vai descobrir, uma ferramenta fundamental na prevenção do declínio do cérebro.

## A CIÊNCIA DO SONO

Muito se escreveu, nos últimos dez anos, sobre a ciência do sono. E com razão: mais do que nunca, hoje entendemos o valor do sono do ponto de vista científico. Estudos laboratoriais e clínicos mostraram que praticamente todos os sistemas do corpo são influenciados pela qualidade e pela quantidade do nosso sono, especialmente o cérebro.[1] Entre os benefícios comprovados: o sono pode determinar quanto comemos, a velocidade do nosso metabolismo, o quanto engordamos ou emagrecemos, se conseguimos combater infecções, o quanto somos criativos e cheios de ideias, se lidamos bem com o estresse e com que velocidade processamos informações e aprendemos coisas novas.[2] Um sono adequado, o que para a maioria de nós significa pelo menos sete boas horas, também influencia nossos genes. No início de 2013, cientistas ingleses descobriram que uma semana de privação de sono alterava o funcionamento de 711 genes, incluindo alguns que afetam o estresse, os processos inflamatórios, a imunidade e o metabolismo.[3] Tudo que afeta negativamente essas importantes funções do organismo afeta o cérebro. Dependemos desses genes para produzir um fornecimento constante de proteínas que substituam ou reparem tecidos danificados, e se eles param de funcionar depois de apenas uma semana de sono ruim, isso nos diz muito a respeito do poder do sono. Embora possamos não perceber os efeitos colaterais da falta de sono no nível genético, com certeza vivenciamos os demais sintomas da privação de sono crônica: confusão mental, perda de memória, baixa imunidade, obesidade, doenças cardiovasculares, diabetes e depressão. Todas essas condições estão intimamente ligadas ao cérebro.

Também foi só recentemente que passamos a aceitar o fato de que poucos, dentre nós, dormem o suficiente para sustentar as reais necessidades do corpo. Cerca de 10% dos americanos sofrem de insônia crônica, enquanto nada menos que 25% de nós relatam não dormir o suficiente com alguma frequência.[4] E além da necessidade de dormir o bastante, os cientistas agora se concentram na *qualidade* do sono, ou seja, sua capacidade de restaurar o cérebro. É melhor ter um sono profundo de seis horas ou um sono ruim de oito? Pode parecer fácil responder a essas perguntas. Mas os cientistas ainda estão tentando desfazer o mistério do sono e de como ele afeta homens e mulheres de maneiras diferentes. No momento em que escrevo este capítulo, fico sabendo de um novo estudo a respeito dos "surpreendentes efeitos" do sono sobre o apetite: aparentemente, os hormônios influenciados pela privação do sono são diferentes no homem e na mulher.[5] Embora as consequências sejam as mesmas para ambos os sexos — uma tendência a comer demais — o gatilho subjacente da fome não é o mesmo nos dois. No homem, a falta de sono suficiente leva a níveis elevados de *grelina*, um hormônio que estimula o apetite. Nas mulheres, em compensação, os níveis de grelina não são influenciados pela falta de sono, mas os níveis de GLP-1, um hormônio supressor de apetite, são. Reconheço que uma diferença tão sutil pode parecer insignificante, dado que o resultado final é o mesmo de um jeito ou de outro, mas serve para mostrar quão pouco sabemos a respeito de toda a bioquímica do corpo humano em resposta ao sono.

Se há uma coisa que precisamos saber sobre o sono é que ele se torna um problema cada vez maior à medida que envelhecemos. Isso ocorre por uma série de razões, muitas delas decorrentes de condições médicas que podem solapar um sono profundo. Chega a 40% o número de adultos idosos que não conseguem ter uma noite boa de sono devido a problemas crônicos, como apneia e insônia. Hoje em dia temos inclusive evidências da relação entre o sono interrompido e o declínio cognitivo. Kristine Yaffe, psiquiatra da Universidade da Califórnia, estuda pessoas cujo risco de desenvolver comprometimento cognitivo e demência é elevado. Em sua clínica de transtornos de memória, ela vê um dado comum nas queixas dos pacientes: a dificuldade de cair no sono e continuar adormecido. Eles relatam que sentem cansaço o dia todo e recorrem a cochilos. Quando Yaffe realizou uma série de estudos analisando mais de 1300 adultos acima dos 75 anos ao longo de um período de cinco anos, ela percebeu que aqueles com interrupções do sono, como as provocadas por uma respiração inadequada ou apneia do sono, tinham quase duas vezes mais chance de desenvolver demência ao longo da vida. Aqueles que sofriam interrupções no ritmo circadiano natural ou que acordavam no meio da noite também tinham um risco maior.[6]

O ciclo circadiano está no cerne do nosso bem-estar. Por volta das seis semanas de vida, todos nós estabelecemos esse padrão de atividade repetitiva, associado aos ciclos do dia e da noite, que permanece conosco. Assim como ocorre com o nascer e o pôr do sol, esse ciclo se repete basicamente a cada 24 horas. Temos diversos ciclos que coincidem com o dia solar de 24 horas, do ciclo de sono e vigília aos padrões estabelecidos em nossa configuração biológica — a alta e a baixa dos hormônios, as flutuações na temperatura corporal, o fluxo e refluxo de certas moléculas de que dependem nossa saúde e nosso bem-estar. Quando nosso ritmo não está sincronizado com o dia solar de 24 horas, podemos nos sentir adoentados ou cansados, que é o que ocorre, por exemplo, quando viajamos de um fuso horário para outro e forçamos o corpo a adaptar-se rapidamente a um novo ciclo.

A meu ver, a maioria das pessoas não se dá conta de quanto o ritmo inerente do corpo depende dos hábitos de sono e é controlado pelo cérebro. Os ciclos naturais de dia e noite do corpo ditam praticamente tudo em nós. Basta lembrar que os padrões de liberação de hormônios estão ligados a esse ciclo. Um exemplo básico é a temperatura do corpo, que, em consequência da dança de certos hormônios no corpo, sobe durante o dia, sofre uma ligeira queda à tarde (daí a sesta), tem um pico noturno e depois vai caindo ao longo da noite. Nas primeiras horas da manhã, chega ao ponto mais baixo, ao mesmo tempo em que outro padrão começa a subir, com os níveis de cortisol atingindo o pico de manhã e em seguida caindo ao longo do dia. Trabalhadores noturnos, que sabidamente mantêm hábitos de sono irregulares devido à função, convivem por causa disso com um risco potencial mais elevado de uma série de doenças. Não é à toa que em inglês se usa a expressão *graveyard shift* — o turno do cemitério.

Por isso, da próxima vez que você se sentir anormalmente cansado, mal-humorado, mentalmente lento, esquecido, com sede, fome, ou até mesmo alerta, agressivo ou excitado, analise seus hábitos de sono recentes em busca de explicações. Basta dizer que precisamos de um padrão regular e confiável de vigília e de um sono reparador para regular nossos hormônios. Daria para escrever vários livros sobre os hormônios do corpo. Mas, para os fins desta discussão, em particular sobre a questão do sono e da saúde cerebral, vamos nos concentrar em um dos hormônios mais discretos e subestimados do nosso corpo: a leptina. Como ela coordena, basicamente, as respostas inflamatórias do corpo e ajuda a determinar se ansiamos por carboidratos, nenhuma conversa sobre a saúde do cérebro pode deixar de lado esse importante hormônio. E ele é fortemente impactado pelo sono. Conseguindo controlar esse "mestre de cerimônias" biológico, pode-se regular o reino hormonal, beneficiando o cérebro e o corpo.

## QUANTO MAIS GORDO VOCÊ É, MENOR SEU CÉREBRO SERÁ

Era o ano de 1994. Foi uma descoberta que chocou a comunidade médica e mudou para sempre não apenas a forma como vemos o corpo humano e seu complexo sistema hormonal, mas também o sono e seu verdadeiro valor como regente do império. Justamente quando achávamos ter descoberto todos os hormônios e suas funções, achamos um "novo", que não sabíamos que existia.[7, 8] Ele se chama leptina, e ocorre que não é apenas um hormônio comum; como a insulina, a leptina é um dos principais, com decisiva influência sobre todos os demais, e controle sobre praticamente todas as funções do hipotálamo.

O hipotálamo é onde mora seu dinossauro interior; é uma estrutura antiga, anterior ao ser humano, que fica no meio da cabeça e é responsável pelas atividades rítmicas do corpo e por um amplo leque de funções fisiológicas, da fome ao sexo. Mas talvez essa descoberta tenha demorado tanto porque a leptina foi identificada num local improvável: as células adiposas.

Antes, mencionei que se acreditava que as células adiposas apenas guardavam para os dias de chuva calorias desnecessárias. Mas agora se sabe que o tecido adiposo participa de nossa fisiologia tanto quanto outros órgãos "vitais", graças a hormônios residentes, como a leptina, que controla se acabaremos ou não com barrigas salientes e cérebros pequenos. Antes de tudo, um esclarecimento rápido: a função da leptina no corpo, como a de todo hormônio, é extremamente complexa. Todo o sistema hormonal, na verdade, é extraordinariamente intrincado. Há um número incontável de inter-relações. Descrever todas vai além do escopo deste livro. Vou simplificar e revelar apenas o que você precisa saber para assumir o controle de seus hormônios, em benefício do cérebro.

A leptina é, no nível mais básico, uma ferramenta primitiva de sobrevivência. Está ligada de forma singular à coordenação de nossas respostas metabólica, hormonal e comportamental à fome. Assim sendo, tem um poderoso efeito em nossas emoções e nosso comportamento. A leptina é uma espécie de guardião, e ao compreender esse hormônio você saberá como regular o restante de seu sistema hormonal. Ao fazê-lo, poderá cuidar de sua saúde de maneiras inimagináveis.

Embora a leptina seja encontrada nas células adiposas, isso não é necessariamente ruim. Em excesso, é bem verdade, causa problemas, sobretudo doenças degenerativas e uma vida mais curta. Mas níveis saudáveis de leptina fazem o contrário — previnem a maior parte das doenças do envelhecimento e aumentam a longevidade. Quanto mais se majora a sensibilidade a esse hormônio crucial, mais saudável se é. Por "sensibilidade" entendo a forma como os receptores desse hormônio reconhecem e usam a leptina para realizar diversas operações. Nora T. Gedgaudas, uma terapeuta nutricional reconhecida, define a leptina de maneira sucinta no livro *Primal Body, Primal Mind* [Corpo primordial, mente primordial]:

A leptina controla, essencialmente, o metabolismo dos mamíferos. A maioria das pessoas acha que esse papel cabe à tireoide, mas na verdade a leptina controla a tireoide, que regula a taxa de metabolismo. A leptina supervisiona todas as reservas de energia. A leptina decide nos deixar com fome e armazenar ou queimar gordura. A leptina organiza nossas reações inflamatórias e controla até o despertar simpático versus o parassimpático no sistema nervoso. Se qualquer parte do seu sistema [hormonal] não vai bem, incluindo os hormônios sexuais e suprarrenais, você nunca terá chance de verdadeiramente resolver esse problema até controlar seus níveis de leptina.[9]

Gedgaudas chama a leptina de "vizinho novo que manda no bairro inteiro", e a definição não poderia ser mais perfeita. Da próxima vez que você largar o garfo e levantar-se da mesa do jantar, agradeça à sua leptina. Quando você está de estômago cheio, as células adiposas liberam leptina para dizer a seu cérebro que pare de comer. É seu freio. Isso explica por que quem tem níveis reduzidos de leptina tende a comer em excesso. Um estudo que virou referência, publicado em 2004, mostrou que pessoas com uma queda de 20% na leptina sofrem um aumento de 24% na fome e no apetite, levando-as a ingerir alimentos ricos em calorias e carboidratos, principalmente doces, salgadinhos e alimentos com amido.[10] E o que causa essa queda na leptina? Privação de sono.[11] Descobrimos muito a respeito dos hormônios apenas com estudos sobre o sono. Estes, por sua vez, nos deram informações a respeito do valor do sono na regulagem de nossos hormônios.

A leptina e a insulina têm, na verdade, muito em comum, embora tendam a ser antagônicas. Ambas são moléculas que favorecem as inflamações. A própria leptina é uma citocina anti-inflamatória, além de desempenhar um importante papel nos processos inflamatórios do corpo. Controla a criação de outras moléculas inflamatórias no tecido adiposo. E ajuda a explicar por que pessoas com sobrepeso ou obesas são suscetíveis a problemas inflamatórios, inclusive aqueles que aumentam substancialmente o risco de transtornos cerebrais, problemas de saúde mental e doenças degenerativas. Tanto a leptina quanto a insulina têm um posto alto na hierarquia da cadeia de comando do corpo. Por isso, desequilíbrios tendem a se tornar círculos viciosos, perturbando quase todos os sistemas do corpo, não apenas aqueles diretamente controlados por esses hormônios. Além disso, a leptina e a insulina sofrem influência negativa das mesmas coisas, e os maiores transgressores são os carboidratos. Quanto mais um carboidrato é refinado e processado, mais desregula os níveis saudáveis de leptina e insulina. Expliquei anteriormente como o abuso constante dos carboidratos sobre o bombeamento de insulina e o equilíbrio do açúcar no sangue acaba levando à resistência à insulina. O mesmo ocorre com a leptina. Quando o organismo está sobrecarregado e inundado de substâncias que causam elevações constantes da leptina, adivinhe: os receptores de leptina começam a ser desativados e você se torna resistente a ela. Eles param de ouvir a mensagem da leptina. Em termos simples, eles abrem mão do controle e seu corpo fica vulnerável a doenças e outras disfunções. Portanto, mesmo com a leptina elevada, ela não funciona — não sinaliza ao seu cérebro que você está satisfeito e pode parar de comer. E se você é incapaz de controlar o apetite, o risco de ganhar peso e ficar obeso é muito maior, o que aumenta o risco de transtornos cerebrais. Estudos mostraram que níveis elevados de triglicérides, outro resultado do excesso de carboidratos na dieta, causam resistência à leptina.[12]

Nenhum remédio e nenhum suplemento no planeta podem equilibrar os níveis de leptina. Mas um sono melhor, assim como escolhas alimentares melhores, sim.

## VOCÊ É RESISTENTE À LEPTINA?

É uma pergunta que temos que fazer a nós mesmos. Infelizmente, milhões de americanos podem ser considerados sócios remidos do clube dos resistentes à leptina. É quase garantido se você tem uma dieta rica em carboidratos e não dorme bem. O livro *The Rosedale Diet* [A dieta de Rosedale], de Ron Rosedale e Carol Colman, que trata de forma abrangente da leptina no controle do peso, enumera os sintomas, muitos dos quais ocorrem também na resistência à insulina:[13]

- excesso de peso

- cansaço após as refeições

- presença de "pneuzinhos"

- pressão arterial alta

- desejo constante pelos alimentos favoritos

- sensação constante de estresse e ansiedade

- fome permanente ou no meio da noite

- osteoporose

- incapacidade de perder ou manter o peso

- desejo constante de açúcar ou estimulantes, como a cafeína

- triglicérides de jejum alto, acima de 100 mg/dl — principalmente quando igual ou superior aos níveis de colesterol

- tendência a beliscar depois das refeições

- incapacidade de mudar a aparência do corpo, por mais exercícios que faça

Não entre em pânico se você tiver motivos para acreditar que é resistente à insulina. O programa descrito no capítulo 10 vai colocá-lo nos eixos.

O OUTRO LADO DA MOEDA: A GRELINA

Outro hormônio relacionado ao apetite, que eu preciso mencionar antes de seguir adiante, é a grelina. É o yin, a leptina é o yang. A grelina é liberada pelo estômago quando ele está vazio, aumentando o apetite. Envia ao cérebro a mensagem de que você precisa comer. Como é de se esperar, uma ruptura na dança da leptina com a grelina é inimiga de seus desejos alimentares, de sua sensação de saciedade, de sua capacidade de resistir às tentações na cozinha e de sua cintura. Em estudos sobre o sono com pessoas do sexo masculino, os níveis de grelina dispararam em resposta a um tempo de sono inadequado. Isso provocou um apetite maior e uma propensão a migrar para alimentos ricos em carboidratos e pobre em nutrientes, que, uma vez consumidos, se transformam facilmente em gordura. Quando os hormônios do apetite não se comportam de maneira normal, o cérebro basicamente se desconecta do estômago. Ele o engana, fazendo crer que se tem fome quando não é o caso, e reforça ainda mais um desejo quase irresistível por alimentos que perpetuam o círculo vicioso de formação de gordura. Esse ciclo, por sua vez, alimenta um ciclo ainda maior, que se autoalimenta e afeta o equilíbrio do açúcar no sangue, os processos inflamatórios e, evidentemente, o risco de transtornos e doenças cerebrais. Em outras palavras, se você não for capaz de controlar a fome e o apetite, tem boas chances de não conseguir administrar a química do sangue, o metabolismo, a cintura.

Durante a terceira semana do programa, eu pedirei a você que se concentre na obtenção de um sono rotineiramente de alta qualidade, de modo a obter o controle sobre os hormônios que têm a ver diretamente com o futuro de seu cérebro. E você não terá que buscar pílulas para dormir. O melhor sono, para o cérebro, é o que vem naturalmente.

PARTE III

# DIGA ADEUS AOS GRÃOS

Parabéns. Agora você já sabe mais que muitos médicos atuais a respeito dos hábitos de um cérebro altamente eficiente. Se você ainda não começou a mudar algumas coisas na sua vida com base naquilo que leu, agora é a sua chance. Nesta seção do livro, você seguirá um programa de quatro semanas, durante o qual mudará sua dieta, deixando de baseá-la em carboidratos, e reabilitará seu organismo, para atingir a saúde ideal. É nesse momento que você se sentirá vibrante, enérgico e mentalmente aguçado. Também é quando qualquer médico que examine seu sangue vai parabenizá-lo por ter um excelente controle da glicemia no sangue, dos marcadores de inflamações e até do nível de colesterol. É aonde todos sonhamos chegar, e está muito mais perto do que você imagina.

Alterar hábitos pessoais, ainda que pequenos, pode parecer insuportável no começo. Você se pergunta como evitar aquilo a que se acostumou. Vai sentir-se tolhido, ou com fome? Vai achar impossível manter para sempre o novo estilo de vida? Esse programa é factível, considerando o tempo disponível e os compromissos que você já assumiu? É possível chegar a um ponto em que seguir essas instruções se torna algo natural?

Este programa é a resposta. É uma estratégia simples e direta que tem o equilíbrio certo entre estrutura e adaptabilidade para você respeitar suas preferências pessoais e seu poder de escolha. Você completará meu programa de quatro semanas com os conhecimentos e a inspiração para permanecer num rumo saudável pelo resto da vida. Quanto mais você aderir às minhas recomendações, mais rapidamente constatará os resultados. Tenha em mente que este programa tem muitos benefícios, além dos físicos, que são óbvios. Uma saúde cerebral ideal (assim como uma cintura menor) deve ser a sua prioridade, mas a recompensa não para aí. Você verá alterações em todos os setores de sua vida. Vai se sentir mais confiante e com maior autoestima. Vai se sentir mais jovem e no comando da própria vida e do futuro. Será capaz de atravessar períodos de estresse com facilidade, terá motivação para manter-se ativo e relacionar-se com os outros e se sentirá mais realizado no trabalho e em casa. Em resumo, será mais feliz e mais produtivo. E o sucesso gerará mais sucesso. Quando sua vida se tornar mais enriquecida, mais plena e mais cheia de energia, como resultado do seu esforço, você não vai querer voltar ao estilo de vida antigo e insalubre. Eu sei que você é capaz. Você precisa, por você mesmo e por seus entes queridos. As compensações — e as consequências potencialmente desastrosas caso você não siga este conselho — são gigantescas.

# 10. Um novo modo de vida
## O *plano de ação de quatro semanas*

*Em casa, eu só sirvo comida cuja história eu conheço.*
Michael Pollan

Chegou a hora. Alguns de vocês podem estar em pânico, só pela ideia de abandonar os bem-amados carboidratos. Reconheço que, para algumas pessoas, deixar de lado o pão, os doces e a maior parte das sobremesas (entre outras coisas) será doloroso. É difícil mudar. E mudar hábitos há muito estabelecidos é ainda mais difícil. É comum que me perguntem logo de cara: "Mas que diabos eu vou comer?". Alguns se preocupam com a abstinência de açúcar e trigo, e com a vontade insaciável de ingerir carboidratos. Preveem fomes colossais, a que não serão capazes de resistir. Temem a reação do corpo a uma virada de 180 graus na dieta. E imaginam se é mesmo factível no mundo real, quando a expressão "força de vontade" não consta do próprio vocabulário. Bem, pessoal, antes de tudo me permitam dizer que sim: *tudo isso é possível*. Você só precisa dar o salto inicial e sentir os efeitos. Numa questão de dias, ou de duas ou três semanas, prevejo que você notará as ideias mais claras, o sono melhor, o ganho de energia. Você terá menos dores de cabeça, lidará sem esforço com o estresse e se sentirá mais alegre. Aqueles que sofrem de uma condição neurológica crônica, como TDAH, transtorno de ansiedade ou depressão poderão notar os sintomas diminuindo ou até desaparecendo. Com o tempo, você perderá peso, e exames de laboratório específicos mostrarão enormes progressos em diversas áreas de sua bioquímica. Se você pudesse examinar o próprio cérebro, vê-lo-ia funcionando na capacidade máxima.

É uma boa ideia marcar uma consulta com o médico a respeito do início deste programa, principalmente se você tiver algum problema de saúde, como o diabetes. Isso é importante caso você opte pelo jejum de um dia, descrito na página 245. Ao longo do próximo mês, você atingirá quatro metas importantes:

1. livrar seu corpo de uma dependência de carboidratos como combustível e adicionar suplementos bons para o cérebro a seu regime diário

2. incorporar uma rotina de exercícios a seu dia a dia, caso ainda não tenha

3. esforçar-se para obter um sono rotineiro e reparador sete dias por semana

4. estabelecer uma nova rotina e manter hábitos saudáveis pelo resto da vida

Subdividi o programa em quatro semanas, e cada uma é concentrada em uma dessas metas específicas. Nos dias que antecedem a primeira semana, você precisa pedir ao médico a realização de certos exames, que servirão como referência. Você também precisa aproveitar esse período para arrumar a cozinha, começar a ingerir suplementos, começar a se desfazer dos carboidratos e pensar num jejum de um dia para dar o pontapé inicial no programa.

Durante a primeira semana, "Foco na comida", você adotará meu planejamento de cardápio e executará minhas recomendações dietéticas.

Durante a segunda semana, "Foco nos exercícios", vou incentivá-lo a iniciar um programa físico regular e lhe dar ideias de como se movimentar o dia todo.

Na terceira semana, "Foco no sono", você voltará as atenções para seus hábitos de sono e seguirá algumas dicas simples para garantir a obtenção do melhor sono possível toda noite, inclusive nos fins de semana.

Durante a quarta semana, vou ajudá-lo a juntar todos os elementos deste programa e dotá-lo de estratégias para que esses hábitos novos sejam estabelecidos de forma permanente em sua vida. Não duvide da própria capacidade de ter êxito; projetei este programa para ser o mais prático e fácil possível de seguir.

## PRELÚDIO À PRIMEIRA SEMANA: PREPARE-SE

### DETERMINE SUA REFERÊNCIA INICIAL

Antes de iniciar meu programa dietético, se possível peça os seguintes exames de laboratório. Incluo abaixo os níveis considerados saudáveis.

| Exame | Níveis ideais |
|---|---|
| • glicemia de jejum | menos de 95 miligramas por decilitro (mg/dL) |
| • insulina de jejum | abaixo de 8 µIU/ml (de preferência abaixo de 3) |
| • hemoglobina A1C | 4,8% a 5,4% |
| • frutosamina | 188 a 223 µmol/L |
| • homocisteína | 8 µmol/L ou menos |
| • vitamina D | 80 ng/mL |
| • proteína C-reativa | 0,0 a 3,0 mg/L |
| • teste de sensibilidade ao glúten com teste Cyrex 3 | |

Ao término do programa de quatro semanas, esses exames de laboratório devem ser repetidos.

É preciso entender que pode levar várias semanas até que se note uma melhoria importante nesses parâmetros, principalmente a hemoglobina A1C, que costuma ser medida apenas a cada três ou quatro meses. Mas se você seguir este programa desde o primeiro dia, deve começar a perceber mudanças positivas nos seus níveis de glicemia e insulina depois de um mês, o que o motivará a seguir em frente.

O teste de frutosamina, que também é uma medida de proteínas glicadas e proporciona uma melhor compreensão do controle do açúcar médio no sangue, muda bastante rapidamente, em duas a três semanas, Por isso, mesmo que você não perceba uma alteração significativa na hemoglobina A1C, certamente terá uma alteração na frutosamina.

A homocisteína é uma substância química semelhante aos aminoácidos, hoje considerados bastante tóxicos para o cérebro; como indicado acima, o nível ideal de homocisteína deve ficar em torno de 8 μmol/L ou menos. Um nível de homocisteína de apenas 14 — valor excedido por muitos de meus pacientes na primeira consulta comigo — foi considerado pelo *New England Journal of Medicine* como associado a um risco duplicado de Alzheimer (qualquer nível de homocisteína acima de 10 μmol/L no sangue é considerado elevado). Em geral, é fácil melhorar os níveis de homocisteína. Muitos remédios conseguem inibir as vitaminas D e elevar a homocisteína, mas você pode corrigir esse nível por iniciativa própria, tomando suplementos com certas vitaminas do complexo B e ácido fólico. Costumo pedir aos pacientes com exames ruins de homocisteína que tomem 50 mg de vitamina B6, 800 μcg de ácido fólico e 500 μcg de vitamina B12 diariamente, e mando voltarem a fazer o exame cerca de três meses depois.

Não se assuste caso seu nível de vitamina D seja incrivelmente baixo. A maioria das pessoas sofre de deficiência desse nutriente. Como leva tempo para o organismo recuperar o nível de vitamina D com suplementos, você começará com 5000 ui de vitamina D uma vez por dia e fará um teste depois de dois meses. Se depois desse período seu nível estiver abaixo ou igual a 50 ng/mL, você tomará mais 5000 ui diárias e fará novo teste dois meses mais tarde. O que importa não é a dose, e sim o nível em seu corpo. O normal fica entre 30 e 100 ng/mL, mas é preferível não ficar no limite baixo, com 31. O ideal é atingir um nível em torno de 80 ng/mL. Isso representa o meio da chamada zona "normal". Peça a seu profissional de saúde que o ajude a ajustar a dose, de modo a atingir o nível ideal. Feito isso, uma dose diária de 2000 ui costuma ser suficiente para manter um nível saudável, mas peça recomendações específicas ao médico.

O nível ideal de proteína C-reativa, um marcador de inflamações no organismo, é inferior a 1,0 mg/L. A pcr pode levar meses para melhorar, mas você pode muito bem sentir mudanças positivas com apenas um mês de programa.

Por fim, eu recomendo fortemente que você peça o teste Cyrex 3, oferecido pela CyrexLabs. É o melhor teste no mercado para a sensibilidade ao glúten. Pela minha experiência, os testes comuns de laboratório para "doença celíaca" não são sensíveis o suficiente para revelar a sensibilidade ao glúten em todas as pessoas. Por isso, não perca tempo com eles.

COMECE A TOMAR SUPLEMENTOS

Você está iniciando um regime de suplementação diária para toda a vida. Todos os suplementos relacionados abaixo, com suas doses diárias recomendadas, podem ser encontrados nas lojas de suplementos, na maioria das farmácias e pela internet. Os probióticos devem ser tomados com o estômago vazio, mas os demais suplementos podem ser tomados com ou sem comida. Suplementos solúveis em água, como a cúrcuma e o resveratrol, são metabolizados de maneira bastante rápida. Por isso, é melhor tomar esses suplementos duas vezes por dia. A vitamina D e o dha são óleos. Por isso, tomá-los uma vez por dia é o suficiente. Para mais detalhes a respeito de cada um deles, volte ao capítulo 7.

Caso você tenha alguma dúvida a respeito da dose correta, em razão de problemas pessoais de saúde, peça ajuda a seu médico para fazer os ajustes adequados. Todas as doses listadas costumam ser ideais tanto para adultos quanto para crianças, mas peça a seu pediatra recomendações específicas, baseadas no peso da criança. Em meu consultório, por exemplo, costumo prescrever 100 mg de DHA para crianças de até 18 meses, e 200 mg diários a partir daí; para crianças com TDAH, porém, as doses são em geral mais elevadas — em torno de 400 mg diários.

| | |
|---|---|
| Ácido alfa-lipoico | 300 mg diários |
| Cúrcuma | 500 mg duas vezes por dia |
| DHA | 1.000 mg diários (obs.: não há mal em tomar DHA que vem combinado com EPA; opte por um suplemento de óleo de peixe ou escolha DHA derivado de algas marinhas) |
| Óleo de coco | Uma colher de chá diária, diretamente ou na comida |
| Probióticos | Uma cápsula, tomada com o estômago vazio, até três vezes ao dia; dê preferência a probióticos que contenham pelo menos 10 bilhões de culturas ativas, de pelo menos dez cepas diferentes, incluindo *lactobacillus acidophilus* e *bifidobacterium* |
| Resveratrol | 100 mg duas vezes por dia |
| Vitamina D | 5000 UI diárias |

ARRUME SUA COZINHA

Nos dias que antecedem sua nova forma de comer, é bom fazer uma lista do que você tem na cozinha e eliminar aquilo que não vai mais consumir. Comece se livrando do seguinte:

- Todas as fontes de glúten (veja a lista completa nas páginas 78-9), inclusive grãos e pães integrais, noodles, massas, doces, biscoitos e cereais.

- Todas as formas de carboidratos, açúcares e amidos processados: milho, inhame, batata, batata-doce, batata chips, docinhos, cookies, muffins, massa de pizza, bolos, donuts, barras energéticas, sorvete/iogurte frozen, geleias, ketchup, queijos processados de passar no pão, sucos, frutas secas, isotônicos, refrigerantes, alimentos fritos, mel, ágave, açúcar (branco e mascavo) e xarope de milho.

- Alimentos empacotados com o rótulo "sem gordura" ou "baixo teor de gordura" (a menos que sejam autenticamente "sem gordura" ou "baixo teor de gordura" e dentro do protocolo, como água, mostarda e vinagre balsâmico).

- Margarinas, cremes vegetais e qualquer marca comercial de óleo de cozinha (óleos de soja, milho, algodão, canola, amendoim, cártamo, grainha de uva, girassol, farelo de arroz e germe de trigo) — mesmo os orgânicos.

- Soja não fermentada (exemplos: tofu e leite de soja) e alimentos processados feitos com soja (procure "isolado de proteína de soja" na lista de ingredientes; evite queijo de soja, hambúrguer de soja, cachorro-quente de soja, nuggets de soja, sorvete de soja, iogurte de soja). Obs.: embora alguns molhos de soja fermentados naturalmente sejam tecnicamente sem glúten, muitas marcas comerciais contêm traços de glúten.

REABASTEÇA-SE

Os seguintes itens podem ser consumidos de forma livre (sempre que possível, dê preferência a produtos orgânicos e integrais; aqueles submetidos a congelamento instantâneo também são bons).

- Gorduras saudáveis: azeite de oliva extravirgem, óleo de gergelim, óleo de coco, banha de animais alimentados no pasto e manteiga de animais alimentados com pasto ou orgânicos, manteiga clarificada (*ghee*), leite de amêndoas, abacates, cocos, azeitonas, nozes e manteiga de karité, queijo (exceto os azuis) e sementes (linhaça, girassol, abóbora, gergelim, chia.

- Proteínas: ovos inteiros; peixes selvagens (salmão, peixe-carvão, dourado-do-mar, garoupa, arenque, truta, sardinha), mariscos e moluscos (camarão, caranguejo, lagosta, mexilhão, amêijoa, ostra); carne de animais alimentados no pasto, aves e carne de porco (carne de boi, cordeiro, bisão, frango, peru, pato, avestruz, vitela); carne de caça.

- Vegetais: salada verde e alface, couve, espinafre, brócolis, acelga, repolho, cebola, cogumelos, couve-flor, couve-de-bruxelas, alcachofra, broto de alfafa, vagem, aipo, couve chinesa, rabanete, agrião, nabo, aspargo, alho, alho-poró, funcho, chalota, cebolinha, nabo mexicano, salsinha, castanheiro de água.

- Frutas e legumes com pouco açúcar: abacate, pimentão, pepino, tomate, abobrinha, abóbora, berinjela, limão, lima.

- Ervas, temperos e condimentos: neste pormenor você tem ampla escolha, desde que preste atenção nos rótulos. Diga adeus ao ketchup e ao chutney, mas aproveite a mostarda, a raiz-forte, a tapenade e a salsa, desde que sem glúten, trigo, soja e açúcar. Não há qualquer restrição a ervas e temperos; tome cuidado com os produtos industrializados, porém, que vêm de indústrias que processam trigo e soja.

Os produtos abaixo podem ser consumidos com moderação (por "moderação" entenda-se comer pequenas quantidades desses ingredientes uma vez por dia ou, melhor ainda, apenas duas ou três vezes por semana):

- Grãos sem glúten: amaranto, trigo mourisco, arroz (integral, branco, arbóreo), milheto, quinoa, sorgo, painço (uma observação sobre a aveia: embora ela não contenha glúten naturalmente, sofre muitas vezes contaminação de glúten, por ser processada em fábricas que também mexem com trigo; evite-a, a menos que venha com garantia de não conter glúten). Quando grãos sem glúten são processados para consumo humano (por exemplo, a moagem de aveia integral e a preparação do arroz para o empacotamento), a estrutura física desses grãos é alterada, e isso aumenta o risco de reações inflamatórias. Por essa razão, limitamos o consumo desses alimentos.

- Legumes (feijões, lentilhas, ervilhas). Exceção: o homus (feito de grão de bico) não tem restrição.

- Cenoura e chirívia.

- Frutos doces integrais: as frutas vermelhas são as ideais; cuidado com frutas açucaradas, como o pêssego, a manga, o melão, o mamão, as ameixas e o abacaxi.

- Leite de vaca e nata: use-os parcimoniosamente em receitas, no café e no chá.

- Queijo cottage, iogurte e kefir: use parcimoniosamente em receitas ou como cobertura.

- Adoçantes: estévia natural e chocolate (dê preferência ao chocolate amargo com pelo menos 70% de cacau).

- Vinho: uma taça por dia, se desejar, de preferência tinto.

FELIZ ANO "OVO"

Sinto-me na obrigação de falar bem dos ovos, um dos alimentos mais falsamente acusados do mundo contemporâneo. De início, queria reafirmar dois fatos importantes, mas pouco lembrados: 1. Em inúmeras oportunidades, os cientistas fracassaram ao tentar relacionar as gorduras de origem alimentar (isto é, as gorduras saturadas) e o colesterol tanto aos níveis de colesterol sérico quanto ao risco de doenças cardíacas coronarianas. A crença de que o colesterol que ingerimos se converte diretamente em colesterol no sangue é inequivocamente falsa. 2. Quando os pesquisadores comparam os níveis de colesterol sérico à ingestão de ovos, observam o tempo todo que os níveis de colesterol naqueles que consomem poucos ovos, ou ovo algum, são virtualmente idênticos aos das pessoas que consomem uma enorme quantidade de ovos. Lembre-se de que, ao contrário do que diz o senso comum, o colesterol dietético na verdade reduz a produção de colesterol no organismo, e mais de 80% do colesterol no organismo medido no exame de colesterol é, na verdade, produzido pelo seu fígado.

Citando os autores de um estudo de referência de pesquisadores britânicos:

> O falso conceito popular, de que os ovos são ruins para o colesterol sanguíneo e, portanto, ruins para o coração, persiste entre muitas pessoas e ainda continua a influenciar os conselhos de alguns profissionais de saúde. O mito persiste, apesar de fortes evidências mostrando que os efeitos de alimentos ricos em colesterol sobre o colesterol no sangue são reduzidos e clinicamente insignificantes.[1]

A recomendação errônea, mas poderosa, de restringir os ovos, que partiu inicialmente dos EUA nos anos 1970, infelizmente está na praça há muito tempo. Inúmeros estudos confirmaram o valor dos ovos, possivelmente o alimento mais perfeito do mundo; e a gema é a parte mais nutritiva.[2] Na verdade, um estudo recente, de 2013, de pesquisadores da Universidade de Connecticut demonstrou que entre os que seguem uma dieta pobre em carboidratos, ingerir ovos inteiros — mesmo diariamente — melhorou a sensibilidade à insulina e outros parâmetros de risco cardiovascular.[3] Além do colesterol saudável, ovos inteiros contêm todos os aminoácidos de que necessitamos, vitaminas e minerais, além de antioxidantes que sabidamente protegem nossos olhos — tudo pelo baixíssimo preço de setenta calorias cada. Além disso, eles contêm uma ampla quantidade de colina, substância particularmente importante no auxílio às funções cerebrais, assim como à gravidez. Tremo quando vejo um cardápio que oferece omelete só de clara.

Você vai ver que eu recomendo muito ovo nesta dieta. Por favor, não tenha medo dele. O ovo pode ser a melhor forma de iniciar seu dia e dar o tom para o equilíbrio do açúcar no sangue. Você também pode fazer muitas coisas com ovo. Mexidos, fritos, poché, cozidos, ou usados em pratos, os ovos estão entre os ingredientes mais versáteis. Ferva uma dúzia de ovos no domingo à noite e eles servirão de café da manhã para a semana inteira.

## O JEJUM OPCIONAL

O ideal é começar a primeira semana depois de um dia inteiro de jejum. Jejuar é uma excelente forma de estabelecer as bases e acelerar a passagem de seu organismo para a queima de gordura como combustível e para a produção de substâncias bioquímicas com efeitos favoráveis impressionantes sobre o corpo e o cérebro. Para muitos, facilita jejuar no domingo (depois do jantar de sábado) e iniciar o programa de dieta na manhã de segunda.

O protocolo do jejum é simples: não comer nada, mas beber bastante água num período de 24 horas. Evite também a cafeína. Se você está tomando remédios, não deixe de tomá-los de forma alguma (se você toma remédios para o diabetes, por favor, consulte antes seu médico). Se a ideia de jejuar for muito dura para você, simplesmente deixe de lado os carboidratos por alguns dias, enquanto prepara sua cozinha. Quanto mais seu corpo for viciado em carboidratos, mais difícil será. Prefiro que meus pacientes tenham crises de abstinência quando se trata de parar com o glúten. Por isso, faça o melhor possível para eliminar inteiramente as fontes de glúten e corte os demais carboidratos. Aqueles cujo organismo não é dependente de carboidratos conseguem jejuar por períodos mais longos, às vezes por mais de um dia. Se você tiver estabelecido essa dieta pelo resto da vida e quiser jejuar para aumentar os benefícios, tente um jejum de 72 horas (supondo que você já se consultou com o médico, caso tenha alguma condição de saúde relevante). Eu recomendo que se façam pelo menos quatro jejuns anuais; jejuar na mudança de estação (por exemplo, na última semana de setembro, dezembro, março e junho) é um costume ótimo.

## PRIMEIRA SEMANA: FOCO NA COMIDA

Agora que sua cozinha está organizada, é hora de se acostumar a preparar as refeições empregando esse novo conjunto de instruções. No próximo capítulo, você encontrará um planejamento diário para o cardápio da primeira semana, que servirá como modelo para o planejamento das refeições nas três semanas restantes. Ao contrário de outras dietas, esta não lhe pedirá para contar calorias, limitar a ingestão de gorduras ou se preocupar com o tamanho das porções. Confio que você sabe a diferença entre um prato extragrande e uma quantidade normal. E nem vou lhe pedir para se preocupar em verificar quanta gordura saturada ou insaturada está ingerindo.

A boa notícia em relação a este tipo de dieta é ela ser em grande parte "autorregulada" — você não vai surpreender a si mesmo comendo demais e terá uma sensação de saciedade durante várias horas, antes de sentir a necessidade de outra refeição. Quando seu corpo depende majoritariamente de carboidratos, é guiado pela montanha-russa glicose-insulina, que provoca uma fome intensa quando o açúcar no sangue cai, seguida por uma saciedade de vida curta. Mas uma dieta pobre em carboidratos e rica em gordura terá o efeito inverso. Eliminará os desejos e prevenirá o cansaço mental de fim de tarde que ocorre muitas vezes nas dietas baseadas em carboidratos. Isso lhe possibilitará automaticamente controlar as calorias (mesmo sem pensar), queimar mais gordura e deixar de comer desnecessariamente (isto é, as quinhentas calorias extras que tantas pessoas ingerem inconscientemente para sustentar o caos do açúcar no sangue), melhorando sem esforço o desempenho mental. Diga adeus à sensação de mau humor, confusão, preguiça e cansaço durante o dia. E diga oi a seu eu inteiramente novo.

A única diferença entre este mês e os próximos é que, agora, sua meta é a menor quantidade possível de carboidratos. É fundamental reduzir a ingestão de carboidratos a apenas *trinta ou quarenta gramas por dia, durante quatro semanas*. Depois disso, você pode aumentar a ingestão de carboidratos para sessenta gramas diários. Adicionar mais carboidratos à dieta, depois das primeiras quatro semanas, não significa que você possa voltar a comer massas e pão. O que você vai fazer é simplesmente aumentar o número de itens da lista de "moderados", como frutas *in natura*, grãos sem glúten e legumes. Se você seguir as ideias de cardápio e as receitas deste livro, logo vai adquirir uma percepção daquilo a que se assemelha uma refeição pobre em carboidratos.

E quanto à ingestão de fibras? Muitas pessoas temem que limitar todos os pães e derivados de trigo "ricos em fibras" causará uma perda drástica de fibras importantes. Não é verdade. Quando você substitui os carboidratos de trigo por carboidratos de castanhas e vegetais, sua ingestão de fibras aumenta. Você obtém sua cota de vitaminas e nutrientes essenciais, que provavelmente também já lhe faltavam.

Você pode achar de grande valia manter um diário alimentar durante todo o programa. Tome nota das receitas de que gosta e dos alimentos que você acha que ainda podem lhe causar dificuldades (por exemplo, caso você sinta sintomas como incômodo estomacal ou dor de cabeça toda vez que ingere sementes de gergelim). Algumas pessoas são sensíveis a alguns alimentos incluídos nesta dieta. Por exemplo, cerca de 50% dos intolerantes a glúten também o são ao leite. Surpreendentemente, pesquisadores também estão descobrindo que o café tende a ter uma reação cruzada com o glúten. Caso depois de iniciar esta dieta você sinta algo errado, faça outro teste de laboratório, que pode ajudar a descobrir quais comidas, no seu caso, reagem com o glúten. O teste pode identificar reações aos seguintes produtos:

| | | |
|---|---|---|
| amaranto | levedura | sorgo |
| arroz | milheto | tapioca |
| aveia | ovos | trigo sarraceno |
| café | painço | whey protein |
| cânhamo | quinoa | (proteína do soro de leite) |
| espelta | sésamo | |
| laticínios | soja | |

Recomendo que você evite comer fora durante as três primeiras semanas do programa, de modo a concentrar-se em aprender o protocolo dietético. Isso vai prepará-lo para o dia em que for realmente comer fora de casa e tiver que fazer o pedido certo (ver páginas 257-8). As três primeiras semanas também vão eliminar seus desejos, resultando em menos tentações ao ler um cardápio repleto de carboidratos.

Durante a primeira semana, concentre-se em dominar seus novos hábitos alimentares. Você pode usar minhas receitas, inclusive a minha amostra de planejamento de refeições de sete dias, ou se arriscar por conta própria desde que consiga se ater às recomendações. Criei uma lista simples de ideias subdivididas por tipo de refeição (isto é, café da manhã, almoço ou jantar, sopas, saladas etc.), para que você possa fazer suas opções. Cada refeição deve conter uma fonte de gorduras e proteínas saudáveis. Você pode, basicamente, comer os vegetais que bem entender, à exceção de milho, batata, cenoura e chirívia. Se você seguir o planejamento da primeira semana, configurar suas próprias refeições no futuro será moleza.

## SEGUNDA SEMANA: FOCO NOS EXERCÍCIOS

Busque envolver-se em atividades físicas aeróbicas, se já não o faz, por pelo menos vinte minutos diários. Empregue esta semana para estabelecer uma rotina agradável, que eleve seus batimentos cardíacos em pelo menos 50% em relação ao valor de base. Lembre-se, você está criando hábitos novos para o resto da vida, e não é bom se desgastar facilmente. Mas também não é bom sentir um conforto excessivo e evitar desafiar o próprio corpo de uma maneira que melhore a saúde e aumente a longevidade do cérebro.

Para colher os benefícios do exercício, estabeleça a meta de suar uma vez por dia e force seu pulmão e seu coração a trabalhar um pouco mais. Lembre-se, além de todos os benefícios cardiovasculares e de controle de peso que os exercícios trazem, há estudos que mostram que quem se exercita regularmente, pratica esportes ou apenas faz várias caminhadas por semana protege o cérebro contra o encolhimento. Também minimiza a chance de se tornar obeso e diabético — dois grandes fatores de risco para doenças cerebrais.

Se você tem um estilo de vida sedentário, simplesmente comece com uma caminhada diária de vinte minutos e vá aumentando o tempo à medida que se acostuma com a rotina. Você também pode aumentar a intensidade desse exercício ampliando a velocidade ou subindo ladeiras. Ou leve um peso de dois quilos em cada mão e faça exercícios para os bíceps enquanto caminha.

Aqueles que já seguem um programa de condicionamento físico podem tentar aumentar o esforço para um mínimo de trinta minutos diários, pelo menos cinco vezes por semana. Esta também pode ser a semana de tentar algo diferente, como entrar em uma aula coletiva na academia ou tirar a poeira da bicicleta velha na garagem. Hoje em dia, há oportunidades de se exercitar em toda parte, além das academias tradicionais. Portanto, não há desculpa. Você pode até procurar vídeos na internet e exercitar-se no conforto de sua casa. Pouco importa a atividade que você escolher. Basta escolher!

O exercício ideal e abrangente deve incluir uma mistura de treinamento cardiovascular, de força e alongamento. Mas se você estiver começando do zero, principie pelo cardiovascular e, com o tempo, acrescente o treinamento de força e o alongamento. O treinamento de força pode ser feito com o equipamento clássico de academia, halteres ou o peso do próprio corpo, em aulas voltadas para esse tipo de atividade, como ioga e pilates. Essas aulas costumam incluir muito alongamento, também, mas você não precisa de uma aula para treinar sua flexibilidade. Você pode realizar diversos exercícios de alongamento por conta própria, até mesmo na frente da televisão.

Tendo estabelecido uma rotina regular de exercícios, você pode definir o horário semanal para cada tipo de exercício. Por exemplo, uma aula de bicicleta ergométrica de uma hora toda segunda, quarta e sexta; e uma aula de ioga às terças e quintas. No sábado, uma caminhada com os amigos ou algumas voltas na piscina, e descanso no domingo. Para a atividade física, eu recomendo a adoção de um calendário e de horários definidos.

Se durante o seu dia não há absolutamente tempo algum que possa ser dedicado a um momento contínuo de exercícios formais, pense em maneiras de enfiar alguns minutos adicionais de atividade física durante o dia. Todas as pesquisas indicam que três séries de exercício de dez minutos podem render os mesmos benefícios para a saúde que uma única malhação de trinta minutos. Por isso, se em determinado dia o tempo estiver curto, simplesmente subdivida sua rotina em pedaços menores. E crie maneiras de combinar os exercícios com outras tarefas. Por exemplo, faça uma reunião caminhando com um colega de trabalho, ou assista à televisão enquanto realiza uma série de exercícios de alongamento no chão. Se possível, limite os minutos que você passa sentado. Quando puder, fale ao telefone enquanto caminha, usando um fone de ouvido. Suba de escada, em vez de pegar o elevador, e estacione longe da porta do seu prédio. Quanto mais você se movimentar ao longo do dia, mais seu cérebro tem a ganhar.

## TERCEIRA SEMANA: FOCO NO SONO

Além de dar continuidade à nova dieta e rotina de exercícios, utilize esta semana para concentrar-se na higiene do sono. Agora que você já segue o protocolo há duas semanas, seu sono deve ter melhorado. Se você dorme menos de seis horas por noite, pode começar simplesmente aumentando esse período para pelo menos sete horas.

Esse é o mínimo necessário para ter níveis normais e saudáveis de hormônios flutuantes no corpo.

Para certificar-se de estar fazendo tudo a seu alcance para maximizar um sono reparador e de alta qualidade, seguem algumas dicas para garantir uma boa noite de sono:

1. **Mantenha hábitos de sono regulares**: Os especialistas na medicina do sono gostam de dar a isso o nome de "higiene do sono" — a forma pela qual garantimos um sono restaurador todas as noites. Vá para a cama e acorde mais ou menos no mesmo horário sete dias por semana, 365 dias do ano. Mantenha uma rotina consistente na hora de ir para cama; ela pode incluir uma redução do ritmo, escovar os dentes, tomar um banho morno, um chá de ervas, o que quer que ajude você a desacelerar e avisar ao corpo que está na hora de dormir. Fazemos isso com nossos filhos pequenos, mas é comum nos esquecermos dos nossos próprios rituais de repouso. Eles fazem milagres nos ajudando a preparar o sono.

2. **Identifique e cuide dos elementos nocivos ao sono**: Pode haver uma série deles, de medicamentos a cafeína, álcool e nicotina. Tanto a cafeína quanto a nicotina são estimulantes. Quem ainda fuma deve adotar um plano para parar, pois o simples fato de fumar aumenta o risco de tudo, do ponto de vista médico. Quanto à cafeína, tente evitá-la depois das duas da tarde. Isso dará a seu corpo tempo para processar a cafeína, de modo a não causar impacto no sono. Algumas pessoas, porém, são particularmente sensíveis à cafeína. Por isso, talvez você prefira antecipar esse limite para o meio-dia, ou adotar bebidas menos cafeinadas, como o chá. Pergunte a seu médico ou farmacêutico sobre medicamentos que você tome rotineiramente e quaisquer repercussões que possam ter sobre o sono. Saiba que vários remédios do balcão da farmácia também podem conter ingredientes que perturbam o sono. Remédios populares para a dor de cabeça, por exemplo, podem conter cafeína. O álcool, embora crie um efeito sedativo logo depois do consumo, pode perturbar o sono enquanto é processado pelo corpo; uma das enzimas usadas para decompor o álcool tem efeito estimu-

lante. O álcool também causa a liberação de adrenalina e perturba a produção de serotonina, importante substância química do cérebro que dá início ao sono.

3. **Ajuste o horário do jantar:** Ninguém gosta de ir para a cama com estômago cheio ou vazio. Encontre seu ponto ideal, deixando aproximadamente três horas entre o jantar e a hora de dormir. Também se informe sobre os ingredientes dos alimentos que possam ser difíceis de digerir antes de ir para a cama. Tudo será diferente nesse quesito.

4. **Não coma de maneira errática:** Alimente-se em horários regulares. Isso controlará seus hormônios do apetite. Retardar demais uma refeição desequilibra os hormônios, atuando sobre o sistema nervoso, o que pode afetar o sono mais tarde.

5. **Experimente fazer uma boquinha na hora de dormir:** A hipoglicemia noturna (nível baixo de glicose no sangue à noite) pode provocar insônia. Se seu açúcar no sangue cair demais, ocorre a liberação de hormônios que estimulam o cérebro, mandando você comer. Tente fazer uma boquinha noturna para evitar uma tragédia na madrugada. Dê preferência a alimentos ricos no aminoácido triptofano, que é um promotor natural do sono. Entre os alimentos ricos em triptofano se encontram: queijo cottage, peru, frango, ovos e castanhas (sobretudo amêndoas). Cuidado com a porção, porém. Um punhado de castanhas basta. Nada de devorar uma omelete com peru logo antes de deitar-se. Use o bom senso.

6. **Cuidado com os estimulantes disfarçados:** Você já sabe que o café comum mantém alerta. Mas hoje em dia é fácil encontrar produtos cheios de cafeína. Se você seguir meu programa dietético, dificilmente vai cruzar com eles. Além disso, certos compostos alimentares, como colorantes, sabores artificiais e carboidratos refinados podem *atuar* como estimulantes. Portanto, evite-os da mesma forma.

7. **Arme o cenário**: Não causa surpresa saber que não é uma boa ideia manter no quarto aparelhos eletrônicos que estimulam os olhos e o cérebro. Mas a maioria das pessoas quebra esta regra, que é das mais básicas. Tente conservar seu quarto como um santuário silencioso e pacífico, livre de aparelhos que despertam (por exemplo, televisores, computadores, telefones etc.), assim como luzes fortes. Invista numa cama confortável, com lençóis macios. Instale luzes suaves. Crie um ambiente propício ao sono (e ao sexo, a propósito, que também pode predispor ao sono, mas isso já é outra história).

8. **Use remédios para dormir com prudência**: Ocasionalmente, eles não vão matá-lo. Mas o uso crônico pode se tornar um problema. O objetivo é chegar a um sono profundo rotineiro sem ajuda extra. E não estou me referindo a protetores de ouvido ou máscaras para os olhos, que eu aprovo como auxílios ao sono; refiro-me aos remédios de balcão de farmácia ou receita médica que induzem o sono. Os exemplos incluem fórmulas de automedicação, que incluem anti-histamínicos sedativos, como a difenidramina e a doxilamina. Mesmo que se diga que não são viciantes, podem mesmo assim criar uma dependência psicológica. É melhor regular o sono naturalmente.

UMA NOTA SOBRE ACESSÓRIOS DE BANHEIRO
E PRODUTOS DE BELEZA

Além de concentrar-se no sono, durante a terceira semana você deve rever os produtos do seu banheiro. O glúten tem tendência a se infiltrar em diversos produtos comerciais e pode acabar indo parar involuntariamente em nosso organismo se utilizarmos esses produtos na pele — o maior órgão do corpo. Por isso, preste atenção nos produtos de beleza e maquiagem que você usa regularmente, incluindo xampus, condicionadores e outros produtos para os cabelos. Talvez você queira procurar novas marcas, que oferecem produtos sem glúten.

## QUARTA SEMANA: JUNTANDO TUDO

A esta altura você já deve estar no ritmo de um novo modo de vida e sentindo-se muito melhor do que três semanas antes. Você é capaz de apontar a diferença entre um alimento maléfico e opções mais saudáveis. Seu sono melhorou e você estabeleceu uma rotina regular de exercícios. E agora?

Não entre em pânico se você ainda não sente ter mudado totalmente. A maioria de nós tem algum ponto fraco na vida, que exige atenção especial. Talvez você seja do tipo que tem dificuldade de ir para a cama às dez toda noite, ou talvez seu calcanhar de aquiles seja encontrar tempo para malhar na maior parte da semana, ou evitar a *junk food* tão fácil de encontrar no horário de trabalho. Use esta semana para encontrar um novo ritmo em sua nova rotina. Identifique áreas da sua vida em que você tenha mais dificuldade de seguir este programa e veja o que pode fazer para corrigir isso. Algumas dicas podem lhe ser úteis:

• **Planeje com antecedência cada semana:** É bom reservar alguns minutos no fim de semana para planejar sua semana seguinte, levando em consideração sua agenda e seus compromissos. Preveja os dias mais atribulados, em que será mais difícil encontrar tempo para se exercitar, e tente encaixar um intervalo na sua agenda. Bloqueie o horário do sono de cada noite e faça o possível para ir deitar-se sempre no mesmo horário, de maneira religiosa. Mapeie a maior parte de suas refeições na semana, principalmente o almoço e o jantar. Em relação ao café da manhã, temos tendência a seguir mais a rotina, mas podemos ser vítimas de decisões de última hora quanto ao almoço, no horário de trabalho, assim como ao jantar, quando chegamos famintos em casa. Fique atento a esses dias em que você sabe que vai chegar em casa tarde e não terá energia para cozinhar. Tenha um plano B (no próximo capítulo, eu lhe darei várias ideias de como lidar com refeições fora de casa e com aqueles momentos em que você precisa de alguma coisinha para enganar o estômago antes de comer uma refeição completa).

• **Prepare listas de compras**: Quer você faça compras todo dia ou só uma vez por semana, é bom ter uma lista à mão. Isso o ajudará a ser mais eficiente e evitar as compras impulsivas. Também elimina muitas dúvidas, no mercado, pensando no que vale a pena comprar, preparar e comer. No geral, procure ater-se àquelas prateleiras do mercado que vendem os produtos mais naturais. Evite os corredores do meio, abarrotados de alimentos processados e empacotados. Não vá às compras com fome: se o fizer, tenderá a ser atraído por alimentos danosos, do tipo açucarado ou salgado. Lembre-se que ingredientes frescos não durarão mais que três ou cinco dias, a menos que você os congele. Uma visita a um atacado, uma vez por mês, pode ser útil se você tiver uma família maior e espaço extra no congelador para grandes quantidades de carne, aves e vegetais congelados.

• **Fixe algumas metas inegociáveis**: Se você está decidido a ir à feira do bairro na quinta de manhã, anote isso no seu calendário e não abra mão. Se você sonha em fazer uma aula no novo estúdio de ioga que abriu no quarteirão, reserve um horário e faça acontecer. Criar metas inegociáveis o ajudará a driblar aquelas desculpas que sempre aparecem quando se tem preguiça ou surgem outros compromissos. Também é uma excelente maneira de blindar seus pontos fracos. Estabeleça claramente suas prioridades, defina o rumo da semana e não arrede pé!

• **Use a tecnologia**: Nós a usamos diariamente para facilitar nossas vidas. Então por que não nos aproveitarmos dos recursos da internet e dos aplicativos de alta tecnologia que podem nos ajudar a cumprir nossas metas e nos mantermos sintonizados com nós mesmos? O mercado de aplicativos de autoacompanhamento, por exemplo, disparou nos últimos anos. Existem aparelhos elegantes para monitorar quantos passos você dá por dia, se dormiu bem na noite passada, e até a velocidade com que come. Alguns deles funcionam em smartphones, enquanto outros exigem um aparelho de verdade, como um acelerômetro, que monitora seus movimentos durante o dia. O.k., não são ferramentas para todo mundo, mas você pode encontrar alguns programas que no fim das contas o auxiliem a manter um estilo de vida saudável. Procure algumas ideias no site <www.drperlmutter.com>, clicando na opção "Resources". Ali você também encontrará uma lista de aplicativos que o ajudarão a maximizar os dados deste livro, bem como almanaques alimentares que dão informações sobre ingredientes em alimentos comuns e links de serviços de saúde que podem ajudá-lo a controlar seus hábitos. O Google Calendar, por exemplo, pode ser usado como um aplicativo abrangente para o acompanhamento pessoal. Se funciona para você, use.

• **Seja flexível, mas constante**: Não precisa se autoflagelar caso fuja do programa momentaneamente. Somos todos humanos. Você pode ter tido um dia ruim e de repente se vê pulando a academia para passar a noite com os amigos em um restaurante onde praticamente tudo que é oferecido foge do seu cardápio. Ou talvez sejam as férias, em que alguns caprichos são inevitáveis. Enquanto você puder voltar à linha assim que der, tudo bem. Mas não deixe um pequeno escorregão tirá-lo do caminho para sempre. Para isso, lembre-se de buscar constância em seus hábitos diários. Consistência não é sinônimo de rigidez. É uma questão de comer e se exercitar de uma forma que lhe seja boa sem lhe dar a sensação de estar chegando a extremos ou se forçando a fazer algo de que não gosta. Encontrar sua própria versão pessoal de consistência é a chave do sucesso. Você vai descobrir o que funciona melhor para você e o que não. Então você poderá adaptar este programa à sua vida, com base nestas linhas gerais, e mantê-lo de forma consistente.

• **Busque motivadores**: Isso às vezes ajuda. Por motivador entende-se qualquer coisa, do desejo de correr a prova de dez quilômetros da sua cidade à viagem dos sonhos com seus filhos ao Monte Kilimanjaro. Quem resolve concentrar-se na própria saúde costuma fazê-lo por razões específicas, como "Quero mais energia", "Quero viver mais tempo", "Quero perder peso" e "Não quero morrer igual à minha mãe". Tenha em vista o quadro mais amplo. Isso não apenas o ajudará a manter um estilo de vida saudável, mas também a entrar de novo nos eixos depois de uma fugida ocasional. Progredir às vezes é melhor que atingir a perfeição.

A agenda diária de cada um será diferente, mas deve haver padrões. Abaixo, uma amostra daquilo a que um dia pode se assemelhar:

| | |
|---|---|
| Acordar e levar o cachorro para passear | 6h30 |
| Café da manhã | 7h |
| Lanche | 10h |
| Almoço (no escritório) | 12h30 |
| Caminhada de 20 minutos | 13h |
| Lanche | 16h |
| Academia | 17h45 |
| Jantar | 19h |
| Passeio com o cachorro | 19h30 |
| Hora de dormir | 22h30 |

## COMENDO FORA DE CASA

Mais para o final da quarta semana, tente cumprir a meta de ser capaz de comer em qualquer lugar. A maioria de nós come fora várias vezes por semana, principalmente quando estamos trabalhando. É praticamente impossível planejar e preparar toda e qualquer refeição e lanche que fazemos. Por isso, é preciso estabelecer a meta de lidar com outros cardápios. Tente voltar a seus restaurantes favoritos e fazer um pedido a partir do cardápio, sem sair deste programa. Se achar difícil demais, talvez seja o caso de testar novos restaurantes, que atendam suas necessidades. Não é tão difícil adaptar-se a qualquer cardápio, desde que se esteja seguro em relação às próprias escolhas. Peixes assados com vegetais no vapor costumam ser uma opção segura (evite as batatas, as frituras e a cesta de pãezinhos, e peça uma salada com azeite de oliva e vinagre como entrada). Atenção aos pratos mais elaborados, que contêm ingredientes múltiplos. Se tiver dúvida, peça informação sobre os pratos.

Em geral, deve-se evitar comer fora porque é impossível eliminar todas as fontes de ingredientes nocivos. Na maioria dos dias da semana, atenha-se ao consumo dos alimentos que você mesmo prepara. Tenha à mão coisas para beliscar, para não se deparar com a fome em frente à loja de conveniência do posto de gasolina. No próximo capítulo apresentamos várias ideias de lanchinhos, muitas delas fáceis de carregar e que não estragam. Assim que você pegar esse jeito de comer, tente voltar às antigas receitas e alterá-las para que se encaixem em minhas recomendações. Você ficará surpreso ao constatar como pequenas experiências na cozinha podem transformar um prato clássico, cheio de glúten e ingredientes inflamatórios, numa refeição igualmente deliciosa, mas amigável para o cérebro. Em vez de farinha comum ou trigo, experimente farinha de coco, ou refeições com castanhas, como amêndoas e linhaça; em vez de açúcar, adoce sua receita com estévia ou frutas *in natura*; e em vez de cozinhar com óleos vegetais processados, fique com a boa e velha manteiga ou o azeite de oliva extravirgem.

E quando você se vir diante de uma tentação (a caixa de *donuts* no trabalho ou o bolo de aniversário de um amigo), lembre-se de que terá que compensar de alguma forma esses caprichos. Esteja disposto a aceitar essa consequência, caso não tenha força de dizer não. Mas tenha em mente que um modo de vida livre do glúten e dos carboidratos em excesso é, na minha opinião, o mais pleno e gratificante que existe. Aproveite.


UM NÚMERO DE EQUILIBRISTA

Assim como ocorre com tantas coisas, descobrir e estabelecer novos hábitos é como um número de equilibrista. Mesmo depois de mudar os hábitos físicos e alimentares, e alterar a forma de comprar, cozinhar e pedir comida, ainda haverá momentos em que os antigos hábitos ressurgirão. Minha expectativa não é que você nunca mais coma uma fatia crocante de pizza ou uma pilha de panquecas quentinhas na vida, e sim que você permaneça atento às necessidades reais de seu corpo, agora que dispõe de conhecimento, e desfrute dessa recém-adquirida sensibilidade todos os dias, da melhor forma possível.

Muitas pessoas puseram em prática, na dieta, o famoso princípio dos 80/20 — coma de forma saudável 80% do tempo e reserve os outros 20% para caprichos. Mas alguns de nós estão fazendo exatamente o contrário! É fácil demais permitir que um capricho ocasional se torne um hábito diário, como tomar sorvete várias vezes por semana. É preciso lembrar que sempre há uma desculpa para não cuidar bem de si mesmo. Temos que ir a festas e casamentos. Temos o trabalho, que nos deixa estressados e sem energia, tempo e cabeça para preparar uma comida saudável, fazer exercícios e dormir bem. Assim é a vida, e não há problema em aceitar algumas concessões. Mas tente cumprir uma regra 90/10. Noventa por cento do tempo, alimente-se seguindo estas instruções, e deixe os outros 10% por conta da vida, como é inevitável. E toda vez que sentir que se afastou demais dos trilhos, aperte o botão "reiniciar". Uma maneira de fazer isso é jejuar por um dia e adotar de novo, durante quatro semanas, a restrição a trinta ou quarenta gramas diários de carboidrato. Este programa pode ser sua salvação na direção de uma vida mais saudável, dentro da visão que você tiver para si mesmo — e seu cérebro.

A vida é uma sequência interminável de escolhas. *Deste jeito ou daquele? Agora ou depois? Casaco vermelho ou verde? Sanduíche ou salada?* O objetivo deste livro foi ajudá-lo a tomar decisões melhores, que permitam que você venha a viver com plenitude. Minha esperança é ter lhe dado várias ideias, que pelo menos comecem a fazer alguma diferença em sua vida. Eu me dou conta, diariamente em meu consultório, de como a boa saúde — e a acuidade mental — fazem bem às pessoas. Também vejo o que doenças súbitas e crônicas podem fazer, independentemente daquilo que as pessoas realizaram na vida e de o quanto são queridas. Para muitos, a saúde pode não ser a coisa mais importante da vida. Mas, sem ela, nada mais importa. E quando você tem saúde, quase tudo é possível.

# 11. O caminho para um cérebro saudável pela alimentação
## Programas de refeições e receitas

O número de ideias de refeições e receitas aqui apresentado mostra quantas opções existem nesta dieta. Você encontrará, em abundância, verduras, peixes, carnes, aves, castanhas, ovos e saladas. Mas você pode compor, com a mesma facilidade, outros pratos baseados nos temas expostos aqui (por exemplo, para o jantar, cozinhe um peixe ou uma carne com algumas verduras e uma salada verde de acompanhamento, ou monte um lanche com os ovos cozidos do almoço e um punhado de castanhas). Você encontrará algumas ideias de sobremesa (sim, está liberado!), assim como vários molhos de salada.

Note que você não encontrará informação nutricional nestas receitas. Como mencionei anteriormente, um dos meus objetivos é liberá-lo para sempre de ter que contar calorias e gramas de proteínas e gordura (sobretudo a saturada). Quero ensinar *o que* comer, e não como comer (isto é, a quantidade disto ou daquilo). Se você seguir o programa e as instruções, a ingestão de gorduras, carboidratos e proteínas por si só bastarão. Você não comerá demais, não se sentirá com fome e maximizará a nutrição de seu corpo e sua mente.

No link <www.drperlmutter.com/resources> você encontrará recomendações de marcas específicas de alimentos. Mesmo tirando o
glúten, o trigo e a maior parte do açúcar da dieta, você ficará surpreso com a abundância de opções de comida disponíveis. Também ficará espantado com o controle que obterá sobre a fome, os desejos,
o tamanho das porções e a ingestão de calorias. Suas papilas gustati-
vas também agradecerão ao vivenciar uma espécie de renascimento.

Na última década, houve uma grande mudança na variedade de
comida disponível em nossos mercados. Se você, por exemplo, vive
numa cidade grande, provavelmente é capaz de encontrar todo tipo
de ingrediente num raio de alguns quilômetros, seja no seu mercado
habitual, hoje repleto de alimentos orgânicos, ou em alguma feira local. Conheça o seu vendedor; ele pode lhe dizer que produtos acabaram de chegar e de onde vêm. Dê preferência a produtos da época, e
disponha-se a experimentar aquilo que você nunca experimentou. Dez
anos atrás, era difícil encontrar carne de bisão ou peixe-carvão, por
exemplo, mas hoje carnes e peixes exóticos e deliciosos estão amplamente disponíveis. Lembre-se: sempre que possível, dê preferência aos
produtos orgânicos ou selvagens. Na dúvida, pergunte ao vendedor.

**O que beber**: O ideal é limitar-se à água pura. Beba diariamente
um litro de água para cada 35 quilos, aproximadamente. Se você pesa
70 quilos, isso significa que você deve tomar pelo menos dois litros
de água, ou cerca de nove copos por dia. Você também pode optar
por chá ou café (supondo que você não tem problema com café), mas
cuidado com a cafeína no final do dia. Para cada bebida cafeinada que
você consumir, aumente o consumo de água em um ou dois copos. O
leite de amêndoa também é uma opção saudável. No jantar, você tem a
alternativa de tomar uma taça de vinho, de preferência tinto.

**Frutas**: Escolha frutas *in natura* e, durante as primeiras quatro semanas, tente guardar as frutas apenas para o lanche e a sobremesa. Ex-

perimente comê-las com creme de leite sem açúcar, misturadas com leite de coco e uma pitada de estévia ou cacau em pó sem açúcar.

**A regra do azeite de oliva:** Você pode usar livremente azeite de oliva (orgânico e extravirgem). Observe que em muitos casos você pode trocar o azeite de oliva pelo óleo de coco ao cozinhar. Por exemplo, frite peixe e verduras *sauté* em óleo de coco, em vez de azeite de oliva, ou faça ovos mexidos em óleo de coco no café da manhã. Isso o ajudará a atingir a meta de uma colher de chá de óleo de coco, recomendada na seção de suplementos.

**Prepare sua comida:** Quando o tempo está curto, o que é constantemente o caso quando se almoça no trabalho, leve sua comida de casa. É bom ter guardados na geladeira alimentos pré-cozidos — como frango assado ou grelhado, salmão escaldado ou tiras de bife ou rosbife. Encha um pote com alface e verduras cruas picadas, e acrescente as proteínas e os molhos de sua preferência antes de comer. Muitos supermercados passaram a oferecer alimentos prontos com a lista de ingredientes, para você saber o que está consumindo.

E não se esqueça dos restos. Muitas das receitas deste capítulo podem ser feitas no fim de semana (e repetidas) para abarcar várias refeições durante a semana, na rua. Leve sua comida num recipiente hermético e coma-a fria, ou esquente no micro-ondas.

Eu saio com abacates e uma latinha de salmão. Comida enlatada pode ser uma ótima fonte de nutrição portátil e saudável, desde que você tome cuidado com os enlatados que está comprando. Tomates enlatados, por exemplo, podem ser uma excelente alternativa ao tomate natural. Atente apenas para ingredientes adicionados, como sódio e açúcar. Ao escolher peixes enlatados, opte por aqueles pescados de maneira sustentável ou com anzol. Também evite peixes que possam ter alta quantidade de mercúrio.

**O que comer no lanche:** Devido ao alto fator de saciedade das refeições que eu proponho (sem falar no controle preciso da glicemia), é pouco provável que você se veja desesperado por comida entre uma refeição e outra. Mas é bom saber o que você pode beliscar, dentro desta dieta, sempre que quiser. Seguem algumas ideias:

- Um punhado de castanhas cruas (à exceção dos amendoins, que são um legume, e não uma castanha). Ou então misturar castanhas e azeitonas.

- Alguns quadradinhos de chocolate amargo (qualquer um com mais de 70% de cacau).

- Verduras cruas picadas (por exemplo, pimentões, brócolis, vagens, rabanetes, homus, guacamole, queijo de cabra, tapenade ou manteiga de castanha).

- Queijo com biscoitos sem trigo e pobres em carboidratos.

- Tiras de peru ou frango assado frio na mostarda.

- Meio abacate com azeite, sal e pimenta.

- Dois ovos cozidos.

- Salada caprese: um tomate em fatias com pedaços de queijo muçarela fresco, azeite, manjericão, sal e pimenta.

- Camarão sem casca, frio, com limão e endro.

- Um pedaço ou porção de fruta *in natura*, com pouco açúcar (por exemplo: laranja, maçã, frutas vermelhas, melão, pera, cereja, uva, kiwi, ameixa, pêssego, nectarina, toranja).

## EXEMPLO DE CARDÁPIO SEMANAL

Eis um modelo de cardápio de uma semana. Todos os pratos acompanhados de receitas foram ressaltados em negrito. As receitas começam na página 269. Observação: ao fritar alimentos, você pode usar manteiga, azeite de oliva orgânico extravirgem ou óleo de coco. Evite óleos processados ou em spray, a menos que este último seja de azeite de oliva orgânico.

- Café da manhã: 2 ovos mexidos com 30g de queijo cheddar e verduras refogadas à vontade (por exemplo: cebola, cogumelo, espinafre, brócolis).

- Almoço: **Frango ao vinagrete de mostarda** (p. 273), acompanhado de salada verde temperada com vinagre balsâmico e azeite de oliva.

- Jantar: 100g de contrafilé orgânico (ou frango assado orgânico ou peixe selvagem) acompanhado de salada verde e verduras refogadas na manteiga e no alho.

- Sobremesa: ½ xícara de frutas vermelhas cobertas com um pouco de creme de leite sem açúcar.


TERÇA-FEIRA:

- Café da manhã: ½ abacate com um fio de azeite de oliva e 2 ovos cozidos com salsinha.

- Almoço: **Frango ao limão** (p. 273) acompanhado de **Salada de ervas do jardim** (p. 288).

- Jantar: **Salmão rápido com cogumelos** (p. 283) e legumes assados à vontade.

- Sobremesa: 2 **Trufas de chocolate** (p. 301).


QUARTA-FEIRA:

- Café da manhã: **Fritada de gruyère** (p. 269).

- Almoço: **Salada de rúcula ao limão** (p. 291) com 100g de frango assado em cubinhos.

- Jantar: **Peixe assado ao Chardonnay** (p. 274) acompanhado de ½ xícara de arroz arbóreo e legumes ao vapor à vontade.

- Sobremesa: 1 maçã inteira fatiada e coberta com um fio de estévia e canela.

QUINTA-FEIRA:

- Café da manhã: 3 ou 4 fatias de salmão marinado ou defumado com 30g de queijo de cabra e 1 porção de **"Cereais" rápidos e crocantes** (p. 272).

- Almoço: 1 ½ xícara de **Gazpacho de iogurte e abobrinha com peito de frango marinado ao açafrão** (p. 280).

- Jantar: **Filé glaceado ao balsâmico** (p. 275) acompanhado de **Vagem ao molho de alho** (p. 293).

- Sobremesa: 2 ou 3 quadrados de chocolate amargo.

SEXTA-FEIRA:

- Café da manhã: **Omelete de óleo de coco** (p. 270).

- Almoço: **Salada mesclun ao óleo de amêndoas** (p. 290) e 100g de salmão grelhado.

- Jantar: **Cordeiro grego ao limão** (p. 284) acompanhado de vagem e brócolis à vontade.

- Sobremesa: **Mousse de chocolate e coco** (p. 301).

SÁBADO:

- Café da manhã: **"Flocos de aveia" sem aveia** (p. 271).

- Almoço: **Carpaccio de atum com cebola roxa, salsinha e pimenta rosa** (p. 277).

- Jantar: **Steak de Wagyu com couve-de-bruxelas** (p. 277).

- Sobremesa: ¾ de xícara de morangos *in natura* cobertos com 3 quadrados de chocolate amargo derretido.

DOMINGO:

- Café da manhã: **Huevos Rancheros** (p. 270).

- Almoço: **Salada Niçoise** (p. 289).

- Jantar: **Sardinhas grelhadas com tomate, rúcula e queijo pecorino** (p. 278).

- Sobremesa: 2 quadrados de chocolate amargo com 1 colher de sopa de manteiga de amêndoas.

# Receitas

Seguir os princípios alimentares de *A dieta da mente* é mais fácil do que parece. Embora esta nova maneira de se alimentar limite de forma significativa sua ingestão de carboidratos, sobretudo trigo e açúcar, não há uma verdadeira escassez de alimentos e ingredientes com que brincar na cozinha. Para continuar a comer alguns de seus pratos preferidos, você precisará de certa criatividade, mas, assim que aprender como realizar algumas substituições sem esforço, será capaz de fazer o mesmo com suas próprias receitas e voltar aos manuais de receitas clássicos. Essas sugestões lhe darão uma ideia geral de como aplicar estas instruções a praticamente qualquer refeição e lhe ajudarão a dominar a arte da cozinha.

Por saber que a maior parte das pessoas tem o tempo curto e limitado para cozinhar, escolhi pratos simples, relativamente fáceis de preparar e, acima de tudo, cheios de sabor e nutritivos. Embora eu o incentive a seguir meu plano de refeição de sete dias, delineado nas páginas 264-6, de modo a não ter que pensar no que comer durante a primeira semana do programa, você pode fazer seu próprio planejamento, escolhendo as receitas que mais o apetecerem. A maioria dos ingredientes é fácil de encontrar. Lembre-se de dar preferência, sempre que possível, aos alimentos selvagens e orgânicos e aos animais alimentados no pasto. Quando escolher azeite de oliva ou de coco, procure o tipo extravirgem. Embora todos os ingredientes relacionados nas receitas sejam fáceis de encontrar na versão sem glúten, dê sempre uma olhada no rótulo para ter certeza, principalmente se comprar alimentos processados (como a mostarda). Nem sempre é possível controlar o que é posto nos produtos, mas você pode controlar o que é posto no seu prato.

# CAFÉ DA MANHÃ

## FRITADA DE GRUYÈRE E QUEIJO DE CABRA

Os ovos estão entre os ingredientes mais versáteis. Sozinhos, podem servir como uma refeição completa, ou ser acrescentados a outros pratos. Coma sempre que possível ovos orgânicos ou de aves criadas em liberdade. É fácil e rápido fazer uma fritada, e elas são ótimas para servir a grupos maiores. Você pode fazer vários tipos diferentes mudando o tipo de queijo, de verduras e legumes. Abaixo, uma das minhas favoritas.

Serve 4 pessoas.

3 colheres de sopa de azeite de oliva
1 cebola média picada (mais ou menos um copo)
½ colher de chá de sal
½ colher de chá de pimenta
500g de folhas de espinafre, lavadas e picadas
9 ovos batidos
1 colher de sopa de água
100g de queijo de cabra picado
⅓ de xícara de queijo gruyère ralado

Pré-aqueça o forno a 200°C. Leve uma frigideira ao fogo médio, adicione 1 colher de sopa de azeite e aqueça. Junte a cebola, o sal e a pimenta. Deixe 3 a 4 minutos, mexendo de vez em quando até a cebola ficar transparente. Acrescente o espinafre e a água e frite, mexendo, até o espinafre murchar (1 a 2 minutos). Junte os ovos e salpique o queijo de cabra e o gruyère. Deixe 1 a 2 minutos, até a mistura firmar nas bordas. Depois leve a frigideira ao forno e deixe assar por dez a doze minutos.

Retire do forno e sirva.

## OMELETE DE ÓLEO DE COCO

Em casa, as omeletes estão entre meus pratos favoritos. Faça experiências com diferentes verduras e faça a omelete um dia em azeite de oliva e, no outro, em óleo de coco.

Serve 1 pessoa.

1 cebola picada
1 tomate vermelho picado
½ colher de chá de sal
½ colher de chá de pimenta
2 ovos batidos
1 colher de sopa de óleo de coco
¼ abacate fatiado
2 colheres de sopa de salsinha

Junte a cebola, o tomate, o sal e a pimenta aos ovos batidos numa tigela e misture. Acrescente o óleo de coco em uma frigideira e aqueça em fogo médio para alto. Quando estiver aquecido, acrescente a mistura e deixe até os ovos começarem a endurecer (cerca de 2 minutos). Vire a omelete com uma espátula e deixe até os ovos pararem de escorrer (mais 1 minuto). Dobre a omelete ao meio e deixe até escurecer um pouco. Sirva num prato, ainda quente, coberto pelo abacate e pela salsinha.

## HUEVOS RANCHEROS

Mudamos este prato clássico da cozinha mexicana para que os ovos sejam servidos numa cama de legumes, em vez de tortillas.

Serve 2 pessoas.

1 colher de sopa de manteiga ou azeite de oliva
4 ovos

4 xícaras de alface crespa
50g de queijo cheddar ralado
4 colheres de sopa de salsinha
2 colheres de sopa de folhas de coentro picadas
Sal e pimenta a gosto

Ponha a manteiga ou o azeite numa frigideira, no fogo médio para alto. Quando estiver quente, acrescente os ovos e deixe 3 ou 4 minutos, se quiser a gema mole, ou mais, se preferir dura. Sirva numa cama de alface crespa e cubra com o queijo, a salsinha e o coentro. Tempere com sal e pimenta.


## "FLOCOS DE AVEIA" SEM AVEIA

A receita abaixo foi adaptada do livro *The Paleo Diet Cookbook*, de Loren Cordain e Nell Stephenson. Se você aprecia um café da manhã farto e quente, experimente isto, em vez dos flocos de aveia tradicionais.

Serve 2 pessoas.

¼ de xícara de nozes cruas, sem sal
¼ de xícara de amêndoas cruas, sem sal
2 colheres de sopa de linhaça moída
1 colher de chá de pimenta-da-jamaica moída
3 ovos
¼ de xícara de leite de amêndoas sem açúcar
½ banana amassada
1 colher de sopa de manteiga de amêndoas
2 colheres de chá de semente de abóbora (opcional)
1 porção de frutas vermelhas *in natura* (opcional)

Misture as nozes, as amêndoas, a linhaça e a pimenta-da-jamaica num processador para obter um grão grosso, sem chegar a ser pó. Reserve.

Misture os ovos e o leite de amêndoas até ficar cremoso. Misture a banana amassada e a manteiga de amêndoas e acrescente ao creme, mexendo bem. Junte a mistura espessa de nozes.

Esquente na panela em fogo baixo, mexendo bastante, até atingir a consistência desejada. Salpique as sementes de abóbora e as frutas vermelhas e acrescente mais leite de amêndoas, se desejar. Sirva ainda quente.

## "CEREAIS" RÁPIDOS E CROCANTES

Se você procura cereais que obedeçam às recomendações da dieta da mente, experimente estes. Se você não gosta de nozes, pode trocá-las por sua castanha favorita.

Serve 1 pessoa.

¼ de xícara de nozes (ou outra castanha) moídas e sem sal
¼ de xícara de coco ralado
1 porção de frutas vermelhas
⅔ de xícara de leite integral ou leite de amêndoas

Misture os ingredientes numa tigela e saboreie.

## ALMOÇO OU JANTAR

### FRANGO AO LIMÃO

O frango pode ser usado em diversos pratos. Aqui, uma receita de frango fácil de preparar no jantar. O resto pode ser guardado para o almoço do dia seguinte.

Serve 6 pessoas.

6 peitos de frango, desossados e sem pele
1 colher de sopa de alecrim
2 dentes de alho picados
1 chalota picada
Suco de 1 limão
½ xícara de azeite de oliva

Separe o frango numa travessa rasa onde caibam os seis peitos para marinar. Numa tigela, junte o alecrim, o alho, as chalotas e o suco do limão. Acrescente o azeite de oliva lentamente. Derrame a marinada no frango, cubra e deixe descansar na geladeira por pelo menos 2 horas.

Pré-aqueça o forno a 180ºC. Tire o frango da marinada e asse por 25 minutos ou até chegar no ponto desejado. Sirva com uma salada e legumes no vapor.

### FRANGO AO VINAGRETE DE MOSTARDA

Quando o tempo está curto, esta receita pode ser preparada em poucos minutos, desde que você já disponha de um frango assado. Você pode fazer o dobro de molho para usar em saladas durante a semana.

Serve 4 pessoas.

1 frango orgânico assado

300g de salada verde pré-lavada de sua preferência (cerca de 3 saquinhos)

*Para o vinagrete de mostarda*

4 colheres de sopa de azeite de oliva

1 colher de sopa de vinagre de vinho tinto

2 colheres de sopa de vinho branco seco

1 colher de sopa de mostarda de grão integral

1 colher de chá de mostarda Dijon

Sal e pimenta a gosto

Junte todos os ingredientes do vinagrete numa tigela. Tempere com sal e pimenta.

Corte o frango e sirva com o vinagrete sobre a salada verde.

## PEIXE ASSADO AO CHARDONNAY

Não há nada mais simples que assar seu peixe favorito e acrescentar-lhe um molho rico e saboroso. Embora o molho abaixo tenha sido criado pensando no salmão, ele cai bem em qualquer peixe. Dê preferência a peixes selvagens e compre os mais frescos que puder achar na feira.

Serve 4 pessoas.

½ xícara de manteiga

1 xícara de Chardonnay

2 ou 3 colheres de sopa de mostarda Dijon

3 colheres de sopa de alcaparras lavadas

Suco de 1 limão

2 colheres de chá de endro picado

4 filés de salmão ou peixe branco (com pele)

Pré-aqueça o forno a 215ºC. Derreta lentamente a manteiga em uma frigideira em fogo médio e misture o Chardonnay, a mostarda, as alcaparras e o suco de limão. Aqueça 5 minutos para evaporar o álcool. Junte o endro. Arrume os filés de peixe numa assadeira, com a pele para baixo. Coloque o molho sobre o peixe e asse por 20 minutos, até dourar. Sirva imediatamente com *Vagem ao molho de alho* (ver p. 293).

## FILÉ GLACEADO AO BALSÂMICO

Este filé é outro prato que se prepara em poucos minutos. Tudo de que se precisa é de um corte excelente de carne de animal alimentado no pasto e uma suculenta marinada.

Serve 2 pessoas.

2 colheres de sopa de azeite de oliva
3 colheres de sopa de vinagre balsâmico
½ colher de chá de sal
½ colher de chá de pimenta
2 filés de boa carne (com 2 cm de espessura)
250g de salada verde (cerca de 2 saquinhos de salada pré-lavada)

Misture o azeite de oliva, o sal e a pimenta numa tigela. Derrame a marinada num saco plástico selável, junte os filés e deixe marinar por 30 minutos. Prepare a grelha e frite os filés um minuto de cada lado, ou o tempo que preferir. Pincele-os com a marinada enquanto grelham. Você também pode grelhá-los no forno, depois de dourá-los numa frigideira com óleo quente (cerca de 30 segundos de cada lado). Sirva os filés numa cama de salada, acompanhados de legumes.

## COSTELA SUCULENTA

A receita abaixo foi adaptada da deliciosa receita de Costela de boi de Steve Clifton. Viticultor e chef, Steve adora criar pratos que combinam com seus vinhos italianos.

Serve 6 pessoas.

4 cebolas amarelas médias
3 cenouras sem casca
6 pés de aipo
3 dentes de alho
1 xícara de farinha de amêndoas
1 colher de chá de sal
1 colher de chá de pimenta
1kg de costela de boi
6 colheres de sopa de azeite de oliva
3 colheres de sopa de molho de tomate
1 garrafa de vinho tinto italiano
Suco de 1 laranja-baía
4 colheres de sopa de folhas de tomilho
½ xícara de salsinha picada

Pique grosseiramente a cebola, as cenouras e o aipo e reserve. Com uma faca, amasse o alho e reserve. Numa tigela grande, tempere a farinha de amêndoas com sal e pimenta, e empane a costela. Aqueça o azeite de oliva numa caçarola em fogo de médio para alto. Doure a costela e reserve. Acrescente a cebola e o alho à caçarola e salteie até ficar transparente, por cerca de 5 minutos. Junte as cenouras e o aipo. Deixe até ficar ligeiramente macio, por uns 5 minutos. Volte a costela para a caçarola. Cubra-a com uma camada de passata de tomate. Junte o vinho e o suco de laranja. Tampe e ponha para ferver, cozinhando em fogo brando por cerca de duas horas e meia. Destampe, junte as folhas de tomilho e deixe em fogo brando por mais 30 minutos. Sirva salpicado de salsinha, acompanhado de *"Cuscuz" de couve-flor* (p. 294).

## CARPACCIO DE ATUM COM CEBOLA ROXA, SALSINHA E PIMENTA ROSA

As próximas sete receitas foram criadas por um grande amigo meu, o chef Fabrizio Aielli, do restaurante Seasalt, um dos meus favoritos em Naples, na Flórida. Fabrizio foi muito generoso e compartilhou algumas de suas receitas comigo. Recomendo experimentá-las quando quiser impressionar os convidados para o jantar.

Serve 6 pessoas.

750g de filé de atum
½ cebola roxa cortada em rodelas
1 maço de salsinha picada
1 colher de sopa de pimenta rosa moída
4 colheres de sopa de azeite de oliva
Sal a gosto
3 limões cortados ao meio

Corte o atum em fatias finas, de menos de 1 cm (cada prato deve ter três a cinco fatias). Por cima do atum, acrescente a cebola roxa, a salsinha, a pimenta, o azeite, e complete com uma pitada de sal e metade de um limão ao lado.

## STEAK DE WAGYU COM COUVE-DE-BRUXELAS

Este prato é um sucesso entre os amantes da boa carne. Se você tiver dificuldade em encontrar o filé de Wagyu (produzido de um tipo especial de gado, que em japonês significa "vaca vermelha"), qualquer filé mignon marmorizado servirá. O steak de Wagyu é famoso pelas gorduras saudáveis e pelo sabor de dar água na boca.

Serve 6 pessoas.

1kg de couve-de-bruxelas limpa
6 colheres de sopa de azeite de oliva
6 cortes (cerca de 175 gramas cada) de steak de Wagyu
2 raminhos de alecrim picados
1 dente de alho amassado
Sal e pimenta a gosto
1 xícara de caldo de galinha

*Para as couves-de-bruxelas:*

Ferva 6 xícaras de água, 2 colheres de sopa de azeite de oliva e 2 colheres de chá de sal. Acrescente as couves-de-bruxelas e cozinhe em fogo médio para alto por 9 minutos, ou até ficarem macias. Coe.

Numa frigideira, junte 2 colheres de sopa de azeite de oliva, as couves-de-bruxelas cortadas ao meio e sal e pimenta a gosto. Deixe em fogo alto até as couves ficarem ligeiramente douradas. Junte o caldo de galinha e deixe até evaporar.

*Para os steaks:*

Tempere os steaks com sal e pimenta. Acrescente o restante do azeite de oliva numa frigideira, aqueça em fogo médio para alto e doure os steaks de um lado (cerca de 2 minutos). Vire-os e acrescente o alho triturado e o alecrim. Baixe o fogo para médio e continue a cozinhar por mais alguns minutos até o ponto desejado (três a seis minutos de cada lado, dependendo da espessura do filé).

Sirva imediatamente, acompanhado da couve-de-bruxelas temperada com o suco da carne.

## SARDINHAS GRELHADAS COM TOMATE, RÚCULA E QUEIJO PECORINO

A sardinha é fantástica para aumentar sua ingestão de proteínas, ácidos graxos ômega 3, vitamina B12 e outros nutrientes. Embora alguns gostem de comer esse peixe de água salgada, pequeno e oleoso, direto da lata, eis um jeito fácil e ligeiro de servi-las num prato com ainda mais sabor.

Serve 6 pessoas.

18 sardinhas mediterrâneas limpas
Sal e pimenta a gosto
3 colheres de sopa de azeite de oliva
6 maços de rúcula
4 tomates-cereja picados
Suco de 3 limões
1 maço de salsinha picada
150g de queijo pecorino ralado

Aqueça a grelha em temperatura média para alta (se for possível controlar a temperatura, 175ºC). Pincele as sardinhas com uma colher de chá de azeite de oliva e tempere com sal e pimenta. Grelhe por quatro minutos de cada lado (outra opção é fritar as sardinhas em fogo médio para alto).

Numa tigela, junte a rúcula, o tomate, o resto do azeite, o suco de limão, sal e pimenta. Divida em 6 porções e cubra cada uma com as sardinhas, a salsinha picada e o queijo pecorino ralado.

## PARGO-VERMELHO COM AIPO, AZEITONAS PRETAS, PEPINO, ABACATE E TOMATE AMARELO

Quando encontrar pargo-vermelho fresco no mercado, compre e experimente esta receita. Leva menos de vinte minutos para ficar pronta.

Serve 6 pessoas.

2 colheres de sopa de azeite de oliva
6 filés de pargo-vermelho com a pele
2 pés de aipo picados

1 xícara de azeitonas pretas sem caroço
1 pepino picado
2 abacates picados
500g de tomates amarelos cortados ao meio
1 colher de sopa de vinagre de vinho tinto
Suco de 2 limões
1 colher de sopa de vinagre de vinho tinto
Sal e pimenta a gosto

Aqueça 1 colher de sopa de azeite de oliva numa frigideira, em fogo de médio para alto. Tempere os filés com sal e pimenta e doure por 6 minutos de cada lado. Numa tigela, misture o aipo, as azeitonas, o pepino, o abacate, os tomates, o vinagre, o suco de limão e o que resta do azeite de oliva. Reparta a salada em 6 pratos e sirva sobre ela o pargo-vermelho, com a pele para cima.

## GAZPACHO DE IOGURTE E ABOBRINHA COM PEITO DE FRANGO MARINADO AO AÇAFRÃO

Não é preciso muito açafrão, especiaria derivada da flor de açafrão, para criar um prato de sabor intenso e delicioso. Este não usa apenas açafrão, mas também abobrinha e coentro.

Serve 6 pessoas.

1 xícara de vinho branco
2 limões
1 pitada de açafrão
3 peitos de frango desossados sem pele
6 abobrinhas
1 litro de caldo de legumes
½ xícara de azeite de oliva
Suco de 1 lima
2 colheres de sopa de coentro picado com o talo

1 pepino
½ cebola picada em cubinhos
1 tomate-cereja picado
6 colheres de chá de iogurte grego
Sal e pimenta a gosto

Junte o vinho, o suco de um limão e o açafrão em uma tigela grande. Coloque os peitos de frango e deixe marinar a noite toda. Aqueça a grelha em temperatura média para alta (175ºC, se sua grelha tiver um medidor de temperatura). Grelhe os peitos de frango por 6 minutos de cada lado ou até ficarem no ponto, e corte-os em fatias de meio centímetro (ou então grelhe o frango no forno pelo mesmo tempo de cada lado). Refrigere o frango na geladeira.

Ponha a abobrinha, o caldo de legumes, o azeite de oliva, o suco de limão, o suco de lima e metade do coentro num liquidificador. Bata até virar um purê. Tempere com sal e pimenta a gosto. Derrame essa sopa numa tigela grande e junte o pepino, a cebola e o tomate. Deixe descansar por uma a duas horas na geladeira. Quando estiver pronto para servir, reparta a sopa em 6 porções e cubra cada uma com 1 colher de chá de iogurte. Sirva acompanhado do peito de frango, temperado com sal e pimenta e salpicado com o coentro restante.


## "MINESTRONE" LÍQUIDO

Quando as pessoas pensam em minestrone, pensam numa sopa de legumes. Esta versão troca a massa ou o arroz por mais legumes... e mais sabor.

Serve 4 a 6 pessoas.

3 colheres de sopa de azeite de oliva
3 pés de aipo picados
1 cebola branca doce picada
2 xícaras de brócolis picado

2 xícaras de couve-flor picada

1 xícara de aspargo picado

3 abobrinhas de tamanho médio picadas

1 colher de chá de tomilho seco

500g de raiz de aipo descascada e cortada em cubos de 1 cm

3 xícaras de couve sem o caule

3 xícaras de acelga sem o caule

2 folhas de louro

½ colher de chá de sálvia seca

1 ½ colher de chá de sal

¼ de colher de chá de pimenta-do-reino fresca moída

2 litros de caldo de galinha caseiro

5 xícaras de espinafre sem o caule

6 colheres de sopa de iogurte grego

Aqueça o azeite de oliva numa panela grande, em fogo de médio para alto. Acrescente o aipo, a cebola, o brócolis, a couve-flor, o aspargo, a abobrinha e o tomilho. Cozinhe até que a cebola fique transparente. Acrescente a raiz de aipo, a couve, a acelga, as folhas de louro, a sálvia, o sal e a pimenta e cozinhe por mais 4 minutos. Junte o caldo de galinha. Ponha essa sopa para ferver e baixe o fogo para médio. Deixe em fogo brando por 25 a 30 minutos, ou até os legumes ficarem macios. Deixe a sopa esfriar por 10 minutos. Junte o espinafre e mexa. Enquanto mexe, encontre as folhas de louro na sopa e retire-as da mistura. Bata tudo num liquidificador até a consistência ficar pastosa.

Guarneça cada porção com um pouco de iogurte grego.

## SOPA DE TOMATE E REPOLHO ROXO

No auge do inverno ou no meio do verão, esta sopa simples e refrescante exige ingredientes que a maioria das pessoas tem à mão. Ela cai bem com qualquer entrada, no lugar da salada.

Serve 6 pessoas.

½ xícara de azeite de oliva
1 cebola branca doce picada
2 pés de aipo picados
2 colheres de sopa de alho picadinho
2 latas de extrato de tomate
1 repolho roxo picado
10 folhas de manjericão
1 ½ litro de caldo de galinha
1 ½ litro de caldo de legumes
Sal e pimenta a gosto

Numa panela grande, junte metade do azeite de oliva. Aqueça em fogo médio para alto. Junte a cebola, o aipo e o alho até ficarem transparentes (cerca de 5 minutos). Adicione o extrato de tomate, o repolho roxo, 5 folhas de manjericão, o caldo de galinha e o caldo de legumes, e deixe ferver. Quando atingir o ponto de fervura, baixe o fogo para médio e deixe cozinhar em fogo baixo por 25 a 30 minutos. Junte o restante do azeite de oliva, tempere com sal e pimenta e deixe a sopa esfriar por dez minutos. Bata no liquidificador até virar um creme. Sirva em seguida, com o restante do manjericão.


SALMÃO RÁPIDO COM COGUMELOS

Não há nada mais fácil que fritar filés de peixe e acrescentar-lhes sabor com cogumelos, ervas, especiarias e azeite. Esta receita fica pronta em poucos minutos.

Serve 4 pessoas.

4 colheres de sopa de azeite de oliva
3 dentes de alho amassados
3 chalotas cortadas em fatias finas
1 colher de chá de gengibre, seco ou natural
4 filés de salmão sem pele
1 colher de sopa de óleo de gergelim

2 xícaras de cogumelos cortados em fatias
½ xícara de coentro picado

Aqueça duas colheres de sopa de azeite de oliva numa frigideira, em fogo médio, e junte o alho, a chalota e o gengibre. Frite por cerca de 1 minuto, junte os filés de salmão. Frite-os por cerca de 3 minutos de cada lado. Retire os filés e reserve. Com uma toalha de papel, limpe cuidadosamente o fundo da frigideira. Aqueça o restante do azeite e do óleo de gergelim em fogo médio. Junte os cogumelos e deixe três minutos, mexendo constantemente. Disponha os cogumelos sobre o salmão e salpique com o coentro. Sirva acompanhado de *Legumes assados da estação* (ver p. 293).

## CORDEIRO GREGO AO LIMÃO

Sempre que encontrar costeletas de cordeiro alimentado no pasto, compre. Elas podem se tornar entradas deliciosas e elegantes, rápidas de preparar e cozinhar. Tudo de que você precisa é uma boa marinada, como esta, abaixo.

Serve 4 pessoas.

*Para a marinada*

2 dentes de alho em pedaços
2 colheres de sopa de azeite de oliva
1 colher de chá de orégano seco
Folhas de 2 ramos de tomilho
1 colher de sopa de suco de limão siciliano
Sal e pimenta a gosto

*Para as costeletas*

12 costeletas de cordeiro
1 limão dividido em quatro

Junte todos os ingredientes da marinada numa tigela.

Cubra as costeletas com a marinada e deixe-as na geladeira por uma hora. Prepare a grelha e grelhe as costeletas por 1 ou 2 minutos de cada lado (uma opção é assar as costeletas no forno, a 200°C, por cerca de 10 minutos, ou no ponto desejado). Sirva as costeletas com os pedaços de limão, para espremer, acompanhadas do *"Cuscuz" de couve-flor* (ver p. 294).

## FRANGO ASSADO RÁPIDO

Eu gosto de ter sempre um frango pequeno no congelador e, quando tenho visitas e quero sobras para o almoço do dia seguinte, preparo esta receita. Se você usar um frango congelado, descongele-o na geladeira à noite ou durante várias horas em cima da pia.

Serve 6 pessoas.

1 frango orgânico de 1,5kg, aproximadamente
1 limão siciliano em fatias
5 dentes de alho descascados
7 ramos de tomilho
4 colheres de sopa de azeite de oliva
Sal e pimenta a gosto

Pré-aqueça o forno a 200°C. Usando uma tesoura de cozinha ou uma faca, corte o frango ao meio. Abra-o e pressione o osso do peito com firmeza, até deixá-lo plano. Deite o frango, com a pele para cima, numa assadeira grande. Numa tigela, junte as fatias de limão, os dentes de alho, o tomilho e duas colheres de sopa de azeite de oliva. Pincele o frango com o resto do azeite de oliva e tempere com sal e pimenta. Espalhe as fatias de limão, o tomilho e o alho sobre o frango e asse por 45 a 55 minutos, até ficar no ponto. Sirva acompanhado de salada verde e *Legumes assados da estação* (ver p. 293).

Observação: Em vez de tomilho, você também pode usar orégano ou estragão.

## PEIXE AO ENDRO E LIMÃO SICILIANO

Um pouco de endro, limão siciliano e mostarda Dijon contribuem muito para tirar o melhor de qualquer peixe fresco. Você pode empregar esta receita com qualquer peixe fresco.

Serve 4 pessoas.

Folhas de 1 maço de endro, picado
2 colheres de sopa de mostarda Dijon
Suco de 1 limão siciliano
2 colheres de sopa de azeite de oliva
Sal e pimenta a gosto
4 filés firmes de peixe branco, como o halibute ou o peixe-carvão (0,5kg ao todo), com pele

Pré-aqueça o forno a 204°C. Processe todos os ingredientes, menos o peixe, em um processador de alimentos, até ficar homogêneo.

Ponha os filés de peixe numa assadeira rasa, com a pele para baixo, e cubra com o molho de endro. Asse no forno até ficar no ponto, por aproximadamente 15 minutos.

Sirva com *"Cuscuz" de couve-flor* (ver p. 294) e *Espinafre e alho sauté* (ver p. 295).

Observação: Pode-se usar salsinha no lugar do endro. Como opção, experimente o *Molho de endro* (ver p. 299) ou o *Pesto de pecorino* (ver p. 299).

## SOPA DE BRÓCOLIS COM CREME DE CASTANHA-DE-CAJU

Quando o dia pede uma sopa quente no almoço ou no jantar, eis uma opção que você pode preparar com antecedência e guardar na geladeira. Ela também serve como lanche para enganar o estômago numa tarde atribulada, quando o jantar vai ficar para mais tarde.

Serve 4 a 6 pessoas.

3 colheres de sopa de azeite de oliva
1 cebola grande picada em cubinhos
3 chalotas picadas
1 dente de alho picado
1 litro de caldo de galinha orgânico
6 xícaras de ramos de brócolis picados
Sal e pimenta a gosto
4 colheres de chá de folhas de tomilho
1 xícara de leite de coco
1 porção de sementes de abóbora como guarnição

*Para o creme de castanhas-de-caju*

¾ xícara de castanhas-de-caju cruas sem sal
¾ xícara de água
Sal a gosto

Numa panela grande, aqueça o azeite de oliva em fogo médio para alto. Junte a cebola, as chalotas e o alho e mexa até ficarem transparentes, por cerca de 4 minutos. Acrescente o caldo, o brócolis, o sal e a pimenta, e deixe ferver. Abaixe o fogo e deixe por 10 minutos, até o brócolis ficar macio.

Tire do fogo e coloque a sopa num liquidificador com o tomilho. Bata até ficar homogênea. Devolva à panela de sopa e misture o leite de coco. Aqueça levemente em fogo brando.

Faça um purê no liquidificador com os ingredientes do creme de castanha-de-caju. Sirva a sopa com um pouco desse creme por cima. Se desejar, salpique sementes de abóbora.

# SALADAS

## SALADA DE ERVAS DO JARDIM AO VINAGRETE BALSÂMICO

Esta salada se tornou fundamental para mim. Pode ser servida como acompanhamento de um prato principal ou sozinha, salpicada de proteínas (por exemplo, fatias de frango assado, peixe ou carne). Como eu acabo comendo esta salada várias vezes ao longo da semana, costumo armazenar molho, por isso faço o dobro do receitado abaixo e guardo num recipiente hermético na geladeira.

Serve 6 pessoas.

4 xícaras de legumes variados
1 xícara de salsinha italiana
½ xícara de cebolinha picada
½ xícara de ervas variadas (mostarda, coentro, estragão, cilantro, sálvia, hortelã) picadas
½ xícara de nozes cruas picadas

*Para o vinagrete balsâmico*

Rende aproximadamente 1 xícara

¼ xícara de vinagre balsâmico
2 ou 3 dentes de alho picados
½ chalota picada
1 colher de sopa de mostarda Dijon
1 colher de sopa de alecrim (fresco ou seco)
Suco de 1 limão siciliano
1 colher de chá de sal
1 colher de chá de pimenta
½ xícara de azeite de oliva

Misture os ingredientes da salada numa saladeira. Misture todos os ingredientes do vinagrete, exceto o azeite, e em seguida regue-os com o azeite, lentamente, misturando. Acrescente ½ xícara de vinagrete balsâmico na salada, mexa e sirva.

## SALADA NIÇOISE

Esta receita se baseia na salada Niçoise clássica, que vem de Nice, na França, mas sem a batata. Você pode usar qualquer tipo de peixe cozido. Embora exija um pouco mais de tempo de preparo, em razão de tudo que é preciso picar e do pré-cozimento dos ovos e do peixe, depois que está tudo pronto é rápida e fácil de montar.

Serve 6 pessoas.

4 tomates maduros e firmes cortados em cubos
1 pimentão verde sem sementes picado
3 cebolinhas cortadas em fatias finas
3 xícaras de rúcula ou verduras variadas
3 ovos cozidos fatiados
200g de peixe cozido (por exemplo, dourado, salmão ou peixe-carvão)
12 filés de anchova secos
½ xícara de azeitonas pretas
¾ de xícara de ervilhas tortas branqueadas sem as pontas
10 folhas de manjericão picadas
1 pepino pequeno, descascado e cortado em cubos

*Para o vinagrete*

1 colher de chá de mostarda Dijon
2 colheres de chá de vinagre de vinho tinto
6 colheres de chá de azeite de oliva
Sal e pimenta a gosto

Misture os ingredientes da salada numa saladeira. Numa tigela pequena, junte os ingredientes do vinagrete. Disponha o molho sobre a salada, mexa e sirva.

## SALADA MESCLUN AO ÓLEO DE AMÊNDOAS

Você pode transformar qualquer salada nesta, usando apenas este molho, que homenageia o sabor forte das nozes. Embora nesta salada específica eu sugira o queijo de cabra, fique à vontade para escolher qualquer queijo em pedaços, como o feta ou o parmesão.

Serve 2 pessoas.

1 ½ a 2 saquinhos de salada verde pré-lavada (por exemplo, mesclun, mista de folhas ou espinafre baby)
4 colheres de sopa de queijo de cabra em pedacinhos
½ xícara de nozes torradas sem sal
3 colheres de sopa de blueberries ou cranberries secos

*Para o molho*

2 colheres de sopa de óleo de amêndoas
1 colher de sopa de vinagre balsâmico ou de vinho tinto
½ colher de chá de mostarda especial
Sal e pimenta a gosto

Arrume as folhas de salada numa saladeira e cubra com queijo de cabra, nozes e as frutas vermelhas. Numa tigela, misture bem os ingredientes do molho. Coloque o molho sobre a salada, mexa bem com as mãos para incorporar e sirva em seguida.

## RÚCULA AO LIMÃO COM PARMIGIANO-REGGIANO

Esta salada exige ingredientes mínimos mas tem um sabor forte, graças à rúcula picante misturada com queijo picante e azeite de oliva. Gosto dela como complemento de qualquer prato de inspiração italiana.

Serve 4 pessoas.

4 xícaras de rúcula baby
⅓ de xícara de sementes de girassol cruas sem sal
8 a 10 porções de queijo parmigiano-reggiano ralado
Suco de 1 limão siciliano
6 colheres de sopa de azeite de oliva
Sal e pimenta a gosto

Misture a rúcula, as sementes de girassol, o queijo e o suco de limão numa saladeira. Regue com azeite de oliva, mexa bem, tempere com sal e pimenta a gosto. Sirva em seguida.

## SALADA DE COUVE COM QUEIJO FETA, PIMENTÃO ASSADO, AZEITONAS PRETAS, ALCACHOFRA E MOLHO DE LEITELHO

Já sou conhecido por sempre pedir essa salada quando vou almoçar no Seasalt. Ela acompanha perfeitamente minha entrada principal.

Serve 6 pessoas.

2 maços de couve, sem o caule e com as folhas despedaçadas
300g de queijo feta em pedaços
3 pimentões assados em fatias
1 xícara de azeitonas pretas sem caroço cortadas ao meio
12 alcachofras baby marinadas, cortadas ao meio
1 xícara de leitelho
½ xícara de azeite de oliva

1 colher de sopa de vinagre de vinho tinto
Sal e pimenta a gosto

Numa saladeira, misture a couve, o queijo feta, os pimentões, as azeitonas e as alcachofras. Numa tigela separada, misture o leitelho, o azeite de oliva e o vinagre de vinho tinto. Coloque o molho sobre a salada, mexa bem e tempere com sal e pimenta. Sirva em seguida.

# ACOMPANHAMENTOS

## LEGUMES ASSADOS DA ESTAÇÃO

É uma receita boa para qualquer época do ano. Pegue aquilo que for da estação e certifique-se de usar o melhor azeite de oliva disponível, junto com as ervas mais frescas e pimenta-do-reino moída na hora. Pingar um pouco de vinagre balsâmico envelhecido no finzinho do processo de cozimento dá um gosto especial.

Serve 4 a 6 pessoas.

1kg de legumes da estação (por exemplo: aspargos, couve-de-bruxelas, pimentões, abobrinha, berinjela, cebola)
⅓ de xícara de azeite de oliva
Sal e pimenta a gosto
Opcionais: ⅓ de xícara de ervas frescas picadas (por exemplo: alecrim, orégano, salsinha, tomilho) e um pouco de vinagre balsâmico envelhecido

Pré-aqueça o forno a 220°C. Corte os legumes maiores em pedaços. Espalhe-os numa assadeira forrada com papel alumínio. Regue os vegetais com azeite de oliva à vontade. Misture-os, até que o óleo incorpore nos ingredientes. Salpique sal, pimenta e ervas, se desejar. Mexendo a cada 10 minutos, asse por 35 a 40 minutos, ou até que eles fiquem dourados e bem assados. Logo antes de servir, jogue um pouco de vinagre balsâmico envelhecido a gosto.

## VAGEM AO MOLHO DE ALHO

Praticamente qualquer legume e verdura pode ser temperado assim, com alho e ervas.

Serve 4 a 6 pessoas.

*Para o molho*

2 colheres de sopa de azeite de oliva
1 colher de sopa de suco de limão siciliano
1 colher de chá de mostarda Dijon
2 dentes de alho picados
½ colher de chá de suco de limão siciliano
Sal e pimenta a gosto

1kg de vagem, sem as pontas
½ xícara de amêndoas cruas, sem sal, picadas
1 colher de sopa de tomilho

Misture todos os ingredientes do molho numa tigela e reserve.

Numa panela grande de água salgada quente, ferva as vagens por 4 minutos ou até elas ficarem macias. Escoe.

Numa tigela grande, coloque as vagens, as amêndoas e o tomilho junto com o molho. Sirva imediatamente.

## "CUSCUZ" DE COUVE-FLOR

Como substituto saboroso para vegetais com amido, como o purê de batatas, o arroz e o cuscuz tradicional, experimente este prato simples feito com couve-flor.

Serve 2 pessoas.

1 couve-flor
2 colheres de sopa de azeite de oliva
2 dentes de alho bem picados
¼ de xícara de pinhão torrado
½ xícara de salsinha picada

Num processador, triture a cabeça da couve-flor até ela ficar granulada ou rale-a com um ralador de queijo (usando o lado com buracos maiores) até que toda a cabeça esteja ralada e reste apenas o talo. Descarte-o.

Aqueça o azeite de oliva numa frigideira grande, em fogo médio. Acrescente todos os ingredientes à frigideira e salteie, mexendo frequentemente, até a couve-flor começar a dourar.

Observação: Para reforçar o sabor, você pode acrescentar à couve-flor azeitonas picadas, sem caroço, ou ¼ de xícara de queijo parmesão ralado durante o cozimento.

## ESPINAFRE E ALHO SAUTÉ

Praticamente todas as folhas verdes salteadas no alho e no azeite de oliva ficam deliciosas. Eis a receita padrão com espinafre, mas fique à vontade para fazer experiências com outras folhas.

Serve 2 pessoas.

4 colheres de sopa de azeite de oliva
2 saquinhos de espinafre baby pré-lavado
6 dentes de alho cortado em fatias finíssimas
1 limão siciliano
1 a 2 colheres de chá de pimenta desidratada
Sal e pimenta a gosto

Numa panela grande, esquente o óleo em fogo alto até sair fumaça. Adicione o espinafre e deixe cozinhar, mexendo o tempo todo, por 1 ou 2 minutos. O espinafre vai começar a murchar ligeiramente. Junte o alho e continue a cozinhar, mexendo rapidamente por mais um minuto. Retire do fogo.

Esprema por cima o suco do limão, adicione a pimenta desidratada, o sal e a pimenta-do-reino. Mexa bem e sirva.

# PASTAS E PATÊS

## GUACAMOLE

Você encontrará várias versões de guacamole que caem bem com as recomendações de *A dieta da mente*. Por isso, sinta-se à vontade para fazer experiências. Esta receita foi adaptada a partir das intruções de Alton Brown no site *TheFoodNetwork.com*. Sou fã do seu uso de especiarias para dar um gostinho a mais. Assim como todas as pastas e patês desta seção, você pode prepará-lo e guardá-lo na geladeira, num recipiente hermético, por até uma semana. Use-o para beliscar com verduras e legumes crus cortados, como pimentões, talos de aipo e rabanetes, ou adicione uma colherada a seus pratos para reforçar o sabor onde você achar que fica bom.

Serve 4 pessoas.

2 abacates grandes e maduros, sem o caroço
Suco de 1 limão
1 colher de chá de sal
¼ de colher de chá de cominho moído
¼ de colher de chá de pimenta caiena
½ cebola roxa pequena cortada em cubos
½ pimenta jalapeño picada e sem sementes
2 tomates médios maduros cortados em cubos
1 colher de sopa de coentro picado
1 dente de alho picado

Numa tigela grande, amasse o abacate com o suco de limão. Acrescente sal, cominho e pimenta caiena. Coloque as cebolas, a pimenta jalapeño, os tomates, o coentro e o alho. Deixe assentar em temperatura ambiente durante uma hora e sirva.

## PASTA DE ABACATE E TAHINE

Esta pasta está a meio caminho entre o guacamole e o homus. Experimente-a com legumes cortados crus ou frango pré-cozido em cubinhos.

Rende aproximadamente 1 ½ xícara.

100g de rúcula pré-lavada
1 colher de sopa de azeite de oliva
1 abacate maduro e grande, sem o caroço
⅓ xícara de tahine
Suco de 1 limão siciliano
½ colher de chá de cominho moído
2 colheres de sopa de salsinha ou coentro picado

Cozinhe a rúcula no azeite de oliva, numa frigideira grande, em fogo médio para alto, até murchar. Ponha a rúcula, com os demais ingredientes, em um processador e misture até ficar homogêneo. Adicione ¼ de xícara de água ou mais, até a mistura adquirir consistência espessa. Sirva imediatamente ou guarde em um recipiente hermético por até 2 dias.

## PASTA AMARGA DE CASTANHA-DE-CAJU

As castanhas-de-caju são ricas em sabor. Além de servirem como pasta para beliscar com legumes crus, caem bem como molho em muitas sopas e pratos com frango.

Rende 1 xícara.

½ xícara de castanhas-de-caju cruas, sem sal
2 colheres de chá de shoyu light
¼ xícara de suco de limão siciliano
¼ colher de chá de noz-moscada moída
1 xícara de água
Sal a gosto

No liquidificador, bata um purê com as castanhas, o shoyu, o suco de limão, a noz-moscada e ½ xícara de água. Com o liquidificador ainda em movimento, adicione lentamente o restante de água até a mistura ficar com a consistência de creme batido. Se você preferir uma consistência menos espessa, coloque mais água. Tempere com sal a gosto. Armazene num recipiente hermético na geladeira por até 4 dias.

## HOMUS

O homus é uma das pastas mais versáteis, podendo ser usada de inúmeras maneiras. É delicioso como belisquete, com legumes, e pode ser usado para encorpar pratos com carne.

Serve 4 pessoas.

1 lata de 500g de grão-de-bico
4 colheres de sopa de suco de limão siciliano
1 ½ colher de sopa de tahine
2 dentes de alho
½ colher de chá de sal
2 colheres de sopa de azeite de oliva, e mais um pouco para servir
½ xícara de salsinha picada, como guarnição

Escorra o grão-de-bico, mas reserve ¼ de xícara do líquido da lata. Num processador, misture o grão-de-bico, o suco de limão, o tahine, o alho, 2 colheres de sopa de azeite de oliva e sal. Coloque o líquido reservado do grão-de-bico e processe durante 3 minutos, em baixa velocidade, até ficar pastoso. Ponha o homus numa tigela de servir e pingue azeite de oliva por cima. Salpique com a salsinha e sirva.

# MOLHOS

Eis aqui três molhos para "brincar" na cozinha. Se você prepar+ á-los com antecedência, guarde-os em recipientes herméticos na geladeira por até uma semana.

## MOLHO DE ENDRO

Quando faltarem ideias, experimente este molho em qualquer peixe que você queira assar ou grelhar.

Rende aproximadamente ½ xícara.

1 ½ xícara de folhas de endro (cerca de 3 maços)
½ xícara de folhas de salsinha italiana (cerca de 1 maço)
2 dentes de alho
3 colheres de sopa de azeite de oliva
2 colheres de sopa de mostarda Dijon
1 colher de sopa de suco de limão siciliano
Sal e pimenta a gosto

Processe todos os ingredientes em um liquidificador ou processador até ficar pastoso. Este molho pode ser espalhado sobre o peixe antes de assá-lo ou grelhá-lo.

## PESTO DE PECORINO

Eis outro molho saboroso para usar com peixes.

Rende cerca de ½ xícara.

⅓ de xícara de amêndoas, nozes ou pinhões crus
2 dentes de alho
2 xícaras de folhas de manjericão

⅓ de xícara de pecorino ralado
Sal e pimenta a gosto
⅓ xícara de azeite de oliva

Processe todos os ingredientes, à exceção do azeite, em um processador e derrame lentamente o azeite pelo tubo. O pesto deve ficar cremoso e fácil de espalhar.

## REFOGADO

O refogado é um molho à base de tomate condimentado, bastante usado na cozinha dos países latinos. Incrivelmente versátil, pode ser usado com frango assado, guisados e ovos mexidos, assim como com peixes grelhados ou assados.

Rende 3 ou 4 xícaras.

2 colheres de sopa de azeite de oliva
1 cebola média picada em cubinhos
1 pimentão verde, sem sementes, picado em cubinhos
2 dentes de alho picados
750g de extrato de tomate
Folhas de 1 maço de coentro picadas
1 colher de chá de páprica
Sal e pimenta a gosto

Em uma panela grande de fundo reforçado, aqueça o azeite de oliva em fogo médio. Acrescente a cebola e mexa bem até ficar transparente. Adicione o pimentão e deixe por 5 minutos, mexendo constantemente. Junte o alho e mexa por mais 1 minuto. Acrescente o extrato de tomate, o coentro e a páprica na panela. Mexa bem. Deixe por mais 10 a 15 minutos. Tempere com sal e pimenta a gosto.

# SOBREMESAS

## TRUFAS DE CHOCOLATE

Eis uma guloseima fantástica para a sobremesa ou para servir no seu próximo jantar para os amigos. Quanto maior a qualidade do chocolate, melhor. Faça experiências com sabores diferentes.

Rende 30 a 40 trufas.

½ xícara de creme de leite batido
1 colher de chá de essência de amêndoa, laranja, baunilha ou avelã
200g de chocolate meio amargo (com pelo menos 70% de cacau), cortado em pequenos pedaços
Pó de cacau ou nozes picadas para a cobertura

Numa pequena panela, cozinhe o creme de leite em fogo brando. Misture a essência e jogue a mistura sobre o chocolate em um recipiente separado. Reserve por alguns minutos e depois mexa até ficar cremoso. Deixe esfriar e leve a mistura por 2 horas na geladeira.

Faça bolinhas de 0,5cm com uma colher de chá, rolando-as rapidamente nas palmas das mãos. Ponha as bolinhas numa forminha de assar coberta de papel vegetal. Deixe na geladeira a noite toda.

Role as bolinhas em pó de cacau ou nozes picadas. Guarde as trufas num recipiente hermético, na geladeira, durante no máximo 1 semana.

## MOUSSE DE CHOCOLATE E COCO

Se você está à procura de uma sobremesa que possa ser feita em poucos minutos, guarde uma garrafinha de leite de coco na geladeira, para estar preparado quando tiver vontade de se dar de presente uma guloseima.

Serve 2 pessoas.

1 garrafinha de leite de coco integral
3 colheres de sopa de pó de cacau
1 ou 2 colheres de chá de adoçante à base de estévia
Opcionais: Coco ralado, manteiga de amêndoa, canela

Deixe a garrafa de leite de coco fechada na geladeira por várias horas, ou a noite inteira.

Coloque o creme solidificado numa tigela e bata vigorosamente com um batedor manual ou elétrico até ficar pastoso (não pode ficar líquido). Adicione o pó de cacau e a estévia e continue batendo até a mousse ficar leve e fofa. Cubra com o coco ralado, uma colherada de manteiga de amêndoa ou canela. Sirva em seguida.

# Epílogo
## A *espantosa verdade*

No século XVIII, um médico alemão formado em Viena montou um consultório para estudar o chamado "magnetismo animal", que ele transformou num método de tratamento, o hipnotismo. Esse método também foi nomeado mesmerismo, por conta de seu nome: Franz Anton Mesmer. O dr. Mesmer afirmava poder curar problemas do sistema nervoso pelo uso do magnetismo. Segundo ele, um equilíbrio adequado de um "fluido sutil" mantinha a saúde do corpo. Esse mesmo fluido sutil era responsável pelo calor, pela luz e pela gravidade, e flutuava em todo o universo. O dr. Mesmer criou o "magnetismo animal" concentrando-se nos polos magnéticos do corpo, que, na visão dele, ajudavam a guiar esse fluido. Segundo sua teoria, os polos tinham de ser alinhados corretamente para funcionar e manter um fluxo correto, suave e harmonioso do fluido. Se o equilíbrio se perdesse, a pessoa podia desenvolver "aflições nervosas" e teria de ser "mesmerizada" para realinhar os polos e reequilibrar o fluido.

Não levou muito tempo para o dr. Mesmer ganhar publicidade, assim como notoriedade. Ele atraiu muita atenção e despertou a curiosidade de muita gente — instruída ou não. A comunidade médica e científica receava o método; o governo se preocupava com o sigilo e a subversão de seus seguidores, que cresciam exponencialmente. Em 1777, o dr. Mesmer foi expulso de Viena. Foi para Paris e se estabeleceu novamente.

Na década de 1780 ele já havia reunido novos discípulos e aberto negócios com eles em Paris. Seus seguidores "mesmerizavam" as pessoas, afirmando localizar seus polos e controlar o fluido. Dá para imaginar a cena dramática do cientista louco sacudindo os braços no ar, reunindo seus poderes e administrando a força de seu toque aos incautos com "aflições nervosas", como num esforço inútil para exorcizar o demônio de seus corpos. Sua popularidade vinha em parte do mistério, em parte da moda. Ser tratado por Mesmer e seus "mesmerizadores" se tornou "in". Usava-se um aparato complexo, com tubos mesméricos, garrafas de água mesmerizada e barras de ferro que continham o fluido sutil. Esses tratamentos mesméricos ocorriam em locais reclusos. Isso só fazia aumentar o mistério e a notoriedade.

O dr. Mesmer não durou muito tempo em Paris, tampouco. Um inquérito foi instaurado. Uma comissão do governo real, que incluía nomes como Antoine-Laurent Lavoisier e Benjamin Franklin, estudou sua prática independente. Em 1785, Mesmer trocou Paris por Londres, indo na sequência para a Áustria, a Itália, a Suíça e, por fim, sua Alemanha natal, onde morreu em 1815, num vilarejo perto de onde nasceu. Onde quer que fosse, tentava angariar o reconhecimento universal que julgava merecer por sua terapia.

Hoje se acredita que Mesmer, na verdade, tratava males psicossomáticos e tirou enorme proveito da credulidade das pessoas. Olhando para trás, suas teorias e práticas soam ridículas, mas, na verdade, a história de Mesmer guarda muitos paralelos com casos de hoje. Não é tão ridículo imaginar que algumas pessoas são presa fácil para produtos, procedimentos e crenças médicas vendidas de forma brilhante. Todos os dias recebemos alguma informação nova sobre saúde. Somos bombardeados com notícias — boas, ruins e confusamente contraditórias. E somos literalmente mesmerizados por essas mensagens. Até mesmo os consumidores inteligentes, instruídos, cautelosos e céticos são mesmerizados. É difícil separar a verdade da ficção e saber a diferença entre o que é saudável e o que é nocivo, quando as informações e os endossos vêm dos "especialistas".

Se você refletir a respeito de alguns dos conselhos distribuídos nos últimos cem anos pelos chamados "especialistas", dar-se-á conta rapidamente de que muitas coisas nem sempre são o que parecem. É muito comum testemunhar reviravoltas totais quando se trata da validade de certos fatos, práticas e afirmações. As hemorragias ainda eram um tratamento comum no final do século XIX. Achávamos que os ovos eram nocivos e que a margarina era mágica, mas agora sabemos que os ovos estão entre os alimentos mais ricos em nutrientes e que a margarina contém gorduras trans letais. Os médicos de meados do século XX posavam para anúncios de cigarros e, tempos depois, começaram a dizer que o leite em pó era melhor que o materno para as crianças. E embora pareça difícil conceber hoje em dia, não faz muito tempo que se pensava que a dieta não tinha influência nenhuma sobre as doenças. Hoje sabemos que é o contrário.

Quando penso no mundo daqui a cinquenta anos, fico imaginando quais serão as afirmações falsas, hoje tidas como verdadeiras, a serem eliminadas da sociedade. Também fico pensando se terei tido alguma influência, com o trabalho que tenho feito para alterar o ponto de vista errôneo das pessoas em relação aos carboidratos, às gorduras e ao colesterol. Na verdade, hoje em dia há forças poderosas em favor de nossos pontos de vista. Entre em qualquer supermercado e você vai se deparar com dezenas de razões para comer isto ou aquilo. Muitas dessas afirmações perpetuam fatos e promessas mentirosos. Isso é verdade particularmente em relação aos alimentos com o rótulo "saudável" — grãos integrais, baixa gordura, sem colesterol. Além de lhe dizer que esses produtos são o passaporte para uma vida mais longa e vibrante, a indústria alimentícia, de alguma forma, os associa a um risco menor de câncer, doenças cardíacas, diabetes e obesidade. Mas você conhece a verdade.

Vivemos uma época empolgante na medicina; finalmente temos a tecnologia na ponta dos dedos para nos ajudar a diagnosticar, tratar e curar muitas doenças que apenas algumas décadas atrás encurtavam a vida. Mas também vivemos em uma época em que o número de pessoas que morrem de doenças crônicas é o dobro do número de pessoas que morrem de doenças infecciosas (inclusive aids, tuberculose e malária), condições maternais e perinatais e deficiências nutricionais, somados.[1] É de conhecimento geral que o sistema de saúde dos Estados

Unidos balança à beira de um abismo. Os custos do sistema de saúde são exorbitantes. Gastamos quase 20% de nosso Produto Interno Bruto em saúde, e o custo dos seguros-saúde para as famílias continua a aumentar, superando os 15 mil dólares anuais. E embora os EUA estejam em primeiro lugar no ranking mundial de gastos com saúde, estamos em 37º lugar no desempenho geral do sistema de saúde, segundo a Organização Mundial da Saúde,[2] e 22º lugar em expectativa de vida entre as trinta nações mais desenvolvidas.

O que pode salvar nosso sistema e nossas futuras gerações? Não podemos esperar que um sistema de saúde complicado se conserte sozinho, assim como não podemos esperar que a mudança ocorra com a velocidade necessária. Também não podemos confiar em drogas para nos manter vivos e com saúde. Em muitos casos, como descrevi neste livro, os remédios nos afastam de onde realmente gostaríamos de estar. Precisamos começar individualmente, com pequenas mudanças em nossos hábitos diários, que levarão a grandes ganhos no nosso quociente de saúde, agora e no futuro.

Embora alguns considerem que o cerne da vida é o batimento cardíaco (afinal de contas, é esse batimento que nós procuramos nas primeiras semanas de vida), quem ocupa o lugar central, na verdade, é o cérebro. Nosso coração não bateria sem o cérebro, e é o cérebro que nos permite vivenciar o mundo, em todos os níveis — sentir prazer e dor, amar e aprender, tomar decisões e participar da vida de uma maneira que valha a pena viver!

Até que nos deparemos com um problema de saúde que afete a funcionalidade do cérebro, tendemos a achar que sempre teremos nossas faculdades mentais. Supomos que nossa mente viajará conosco aonde formos. Mas e se isso não acontecer? E se na verdade nós pudermos assegurar a acuidade mental e a capacidade cerebral simplesmente nutrindo o cérebro da maneira que descrevi? Todos nós damos valor ao direito à liberdade de expressão, ao direito à privacidade e ao direito ao voto, entre outros. Todos são fundamentais ao nosso modo de vida. Mas e quanto ao direito a uma vida longa, livre do declínio cognitivo e de doenças mentais? Você pode reivindicar este direito hoje. Espero que o faça.

# Agradecimentos

Como qualquer um que já tenha escrito um livro sabe bem, é necessário um exército de gente criativa, brilhante e incansável para juntar todas as peças. E bem na hora que você acha que acabou, outro batalhão de pessoas igualmente brilhantes surge para supervisionar tudo antes que o leitor, como você, possa desfrutar da primeiríssima página.

Se eu pudesse, faria uma lista com todos os nomes de quem um dia contribuiu para minha forma de pensar e me apoiou ao longo de minha vida e minha carreira. Mas isso representaria centenas de pessoas e muitas páginas deste livro. Por isso serei sucinto. Tenho uma dívida para com todos os cientistas e colegas que lutaram para compreender os mistérios do cérebro e do corpo humanos. Também sou eternamente grato a meus pacientes, com quem aprendo diariamente e que me proporcionam descobertas que não encontraria em nenhum outro lugar. Este livro é de vocês.

Agradeço a Bonnie Solow, minha amiga e agente literária. Foi seu reconhecimento da importância desta mensagem que catalisou tudo o que veio depois. Mas dou valor, acima de tudo, à amizade que esse projeto nos trouxe. Obrigado por sua liderança suave e sua atenção aos detalhes. Sei que você foi além no dever de proteger, conduzir e ajudar este livro a chegar ao público.

A Kristin Loberg. Embora o conteúdo deste livro represente minha pesquisa e minha experiência profissional, sua maestria artística tornou possível que esta mensagem fosse agora transmitida.

À incansável equipe da Little, Brown, que apostou neste livro desde nosso primeiro encontro. Um agradecimento especial a Tracy Behar, minha editora, dona de um talento sem igual para garantir que o recado seja dado de maneira clara, sucinta e prática. Graças a seu genial talento, este livro ficou melhor em cada detalhe. Agradeço ainda a Michael Pietsch, Reagan Arthur, Theresa Giacopasi, Nicole Dewey, Heather Fain e Miriam Parker. Foi um prazer trabalhar com um grupo tão dedicado e profissional.

À Digital Natives, minha eficiente equipe tecnológica, responsável por dar vida a meu website.

A toda a equipe de nossa clínica, o Centro de Saúde Perlmutter, pela dedicação.

A minha esposa, Leize. Obrigado por todo o tempo e comprometimento na preparação amorosa das receitas. Sou imensamente grato por tê-la em minha vida. Agradeço também a Dee Harris pelas valiosas informações nutricionais.

E, por fim, eu gostaria de agradecer a meus filhos, Austin e Reisha, que nunca deixaram de me encorajar e apoiar nesta jornada.

# Créditos das imagens

Página 69: Reproduzido de M. Hadjivassiliou et al., "Gluten sensitivity: from gut to brain". *The Lancet Neurology*, v. 9, n. 3, pp. 318-30, mar. 2010, com permissão da Elsevier.

Página 97: Centers for Disease Control and Prevention. Disponível em: <cdc.gov/diabetes/statistics/prev/national/figpersons.htm>. Acesso em: 20 jan. 2014.

Página 105: Adaptado de A. L. Culver et al., "Statin Use and Risk of Diabetes Mellitus in Post-menopausal Women in the Women's Health Initiative". *Archives of Internal Medicine*, v. 172, n. 2, pp. 144-52, 2012.

Página 128: Adaptado de C. Enzinger, "Risk Factors for Progression of Brain Atrophy in Aging. Six-year Follow-up of Normal Subjects". *Neurology*, n. 64, pp. 1704-11, 24 maio 2005.

Página 166: "America's State of Mind", relatório da Express Scripts, 2011, reimpresso com permissão.

Página 201: © Randy Glasbergen, reimpresso com permissão.

Página 209: Adaptado de A. S. Buchman, P. A. Boyle, L. Yu et al., "Total Daily Physical Activity and the Risk of AD and Cognitive Decline in Older Adults". *Neurology*, n. 78, p. 1323, 2012.

Página 210: Adaptado de A. S. Buchman, P. A. Boyle, L. Yu et al., "Total Daily Physical Activity and the Risk of AD and Cognitive Decline in Older Adults". *Neurology*, n. 78, p. 1323, 2012.

Página 214: Adaptado de K. I. Erikson et al., "Exercise Training Increases Size of Hippocampus and Improves Memory". *Proceedings of the National Academy of Sciences USA*, v. 108, n. 7, pp. 3017-22, 15 fev. 2011.

# Notas

A seguir, uma lista de livros e artigos científicos que você pode achar úteis no aprendizado sobre alguns dos conceitos e ideias expressos neste livro. São materiais que podem abrir portas para mais pesquisa e investigação. Para acessar outros estudos e uma lista atualizada de referências, visite o site <www.drperlmutter.com>.

## INTRODUÇÃO: CONTRA OS GRÃOS

1. Harris Interactive, "What America Thinks: MetLife Foundation Alzheimer's Survey". Estudo realizado para a Fundação MetLife, fev. 2011. Disponível em: <https://www.metlife.com/assets/cao/foundation/alzheimers-2011.pdf>. Acesso em: 20 jan. 2014.

2. Annie L. Culver et al., "Statin Use and Risk of Diabetes Mellitus in Postmenopausal Women in the Women's Health Initiative". *Arch Intern Med.*, v. 172, n. 2, pp. 144-52, 2012.

3. Åsa Blomström et al., "Maternal Antibodies to Dietary Antigens and Risk for Nonaffective Psychosis in Offspring". *American Journal of Psychiatry*, 2012.

# PARTE I. A VERDADE SOBRE O GRÃO INTEGRAL

## 1. A MAIOR CAUSA DAS DOENÇAS DO CÉREBRO: O QUE VOCÊ NÃO SABE SOBRE AS INFLAMAÇÕES

1. Eric Steen et al., "Impaired Insulin and Insulin-like Growth Factor Expression and Signaling Mechanisms in Alzheimer's Disease — Is This Type 3 Diabetes?" *Journal of Alzheimer's Disease*, v. 7, n. 1, pp. 63-80, fev. 2005.

2. R. O. Roberts et al., "Relative Intake of Macronutrients Impacts Risk of Mild Cognitive Impairment or Dementia". *Journal of Alzheimer's Disease*, v. 32, n. 2, pp. 329-39, 2012. DOI: <10.3233/JAD-2012-120862>.

3. Disponível em: <http://www.doctoroz.com/videos/alzheimers-diabetes-brain>. Acesso em: 20 jan. 2014.

4. Para uma explicação mais detalhada do diabetes tipo 3, ver o artigo de Mark Bittman, "Is Alzheimer's Type-3 Diabetes?", *The New York Times*, 25 set. 2012. Disponível em: <http://opinionator.blogs.nytimes.com/2012/09/25/bittman-is-alzheimers-type-3-diabetes/>. Acesso em: 20 jan. 2014.

5. Disponível em: <http://www.diabetes.webmd.com>. Acesso em: 20 jan. 2014.

6. Disponível em: <http://aiafoundation.org/patients-families/facts-figures/>. Acesso em: 20 jan. 2014.

7. Disponível em: <http://www.rhodeislandhospital.org/wtn/Page.asp?PageID=WTN000249>. Acesso em: 20 jan. 2014.

8. Disponível em: <http://opinionator.blogs.nytimes.com/2012/09/25/bittman-is-alzheimers-type-3-diabetes/>. Acesso em: 20 jan. 2014.

9. Disponível em: <http://www.cdc.gov/mmwr/preview/mmwrhtml/mm6145a4.htm>. Acesso em: 20 jan. 2014.

10. Disponível em: <http://www.framinghamheartstudy.org>. Acesso em: 20 jan. 2014.

11. Penelope K. Elias et al., "Serum Cholesterol and Cognitive Performance in the Framingham Heart Study". *Psychosom Med.*, v. 67, n. 1, pp. 24-30, jan./fev. 2005.

12. Nicolas Cherbuin et al., "Higher Normal Fasting Plasma Glucose is Associated with Hippocampal Atrophy: The PATH Study". *Neurology*, v. 79, n. 10, 2012, p. 1019.

13. Disponível em: <http://www.sciencedaily.com/releases/2012/09/120904095856.htm>. Acesso em: 20 jan. 2014.

14. Walter F. Stewart et al., "Risk of Alzheimer's Disease and Duration of NSAID Use". *Neurology*, v. 48, n. 3, pp. 626-32, mar. 1997.

15. Angelika D. Wahner et al., "Nonsteroidal Anti-inflammatory Drugs May Protect Against Parkinson Disease". *Neurology*, v. 69, n. 19, pp. 1836-42, 6 nov. 2007.

16. Jose Miguel Rubio-Perez et al., "A Review: Inflammatory Process in Alzheimer's Disease, Role of Cytokines". *Scientific World Journal*, 1 abr. 2012.

17. William Davis, *Wheat Belly*. Nova York: Rodale, 2011 [Ed. bras.: *Barriga de trigo*. São Paulo: WMF Martins Fontes, 2013].

## 2. A PROTEÍNA ADESIVA: O PAPEL DO GLÚTEN NOS PROCESSOS INFLAMATÓRIOS CEREBRAIS (O PROBLEMA NÃO É SÓ A SUA BARRIGA)

1. Keith O'Brien, "Should We All Go Gluten-free?". *The New York Times*, 25 nov. 2011. Disponível em: <http://www.nytimes.com/2011/11/27/magazine/Should-We-All-Go-Gluten-Free.html?pagewanted=all&_r=0>. Acesso em: 20 jan. 2014.

2. Chris Chase, "Is Novak Djokovic's New, Gluten-free Diet Behind His Win Streak?". *Yahoo! Sports*, 17 maio 2011. Disponível em: <http://sports.yahoo.com/tennis/blog/busted_racquet/post/Is-Novak-Djokovic-8217-s-new-gluten-free-diet-?urn=ten-wp706>. Acesso em: 20 jan. 2014.

3. Para um belo apanhado das definições básicas a respeito do glúten e de seus efeitos sobre o corpo, visite o site: <http://www.healspringholistic.com>.

4. Disponível em: <http://healthspringholistic.com>. Acesso em: 20 jan. 2014.

5. David Perlmutter, "Gluten Sensitivity and the Impact on the Brain". Disponível em: <http://www.HuffingtonPost.com>. Acesso em: 20 jan. 2014.

6. David Perlmutter e Alberto Villoldo, *Power up your brain: The neuroscience of enlightenment*. Nova York: Hay House, 2011.

7. O dr. Alessio Fasano, do Centro de Pesquisa e Tratamento de Doença Celíaca de Boston, departamento do Hospital Geral de Massachusetts, escreveu diversos artigos sobre a sensibilidade ao glúten e suas várias formas de manifestação — às vezes imitando outros transtornos. Seu site e suas publicações podem ser acessados em: <http://www.celiaccenter.org/>.

8. Marios Hadjivassiliou et al., "Does Cryptic Gluten Sensitivity Play a Part in Neurological Illness?", *Lancet*, v. 347, n. 8898, pp. 369-71, 10 fev. 1996.

9. Marios Hadjivassiliou et al., "Gluten Sensitivity as a Neurological Illness". *Journal of Neurology, Neurosurgery, and Psychiatry*, v. 72, n. 5, pp. 560-3, maio 2002.

10. Para um excelente texto sobre a história da doença celíaca, confira Bernadette Kalman e Thomas H. Brannagan III, *Neuroimmunology in Clinical Practice*. Nova York: Wiley-Blackwell, 2007. Capítulo 22: "Neurological Manifestations of Gluten Sensitivity".

11. Para outro excelente texto sobre a doença celíaca ao longo da história, veja Marios Hadjivassiliou et al., "Gluten Sensitivity: From Gut to Brain". *Lancet Neurology*, v. 9, n. 3, pp. 318-30, mar. 2010.

12. T. William et al., "Cognitive Impairment and Celiac Disease". *Archives of Neurology*, v. 63, n. 10, pp. 1440-6, out. 2006. Ver também: "Mayo Clinic Discovers Potential Link Between Celiac Disease And Cognitive Decline". *ScienceDaily*, 12 out. 2006. Disponível em: <http://www.sciencedaily.com/releases/2006/10/061010022602.htm>. Acesso em: 20 jan. 2014.

13. Marios Hadjivassiliou et al., "Gluten Sensitivity: From Gut to Brain". *Lancet Neurology*, v. 9, n. 3, pp. 318-30, mar. 2010.

14. O seguinte site dá acesso ao trabalho e às publicações do dr. Vojdani: <http://www.yourmedicaldetective.com/public/148.cfm>. Acesso em: 20 jan. 2014.

15. Rodney P. Ford, "The Gluten Syndrome: a Neurological Disease". *Medical Hypotheses*, v. 73, n. 3, pp. 438-40, set. 2009.

16. Gianna Ferretti et al., "Celiac Disease, Inflammation and Oxidative Damage: A Nutrigenetic Approach". *Nutrients*, v. 4, n. 4, pp. 243-57, abr. 2012.

17. Ibid.

18. Disponível em: <http://www.healthspringholistic.com>. Acesso em: 20 jan. 2014.

19. Christine Zioudrou et al., "Opioid Peptides Derived from Food Proteins (the Exorphins)". *The Journal of Biological Chemistry*, v. 254, n. 7, pp. 2446-9, 10 abr. 1979.

20. William Davis, op. cit.

21. Disponível em: <http://www.healthspringholistic.com>. Acesso em: 20 jan. 2014.

## 3. CUIDADO, "CARBOÓLICOS" E "GORDUROFÓBICOS": A SURPREENDENTE VERDADE SOBRE OS AMIGOS E INIMIGOS DO SEU CÉREBRO

1. Craig Weller, disponível em: <http://www.barefootfts.com>. Acesso em: 20 jan. 2014.

2. Roberts et al., "Relative Intake of Macronutrients Impacts Risk of Mild Cognitive Impairment or Dementia". Ver nota 2, cap. 1.

3. M. Mulder et al., "Reduced Levels of Cholesterol, Phospholipids, and Fatty Acids in Cerebrospinal Fluid of Alzheimer Disease Patients Are Not Related to Apolipoprotein E4". *Alzheimer Disease Associated Disorders*, v. 12, n. 3, pp. 198-203, set. 1998.

4. P. Barberger-Gateau et al., "Dietary Patterns and Risk of Dementia: The Three-City Cohort Study". *Neurology*, v. 69, n. 20, pp. 1921-30, 13 nov. 2007.

5. P. M. Kris-Etherton et al., "Polyunsaturated Fatty Acids in the Food Chain in the United States". *American Journal of Clinical Nutrition*, v. 71, n. 1, jan. 2000. Ver também:

<http://chriskresser.com/how-too-much-omega-6-and-not-enough-omega-3-is-making-us-sick>. Acesso em: 20 jan. 2014.

6. Rebecca West et al., "Better Memory Functioning Associated with Higher Total and Low-Density Lipoprotein Cholesterol Levels in Very Elderly Subjects Without the Apolipoprotein E4 Allele". *American Journal of Geriatric Psychiatry*, v. 16, n. 9, pp. 781-5, set. 2008.

7. L. M. De Lau et al., "Serum Cholesterol Levels and the Risk of Parkinson's Disease". *American Journal of Epidemiology*, v. 164, n. 10, pp. 998-1002, 15 nov. 2006.

8. X. Huang et al., "Low LDL Cholesterol and Increased Risk of Parkinson's Disease: Prospective Results from Honolulu-Asia Aging Study". *Movement Disorders*, v. 23, n. 7, pp. 1013-8, 15 maio 2008.

9. H. M. Krumholz et al., "Lack of Association Between Cholesterol and Coronary Heart Disease Mortality and Morbidity and All-Cause Mortality in Persons Older Than 70 Years". *JAMA*, v. 272, n. 17, pp. 1335-40, 2 nov. 1994.

10. H. Petousis-Harris, "Saturated Fat Has Been Unfairly Demonised: Yes". *Primary Health Care*, v. 3, n. 4, pp. 317-9, 1 dez. 2011.

11. Disponível em: <http://www.survivediabetes.com/lowfat.html>. Acesso em: 20 jan. 2014.

12. A. W. Weverling-Rijnsburger et al., "Total Cholesterol and Risk of Mortality in the Oldest Old". *Lancet*, v. 350, n. 9085, pp. 1119-23, 18 out. 1997.

13. L. Dupuis et al., "Dyslipidemia is a Protective Factor in Amyotrophic Lateral Sclerosis". *Neurology*, v. 70, n. 13, pp. 1004-9, 25 mar. 2008.

14. P. W. Siri-Tarino et al., "Meta-analysis of Prospective Cohort Studies Evaluating the Association of Saturated Fat With Cardiovascular Disease". *American Journal of Clinical Nutrition*, v. 91, n. 3, pp. 535-46, mar. 2010.

15. Michael Gurr et al., *Lipid Biochemistry: An introduction*. Nova York: Wiley-Blackwell, 2010.

16. A. Astrup et al., "The Role of Reducing Intakes of Saturated Fat in the Prevention of Cardiovascular Disease: Where Does the Evidence Stand in 2010?". *American Journal of Clinical Nutrition*, v. 93, n. 4, pp. 684-8, abr. 2011.

17. Para uma visão envolvente e abrangente de nossos hábitos alimentares ao longo do último século, ver o verbete do dr. Donald W. Miller Jr. no site: <http://www.lewrockwell.com/miller/miller33.1.html>. Acesso em: 20 jan. 2014.

18. Disponível em: <http://www.choosemyplate.gov/>. Acesso em: 20 jan. 2014.

19. Disponível em: <http://www.lewrockwell.com/miller/miller33.1.html>. Acesso em: 20 jan. 2014.

20. Conclusões gerais do Projeto Internacional de Aterosclerose. *Laboratory Investigation*, v. 18, n. 5, pp. 498-502, maio 1968.

21. Disponível em: <http://www.cdc.gov/diabetes/pubs/pdf/DiabetesReportCard.pdf>. Acesso em: 20 jan. 2014.

22. R. Stocker e J. F. Keaney Jr., "Role of Oxidative Modifications in Atherosclerosis". *Physiology Review*, v. 84, n. 4, pp. 1381-478, out. 2004.

23. Y. Kiyohara, "The Cohort Study of Dementia: The Hisayama Study". *Rinsho Shinkeigaku*, v. 51, n. 11, pp. 906-9, nov. 2011. Ver também a cobertura de Ann Harding sobre este estudo para a CNN Health em: <http://www.cnn.com/2011/09/19/health/diabetes-doubles-alzheimers>. Acesso em: 20 jan. 2014.

24. D. Jacobs et al., "Report of the Conference on Low Blood Cholesterol: Mortality Associations". *Circulation*, v. 86, n. 3, pp. 1046-60, set. 1992.

25. Duane Graveline, *Lipitor: Thief of Memory, Statin Drugs and the Misguided War on Cholesterol*. Duane Graveline, 2006.

26. Culver et al., "Statin Use and Risk of Diabetes Mellitus in Postmenopausal Women in the Women's Health Initiative". Ver nota 2, introdução.

27. Disponível em: <http://people.csail.mit.edu/seneff/alzheimers_statins.html>. Acesso em: 20 jan. 2014.

28. Universidade Estadual de Iowa. "Cholesterol-reducing Drugs May Lessen Brain Function, Says Researcher". *ScienceDaily*. Disponível em: <http://www.science-daily.com /releases/2009/02/090223221430.htm>. Acesso em: 20 jan. 2014.

29. Center for Advancing Health. "Statins Do Not Help Prevent Alzheimer's Disease, Review Finds". *ScienceDaily*. Disponível em: <http://www.sciencedaily.com/releases/2009/04/090415171324.htm>. Acesso em: 20 jan. 2014. Ver também B. McGuinness et al., "Statins for the Prevention of Dementia". *Cochrane Database of Systematic Reviews*, 2. ed., 2009.

30. Ibid.

31. Stephanie Seneff, "APOE-4: The Clue to Why Low Fat Diet and Statins May Cause Alzheimer's". Disponível em: <http://people.csail.mit.edu/seneff/alzheimers_statins.html>. Acesso em: 20 jan. 2014.

32. Ibid.

33. Ibid.

34. A Biblioteca Nacional de Medicina (<http://www.nlm.nih.gov/>) contém pesquisas publicadas, revisadas por pares, com mais de trezentos efeitos adversos conhecidos associados ao uso de estatinas. Para um resumo de alguns dos maiores estudos, confira: <http://www.greenmedinfo.com/toxic-ingredient/statin-drugs>. Acesso em: 20 jan. 2014.

35. G. Charach et al., "Baseline Low-Density Lipoprotein Cholesterol Levels and Outcome in Patients With Heart Failure". *American Journal of Cardiology*, v. 105, n. 1, pp. 100-4, 1 jan. 2010.

36. K. Rizvi et al., "Do Lipid-lowering Drugs Cause Erectile Dysfunction? A Systematic Review". *Journal of Family Practice*, v. 19, n. 1, pp. 95-8, fev. 2002.

37. G. Corona et al., "The Effect of Statin Therapy on Testosterone Levels in Subjects Consulting for Erectile Dysfunction". *Journal of Sexual Medicine*, v. 7, n. 4, pp. 1547-56, abr. 2010.

38. C. J. Malkin et al., "Low Serum Testosterone and Increased Mortality in Men with Coronary Heart Disease". *Heart*, v. 96, n. 22, pp. 1821-5, nov. 2010.

## 4. UMA UNIÃO INFRUTÍFERA: SEU CÉREBRO VICIADO EM AÇÚCAR (NATURAL OU NÃO)

1. R. H. Lustig et al., "Public Health: The Toxic Truth About Sugar". *Nature*, v. 482, n. 7383, pp. 27-9, 1 fev. 2012.

2. Gary Taubes. *Good Calories, Bad Calories: Challenging the Conventional Wisdom on Diet, Weight Control, and Disease*. Nova York: Knopf, 2007.

3. Disponível em: <http://www.nytimes.com/2011/04/17/magazine/mag-17Sugar-t.html?pagewanted=all&_r=0>. Acesso em: 20 jan. 2014.

4. Para um fascinante estudo sobre o metabolismo do açúcar, ver a apresentação do dr. Lustig, "Sugar: The Bitter Truth". Disponível em: <http://youtu.be/dBnniua6-oM>. Acesso em: 20 jan. 2014.

5. Gary Taubes. *Why We Get Fat: And What To Do About It*. Nova York: Knopf, 2010.

6. Ibid., p. 134.

7. K. Yaffe et al., "Diabetes, Glucose Control, and 9-year Cognitive Decline Among Older Adults Without Dementia". *Archives of Neurology*, v. 69, n. 9, pp. 1170-5, set. 2012.

8. R. O. Roberts et al., "Association of Duration and Severity of Diabetes Mellitus With Mild Cognitive Impairment". *Archives of Neurology*, v. 65, n. 8, pp. 1066-73, ago. 2008.

9. Amy Dockser Marcus, "Mad-Cow Disease May Hold Clues to Other Neurological Disorders". *Wall Street Journal*, 3 dez. 2012. Disponível em: <http://online.wsj.com/article/SB10001424127887324020804578151291509136144.html>. Acesso em: 20 jan. 2014.

10. J. Stöhr et al., "Purified and Synthetic Alzheimer's Amyloid Beta (Aβ) Prions". *Proceedings of the National Academy of Sciences*, v. 109, n. 27, pp. 11025-30, 3 jul. 2012.

11. L. C. Maillard, "Action of Amino Acids on Sugars. Formation of Melanoidins in a Methodical Way". *Comptes Rendus*, n. 154, pp. 66-8, 1912.

12. P. Gkogkolou e M. Böhm, "Advanced Glycation End Products: Key Players in Skin Aging?". *Dermato-Endocrinology*, v. 4, n. 3, pp. 259-70, 1 jul. 2012.

13. Q. Zhang et al., "A Perspective on the Maillard Reaction and the Analysis of Protein Glycation by Mass Spectrometry: Probing the Pathogenesis of Chronic Disease". *Journal of Proteome Research*, v. 8, n. 2, pp. 754-69, fev. 2009.

14. Sonia Gandhi e Audrey Abramov, "Mechanism of Oxidative Stress in Neurodegeneration". *Oxidative Medicine and Cellular Longevity*, 2012.

15. C. Enzinger et al., "Risk Factors for Progression of Brain Atrophy in Aging: Six-year Follow-up of Normal Subjects". *Neurology*, v. 64, n. 10, pp. 1704-11, 24 maio 2005.

16. M. Hamer et al., "Haemoglobin A1c, Fasting Glucose and Future Risk of Elevated Depressive Symptoms over 2 years of Follow-up in the English Longitudinal Study of Ageing". *Psychological Medicine*, v. 41, n. 9, pp. 1889-96, set. 2011.

17. C. Geroldi et al., "Insulin Resistance in Cognitive Impairment: The INCHIANTI Study". *Archives of Neurology*, v. 62, n. 7, pp. 1067-72, 2005.

18. M. Adamczak e A. Wiecek, "The Adipose Tissue as an Endocrine Organ". *Seminars in Nephrology*, v. 33, n. 1, pp. 2-13, jan. 2013.

19. E. L. de Hollander et al., "The Association Between Waist Circumference and Risk of Mortality Considering Body Mass Index in 65- to 74-year-olds: A Meta-analysis of 29 Cohorts Involving More Than 58,000 Elderly Persons". *International Journal of Epidemiology*, v. 41, n. 3, pp. 805-17, jun. 2012.

20. F. Item e D. Konrad, "Visceral Fat and Metabolic Inflammation: The Portal Theory Revisited". *Obesity Reviews*, n. 13, suplemento 2, pp. 30-9, dez. 2012.

21. Ver nota 17, cap. 4.

22. C. A. Raji et al., "Brain Structure and Obesity". *Human Brain Mapping*, v. 31, n. 3, pp. 353-64, mar. 2010.

23. R. A. Whitmer et al., "Central Obesity and Increased Risk of Dementia More Than Three Decades Later". *Neurology*, v. 71, n. 14, 30 set. 2008.

24. Disponível em: <http://www.internalmedicinenews.com/single-view/weight--loss-through-dieting-increases-insulin-sensitivity/dd3b525509b3dad9b123535c7e-b745b5.html>. Acesso em: 20 jan. 2014.

25. C. B. Ebbeling et al., "Effects of Dietary Composition on Energy Expenditure During Weight-loss Maintenance". *JAMA*, v. 307, n. 24, pp. 2627-34, 27 jun. 2012.

26. R. Estruch et al., "Primary Prevention of Cardiovascular Disease with a Mediterranean Diet". *New England Journal of Medicine*, 25 fev. 2013.

## 5. O DOM DA NEUROGÊNESE OU O CONTROLE DOS COMANDOS PRINCIPAIS: COMO MUDAR SEU DESTINO GENÉTICO

1. Nicholas Wade, "Heart Muscle Renewed Over Lifetime, Study Finds". *The New York Times*, 2 abr. 2009. Disponível em: <http://www.nytimes.com/2009/04/03/science/03heart.html>. Acesso em: 20 jan. 2014.

2. Santiago Ramón y Cajal, *Cajal's Degeneration and Regeneration of the Nervous System*. Nova York: Oxford University Press, 1991.

3. Para um resumo de como viemos a compreender a neurogênese nos mamíferos, ver o artigo de Charles C. Gross, "Neurogenesis in the Adult Brain: Death of a Dogma". *Nature Reviews Neuroscience*, v. 1, n. 1, pp. 67-73, out. 2000.

4. P. S. Eriksson et al., "Neurogenesis in the Adult Human Hippocampus". *Nature Medicine*, v. 4, n. 11, pp. 1313-7, nov. 1998.

5. David Perlmutter e Alberto Villoldo, op. cit.

6. Norman Doidge, *The Brain That Changes Itself: Stories of Personal Triumph from the Frontiers of Brain Science*. Nova York: Viking, 2007. [Ed. bras.: *O cérebro que se transforma: Como a neurociência pode curar as pessoas*. Rio de Janeiro: Record, 2013].

7. J. Lee et al., "Decreased Levels of BDNF Protein in Alzheimer Temporal Cortex Are Independent of BDNF Polymorphisms". *Experimental Neurology*, v. 194, n. 1, pp. 91-6, jul. 2005.

8. David Perlmutter e Alberto Villoldo, op. cit.

9. A. V. Witte et al., "Caloric Restriction Improves Memory in Elderly Humans". *Proceedings of the National Academy of Sciences*, v. 106, n. 4, pp. 1255-60, 27 jan. 2009.

10. M. P. Mattson et al., "Prophylactic Activation of Neuroprotective Stress Response Pathways by Dietary and Behavioral Manipulations". *NeuroRx*, v. 1, n. 1, pp. 111-6, jan. 2004.

11. H. C. Hendrie et al., "Incidence of Dementia and Alzheimer Disease in 2 Communities: Yoruba Residing in Ibadan, Nigeria, and African Americans Residing in Indianapolis, Indiana". *JAMA*, v. 285, n. 6, pp. 739-47, 14 fev. 2001.

12. Disponível em: <http://calorielab.com/news/2005/11/24/americans-eat-523--more-daily-calories-than-in-1970/>. Acesso em: 20 jan. 2014.

13. Disponível em: <http://www.forbes.com/sites/bethhoffman/2012/07/30/the--olympics-of-overeating-which-country-eats-the-most/>. Acesso em: 20 jan. 2014.

14. As fontes variam em relação ao consumo médio de açúcar. É interessante notar que em 2012 o Departamento de Agricultura dos Estados Unidos, que mantém estatísticas sobre nosso gosto pelos doces, alterou seus números ao empregar uma nova metodologia que eliminou 9 quilos de sua estimativa e reduziu o número para 34,8 quilos. Disponível em: <http://www.nytimes.com/2012/10/27/business/us-cuts-estimate-of-sugar-intake-of-typical-american.html?pagewanted=all>. Acesso em: 20 jan. 2014. Mas estimar o consumo de açúcar é difícil, e muitos acreditam que um valor acima dos 45 quilos anuais é mais realista.

15. A. V. Araya et al., "Evaluation of the Effect of Caloric Restriction on Serum BDNF in Overweight and Obese Subjects: Preliminary Evidences". *Endocrine*, v. 33, n. 3, pp. 300-4, jun. 2008.

16. R. Molteni et al., "A High-fat, Refined Sugar Diet Reduces Hippocampal Brain-derived Neurotrophic Factor, Neuronal Plasticity, and Learning". *Neuroscience*, v. 112, n. 4, pp. 803-14, 2002.

17. S. Srivastava e M. C. Haigis, "Role of Sirtuins and Calorie Restriction in Neuroprotection: Implications in Alzheimer's and Parkinson's Diseases". *Current Pharmaceutical Design*, v. 17, n. 31, pp. 3418-33, 2011.

18. Y. Nakajo et al., "Genetic Increase in Brain-derived Neurotrophic Factor Levels Enhances Learning and Memory". *Brain Research*, n. 1241, pp. 103-9, 19 nov. 2008.

19. C. E. Stafstrom e J. M. Rho, "The Ketogenic Diet as a Treatment Paradigm for Diverse Neurological Disorders". *Frontiers in Pharmacology*, n. 3, p. 59, 2012.

20. Para uma história da dieta cetogênica, ver o site: <http://www.news-medical.net/health/History-of-the-Ketogenic-Diet.aspx>. Acesso em: 20 jan. 2014.

21. M. Gasior et al., "Neuroprotective and Disease-modifying Effects of the Ketogenic Diet". *Behavioral Pharmacology*, v. 17, n. 5-6, pp. 431-9, set. 2006. Ver também: Z. Zhao et al., "A Ketogenic Diet as a Potential Novel Therapeutic Intervention in Amyotrophic Lateral Sclerosis". *BMC Neuroscience*, n. 7, p. 29, 2006.

22. T. B. Vanitallie et al., "Treatment of Parkinson Disease with Diet-induced Hyperketonemia: A Feasibility Study". *Neurology*, v. 64, n. 4, pp. 728-30, 22 fev. 2005.

23. M. A. Reger et al., "Effects of Beta-hydroxybutyrate on Cognition in Memory-impaired Adults". *Neurobiology of Aging*, v. 25, n. 3, pp. 311-4, mar. 2004.

24. Mary Newport, "What If There Was a Cure for Alzheimer's Disease and No One Knew?". Estudo de caso, 22 jul. 2008.

25. I. Van der Auwera et al., "A Ketogenic Diet Reduces Amyloid Beta 40 and 42 in a Mouse Model of Alzheimer's Disease". *Nutrition & Metabolism*, n. 2, p. 28, 17 out. 2005.

26. D. R. Ziegler et al., "Ketogenic Diet Increases Glutathione Peroxidase Activity in Rat Hippocampus". *Neurochemical Research*, v. 28, n. 12, pp. 1793-7, dez. 2003.

27. K. W. Barañano e A. L. Hartman, "The Ketogenic Diet: Uses in Epilepsy and Other Neurologic Illnesses". *Current Treatment Options in Neurology*, v. 10, n. 6, pp. 410-9, nov. 2008.

28. Ver nota 5, cap. 4, p. 178.

29. G. L. Xiong e P. M. Doraiswamy. "Does Meditation Enhance Cognition and Brain Plasticity?". *Annals of the New York Academy of Sciences*, n. 1172, pp. 63-9, ago. 2009. Ver também: E. Dakwar e F. R. Levin, "The Emerging Role of Meditation in Addressing Psychiatric Illness, with a Focus on Substance Use Disorders". *Harvard Review of Psychiatry*, v. 17, n. 4, pp. 254-67, 2009.

30. K. Yurko-Mauro et al., "Beneficial Effects of Docosahexaenoic Acid on Cognition in Age-related Cognitive Decline". *Alzheimer's and Dementia*, v. 6, n. 6, pp. 456-64, nov. 2010.

31. M. C. Morris et al., "Consumption of Fish and n-3 Fatty Acids and Risk of Incident Alzheimer Disease". *Archives of Neurology*, v. 60, n. 7, pp. 940-6, jul. 2003.

32. E. J. Schaefer et al., "Plasma Phosphatidylcholine Docosahexaenoic Acid Content and Risk of Dementia and Alzheimer Disease: The Framingham Heart Study". *Archives of Neurology*, v. 63, n. 11, pp. 1545-50, nov. 2006.

33. Ver nota 10, cap. 5. Ver também: M. P. Mattson et al., "Modification of Brain Aging and Neurodegenerative Disorders by Genes, Diet, and Behavior". *Physiological Reviews*, v. 82, n. 3, pp. 637-72, jul. 2002.

34. Parte do material foi adaptado do livro *Power Up Your Brain: The Neuroscience of Enlightenment* (Nova York: Hay House, 2011) e de um artigo do dr. David Perlmutter intitulado "Free Radicals: How They Speed the Aging Process", postado no *The Huffington Post* em 25 jan. 2011.

35. D. Harman, "Aging: A Theory Based on Free Radical and Radiation Chemistry". *Journal of Gerontology*, v. 11, n. 3, pp. 298-300, jul. 1956.

36. Id. "Free Radical Theory of Aging: Dietary Implications". *American Journal of Clinical Nutrition*, v. 25, n. 8, pp. 839-43, ago. 1972.

37. W. R. Markesbery e M. A. Lovell, "Damage to Lipids, Proteins, DNA, and RNA in Mild Cognitive Impairment". *Archives of Neurology*, v. 64, n. 7, pp. 954-6, jul. 2007.

38. L. Gao et al., "Novel n-3 Fatty Acid Oxidation Products Activate Nrf2 by Destabilizing the Association Between Keap1 and Cullin3". *Journal of Biological Chemistry*, v. 282, n. 4, pp. 2529-37, 26 jan. 2007.

39. U. Boettler et al., "Coffee Constituents as Modulators of Nrf2 Nuclear Translocation and ARE (EpRE)-dependent Gene Expression". *Journal of Nutritional Biochemistry*, v. 22, n. 5, pp. 426-40, maio 2011.

40. Disponível em: <http://www.nia.nih.gov>. Acesso em: 20 jan. 2014.

## 6. A FUGA DO SEU CÉREBRO: COMO O GLÚTEN ACABA COM A SUA PAZ DE ESPÍRITO, E COM A DE SEUS FILHOS

1. Disponível em: <http://www.cdc.gov/ncbddd/adhd/data.html>. Acesso em: 20 jan. 2014.

2. Disponível em: <http://www.cdc.gov/nchs/slaits/nsch.htm>. Acesso em: 20 jan. 2014.

3. Alan Schwarz e Sarah Cohen, "A.D.H.D. Seen in 11% of U.S. Children as Diagnoses Rise", *The New York Times*, caderno "Health", publicado em 31 mar. 2013. Disponível em: <http://www.nytimes.com/2013/04/01/health/more-diagnoses-of-hyperactivity-causing-concern.html?_r=0>. Acesso em: 20 jan. 2014.

4. Ibid.

5. Express Scripts, "America's State of Mind". Publicado originalmente pela Medco Health Solutions, Inc. Disponível em: <http://www.toxicpsychiatry.com/storage/Psych%20Drug%20Us%20Epidemic%20Medco%20rpt%20Nov%202011.pdf>. Acesso em: 20 jan. 2014.

6. N. Zelnik et al., "Range of Neurologic Disorders in Patients With Celiac Disease". *Pediatrics*, v. 113, n. 6, pp. 1672-6, jun. 2004. Ver também: M. Percy e E. Propst, "Celiac Disease: Its Many Faces and Relevance to Developmental Disabilities". *Journal of Developmental Disabilities*, v. 14, n. 2, 2008.

7. L. Corvaglia et al., "Depression in Adult Untreated Celiac Subjects: Diagnosis by the Pediatrician". *American Journal of Gastroenterology*, v. 94, n. 3, pp. 839-43, mar. 1999.

8. James M. Greenblatt, "Is Gluten Making you Depressed? The Link Between Celiac Disease and Depression". Disponível em: <http://www.psychologytoday.com/ blog/the-breakthrough-depression-solution/201105/is-gluten-making-you-depressed>. Acesso em: 20 jan. 2014.

9. American Academy of Pediatrics, "Gastrointestinal Problems Common in Children with Autism". *ScienceDaily*. Disponível em: <http://www.sciencedaily.com/ releases/2010/05/100502080234.htm>. Acesso em: 20 jan. 2014. Ver também: L. W. Wang et al., "The Prevalence of Gastrointestinal Problems in Children Across the United States with Autism Spectrum Disorders from Families with Multiple Affected Members". *Journal of Development Behavioral Pediatrics*, v. 32, n. 5, pp. 351-60, jun. 2011.

10. T. L. Lowe et al., "Stimulant Medications Precipitate Tourette's Syndrome". *JAMA*, v. 247, n. 12, pp. 1729-31, 26 mar. 1982.

11. M. A. Verkasalo et al., "Undiagnosed Silent Coeliac Disease: A Risk for Underachievement?". *Scandinavian Journal of Gastroenterology*, v. 40, n. 12, pp. 1407-12, dez. 2005.

12. S. Amiri et al., "Pregnancy-related Maternal Risk Factors of Attention-deficit Hyperactivity Disorder: A Case-control Study". *ISRN Pediatrics*, 2012.

13. A. K. Akobeng et al., "Effect of Breast Feeding on Risk of Coeliac Disease: A Systematic Review and Meta-analysis of Observational Studies". *Archives of Disease in Childhood*, v. 91, n. 1, pp. 39-43, jan. 2006.

14. S. J. Blumberg et al., "Changes in Prevalence of Parent-reported Autism Spectrum Disorder in School-aged U.S. Children: 2007 to 2011–2012". *National Health Statistics Report*, n. 65, 20 mar. 2013. Disponível em: <http://www.cdc.gov/nchs/data/ nhsr/nhsr065.pdf>. Acesso em: 20 jan. 2014.

15. S. J. Genuis et al., "Celiac Disease Presenting as Autism". *Journal of Child Neurology*, v. 25, n. 1, pp. 114-9, jan. 2010.

16. P. Whiteley et al., "A Gluten-free Diet as an Intervention for Autism and Associated Spectrum Disorders: Preliminary Findings". *Autism*, v. 3, n. 1, pp. 45-65.

17. K. L. Reichelt e A. M. Knivsberg, "Can the Pathophysiology of Autism Be Explained by the Nature of the Discovered Urine Peptides?". *Nutritional Neuroscience*, v. 6, n. 1, pp. 19-28, fev. 2003. Ver também: A. E. Kalaydjian et al., "The Gluten Connection: The Association Between Schizophrenia and Celiac Disease". *Acta Psychiatrica Scandinavia*, v. 113, n. 2, pp. 82-90, fev. 2006.

18. C. M. Pennesi e L. C. Klein, "Effectiveness of the Gluten-free, Casein-free Diet for Children Diagnosed with Autism Spectrum Disorder: Based on Parental Report". *Nutritional Neuroscience*, v. 15, n. 2, pp. 85-91, mar. 2012. Disponível em: <http://www. sciencedaily.com/releases/2012/02/120229105128.htm>. Acesso em: 20 jan. 2014.

19. C. J. L. Murray e A. D. Lopez. "The Global Burden of Disease: A Comprehensive Assessment of Mortality and Disability from Diseases, Injuries and Risk Factors in 1990 and Projected to 2020". Organização Mundial da Saúde, Genebra, Suíça, 1996. Disponível em: <http://www.cdc.gov/mentalhealth/basics.htm>. Acesso em: 20 jan. 2014.

20. J. W. Smoller et al., "Antidepressant Use and Risk of Incident Cardiovascular Morbidity and Mortality Among Postmenopausal Women in the Women's Health Initiative Study". *Archives of Internal Medicine*, v. 169, n. 22, pp. 2128-39, 14 dez. 2009.

21. J. C. Fournier et al., "Antidepressant Drug Effects and Depression Severity: A Patient-level Meta-analysis". *JAMA*, v. 303, n. 1, pp. 47-53, 6 jan. 2010.

22. J. Y. Shin et al., "Are Cholesterol and Depression Inversely Related? A Meta-analysis of the Association Between Two Cardiac Risk Factors". *Annals of Behavioral Medicine*, v. 36, n. 1, pp. 33-43, ago. 2008.

23. Disponível em: <http://www.naturalnews.com/032125_statins_memory_loss.html>. Acesso em: 20 jan. 2014.

24. James M. Greenblatt, "Low Cholesterol and its Psychological Effects: Low Cholesterol is Linked to Depression, Suicide, and Violence". Disponível em: <http://www.psychologytoday.com/blog/the-breakthrough-depression-solution/201106/low-cholesterol-and-its-psychological-effects>. Acesso em: 20 jan. 2014.

25. R. E. Morgan et al., "Plasma Cholesterol and Depressive Symptoms in Older Men". *Lancet*, v. 341, n. 8837, pp. 75-9, 9 jan. 1993.

26. M. Horsten et al., "Depressive Symptoms, Social Support, and Lipid Profile in Healthy Middle-aged Women". *Psychosomatic Medicine*, v. 59, n. 5, pp. 521-8, set./out. 1997.

27. P. H. Steegmans et al., "Higher Prevalence of Depressive Symptoms in Middle-aged Men With Low Serum Cholesterol Levels". *Psychosomatic Medicine*, v. 62, n. 2, pp. 205-11, mar./abr. 2000.

28. M. M. Pérez-Rodríguez et al., "Low Serum Cholesterol May Be Associated with Suicide Attempt History". *Journal of Clinical Psychiatry*, v. 69, n. 12, pp. 1920-7, dez. 2008.

29. J. A. Boscarino et al., "Low Serum Cholesterol and External-cause Mortality: Potential Implications for Research and Surveillance". *Journal of Psychiatric Research*, v. 43, n. 9, pp. 848-54, jun. 2009.

30. Disponível em: <http://www.medscape.com/viewarticle/741999>. Acesso em: 20 jan. 2014.

31. C. Hallert e J. Aström, "Psychic Disturbances in Adult Coeliac Disease". *Scandinavian Journal of Gastroenterology*, v. 17, n. 1, pp. 21-4, jan. 1982.

32. C. Ciacci et al., "Depressive Symptoms in Adult Coeliac Disease". *Scandinavian Journal of Gastroenterology*, v. 33. n. 3, pp. 247-50, mar. 1998.

33. Ver nota 8, cap. 6.

34. J. F. Ludvigsson et al., "Coeliac Disease and Risk of Mood Disorders: A General Population-based Cohort Study". *Journal of Affective Disorders*, v. 99, n. 1-3, pp. 117-26, abr. 2007.

35. J. F. Ludvigsson et al., "Increased Suicide Risk in Coeliac Disease: A Swedish Nationwide Cohort Study". *Digest of Liver Disorders*, v. 43, n. 8, pp. 616-22, ago. 2011.

36. M. G. Carta et al., "Recurrent Brief Depression in Celiac Disease". *Journal of Psychosomatic Research*, v. 55, n. 6, pp. 573-4, dez. 2003.

37. C. Briani et al., "Neurological Complications of Celiac Disease and Autoimmune Mechanisms: A Prospective Study". *Journal of Neuroimmunology*, v. 195, n. 1-2, pp. 171-5, mar. 2008.

38. Ver nota 8, cap. 6.

39. Disponível em: <http://www.scientificamerican.com/article.cfm?id=gut-second-brain>. Acesso em: 20 jan. 2014.

40. M. Siwek et al., "Zinc Supplementation Augments Efficacy of Imipramine in Treatment Resistant Patients: A Double Blind, Placebo-controlled Study". *Journal of Affective Disorders*, v. 118, n. 1-3, pp. 187-95, nov. 2009.

41. Ver nota 8, cap. 6.

42. H. Karlsson et al., "Maternal Antibodies to Dietary Antigens and Risk for Nonaffective Psychosis in Offspring". *American Journal of Psychiatry*, v. 169, n. 6, pp. 625-32, jun. 2012.

43. Grace Rattue, "Schizophrenia Risk in Kids Associated with Mothers' Gluten Antibodies". Disponível em: <http://www.medicalnewstoday.com/articles/245484.php>. Acesso em: 20 jan. 2014.

44. B. D. Kraft e E. C. Westman, "Schizophrenia, Gluten, and Low-carbohydrate, Ketogenic Diets: A Case Report and Review of the Literature". *Nutrition & Metabolism*, n. 6, p. 10, 26 fev. 2009.

45. Disponível em: <http://www.webmd.com/migraines-headaches/default.htm>. Acesso em: 20 jan. 2014.

46. A. K. Dimitrova et al., "Prevalence of Migraine in Patients with Celiac Disease and Inflammatory Bowel Disease". *Headache*, v. 53, p. 2, pp. 344-55, fev. 2013.

47. M. Hadjivassiliou e Grünewald R., "The Neurology of Gluten Sensitivity: Science vs. Conviction". *Practical Neurology*, n. 2004-4, pp. 124-6.

48. Disponível em: <http://www.celiaccenter.org/>. Acesso em: 20 jan. 2014.

49. S. M. Wolf et al., "Pediatric Migraine Management". *Pain Medicine News*, pp. 1-6, set./out. 2003.

50. E. Lionetti et al., "Headache in Pediatric Patients with Celiac Disease and its Prevalence as a Diagnostic Clue". *Journal of Pediatric Gastroenterology Nutrition*, v. 49, n. 2, pp. 202-7, ago. 2009.

51. D. Ferraro e G. Di Trapani, "Topiramate in the Prevention of Pediatric Migraine: Literature Review". *Journal of Headache Pain*, v. 9, n. 3, pp. 147-50, jun. 2008.

52. E. Bakola et al., "Anticonvulsant Drugs for Pediatric Migraine Prevention: An Evidence-based Review". *European Journal of Pain*, v. 13, p. 9, pp. 893-901, out. 2009.

53. B. L. Peterlin et al., "Obesity and Migraine: The Effect of Age, Gender and Adipose Tissue Distribution". *Headache*, v. 50, n. 1, pp. 52-62, jan. 2010.

54. M. E. Bigal et al., "Obesity, Migraine, and Chronic Migraine: Possible Mechanisms of Interaction". *Neurology*, v. 68, n. 21, pp. 1851-61, 22 maio 2007.

55. M. E. Bigal e R. B. Lipton, "Obesity is a Risk Factor for Transformed Migraine but not Chronic Tension-type Headache". *Neurology*, v. 67, n. 2, pp. 252-67, 25 jul. 2006.

56. L. Robberstad et al., "An Unfavorable Lifestyle and Recurrent Headaches Among Adolescents: The HUNT Study". *Neurology*, v. 75, n. 8, pp. 712-7, 24 ago. 2010.

## PARTE II. COMO CURAR SEU CÉREBRO

### 7. O REGIME ALIMENTAR PARA O CÉREBRO IDEAL: BOM DIA, JEJUM, GORDURA E SUPLEMENTOS ESSENCIAIS

1. Ver nota 6, cap. 2. Veja também um artigo disponível em: <http://healyourlife.com>, em 25 abr. 2011, intitulado "Size Does Matter!", David Perlmutter e Alberto Villoldo.

2. G. F. Cahill Jr. e R. L. Veech, "Ketoacids? Good medicine?". *Transactions of the American Clinical and Climatological Association*, n. 114, pp. 149-61, 2003.

3. M. P. Mattson e R. Wan, "Beneficial Effects of Intermittent Fasting and Caloric Restriction on the Cardiovascular and Cerebrovascular Systems". *Journal of Nutrition Biochemistry*, v. 16, n. 3, pp. 129-37, mar. 2005.

4. G. Zuccoli et al., "Metabolic Management of Glioblastoma Multiforme Using Standard Therapy Together with a Restricted Ketogenic Diet: Case Report". *Nutrition & Metabolism*, n. 7, p. 33, 22 abr. 2010.

5. J. A. Baur e D. A. Sinclair, "Therapeutic Potential of Resveratrol: The In Vivo Evidence". *Natural Reviews Drug Discovery*, v. 5, n. 6, pp. 493-506, jun. 2006.

6. D. O. Kennedy et al., "Effects of Resveratrol on Cerebral Blood Flow Variables and Cognitive Performance in Humans: A Double-blind, Placebo-controlled, Crossover Investigation". *American Journal of Clinical Nutrition*, v. 91, n. 6, pp. 1590-7, jun. 2010.

7. T. P. Ng et al., "Curry Consumption and Cognitive Function in the Elderly". *American Journal of Epidemiology*, v. 164, n. 9, pp. 898-906, 1 nov. 2006.

8. K. Tillisch et al., "Consumption of Fermented Milk Product with Probiotic Modulates Brain Activity". *Gastroenterology*, 5 mar. 2013.

9. J. A. Bravo et al., "Ingestion of Lactobacillus Strain Regulates Emotional Behavior and Central GABA Receptor Expression in a Mouse Via the Vagus Nerve". *Proceedings of the National Academy Sciences USA*, v. 108, n. 38, pp. 16050-5, 20 set. 2011.

10. A. C. Bested et al., "Intestinal Microbiota, Probiotics and Mental Health: from Metchnikoff to Modern Advances: Part I — Autointoxication Revisited". *Gut Pathogen*, v. 5, n. 1, p. 5, 18 mar. 2013.

11. J. F. Cryan e S. M. O'Mahony, "The Microbiome-Gut-Brain Axis: From Bowel to Behavior". *Neurogastroenterology and Motility*, v. 23, n. 3, pp. 187-92, mar. 2011.

12. Michael Gershon, *The Second Brain: The Scientific Basis of Gut Instinct and a Groundbreaking New Understanding of Nervous Disorders of the Stomach and Intestines*. Nova York: Harper, 1998.

13. Para mais informações sobre a relação entre o cérebro e o intestino, confira o trabalho do dr. Emeran Mayer, diretor do Centro para a Neurobiologia do Estresse da Universidade da Califórnia em Los Angeles. Em especial, o jornal *The Globe and Mail* o mencionou em uma reportagem de Chantal Ouimet ("The Gut Has a Mind of Its Own"), publicado em 31 dez. 2002. Disponível em: <http://www.ibs.med.ucla.edu/Articles/PatientArticle001.htm>. Acesso em: 20 jan. 2014.

14. L. Packer et al., "Neuroprotection by the Metabolic Antioxidant Alpha-lipoic Acid". *Free Radical Biology & Medicine*, v. 22, n. 1-2, pp. 359-78, 1997.

15. Para tudo o que você quiser saber sobre a vitamina D, incluindo uma discussão aprofundada das pesquisas, consulte o livro de referência do dr. Michael Holick, *The Vitamin D Solution: A 3-Step Strategy to Cure Our Most Common Health Problems*. Nova York: Hudson Street Press, 2010.

16. Disponível em: <http://blogs.scientificamerican.com/observations/2010/07/13/vitamin-d-deficiency-linked-to-parkinsons-disease-cognitive-decline/>. Acesso em: 20 jan. 2014.

17. C. Annweiler et al., "Higher Vitamin D Dietary Intake Is Associated with Lower Risk of Alzheimer's Disease: A 7-year Follow-up". *Journals of Gerontology Series A: Biological Sciences and Medical Sciences*, v. 67, n. 11, pp. 1205-11, nov. 2012.

18. D. J. Llewellyn et al., "Vitamin D and Risk of Cognitive Decline in Elderly Persons". *Archives of Internal Medicine*, v. 170, n. 13, pp. 1135-41, 12 jul. 2010.

19. S. Simpson Jr. et al., "Higher 25-hydroxyvitamin D Is Associated with Lower Relapse Risk in Multiple Sclerosis". *Annals of Neurology*, v. 68, n. 2, pp. 193-203, ago. 2010. Ver também: C. Pierrot-Deseilligny et al., "Relationship Between 25-OH-D Serum Level and Relapse Rate in Multiple Sclerosis Patients Before and After Vitamin D Supplementation". *Therapeutic Advances in Neurological Disorders*, v. 5, n. 4, pp. 187-98, jul. 2012.

20. R. E. Anglin et al. "Vitamin D Deficiency and Depression in Adults: Systematic Review and Meta-analysis". *British Journal of Psychiatry*, n. 202, pp. 100-7, fev. 2013.

## 8. MEDICINA GENÉTICA: EXERCITE SEUS GENES PARA CONQUISTAR UM CÉREBRO MELHOR

1. C. W. Cotman et al., "Exercise Builds Brain Health: Key Roles of Growth Factor Cascades and Inflammation". *Trends in Neuroscience*, v. 30, n. 9, pp. 464-72, set. 2007. Ver também: Universidade de Edimburgo, "Exercise the Body to Keep the Brain Healthy, Study Suggests". *ScienceDaily*. Disponível em: <http://www.sciencedaily.com/releases/2012/10/121022162647.htm>. Acesso em: 20 jan. 2014.

2. L. F. Defina et al., "The Association Between Midlife Cardiorespiratory Fitness Levels and Later-life Dementia: A Cohort Study". *Annals of Internal Medicine*, v. 158, n. 3, pp. 162-8, 5 fev. 2013.

3. Gretchen Reynolds, "How Exercise Could Lead to a Better Brain". *The New York Times Magazine*, 18 abr. 2012. Disponível em: <http://www.nytimes.com/2012/04/22/magazine/how-exercise-could-lead-to-a-better-brain.html?pagewanted=all&_r=0>. Acesso em: 20 jan. 2014.

4. A. S. Buchman et al., "Total Daily Physical Activity and the Risk of AD and Cognitive Decline in Older Adults". *Neurology*, v. 78, n. 17, pp. 1323-9, 24 abr. 2012.

5. D. M. Bramble e D. E. Lieberman, "Endurance Running and the Evolution of Homo". *Nature*, v. 432, n. 7015, pp. 345-52, 18 nov. 2004.

6. D. A. Raichlen e A. D. Gordon, "Relationship Between Exercise Capacity and Brain Size in Mammals". *PLOS One*, v. 6, 2011.

7. Gretchen Reynolds, "Exercise and the Ever-smarter Human Brain". *The New York Times*, 26 dez. 2012. Disponível em: <http://well.blogs.nytimes.com/2012/12/26/exercise-and-the-ever-smarter-human-brain/>. Acesso em: 20 jan. 2014.

8. D. A. Raichlen e J. D. Polk, "Linking Brains and Brawn: Exercise and the Evolution of Human Neurobiology". *Proceedings of the Royal Society B: Biological Sciences*, v. 280, n. 1750, pp. 2012-50, 7 jan. 2013.

9. Ver nota 3, cap. 8.

10. P. J. Clark et al., "Genetic Influences on Exercise-induced Adult Hippocampal Neurogenesis Across 12 Divergent Mouse Strains". *Genes, Brain and Behavior*, v. 10, n. 3, pp. 345-53, abr. 2011. Ver também: R. A. Kohman et al., "Voluntary Wheel Running Reverses Age-induced Changes in Hippocampal Gene Expression". *PLOS One*, v. 6, n. 8, 2011.

11. K. I. Erickson et al., "Exercise Training Increases Size of Hippocampus and Improves Memory". *Proceedings of the National Academy of Sciences*, v. 108, n. 7, pp. 3017-22, 15 fev. 2011.

12. N. Kee et al., "Preferential Incorporation of Adult-generated Granule Cells into Spatial Memory Networks in the Dentate Gyrus". *Nature Neuroscience*, v. 10, n. 3, pp. 355-62, mar. 2007. Ver também: C. W. Wu et al., "Treadmill Exercise Counteracts

the Suppressive Effects of Peripheral Lipopolysaccharide on Hippocampal Neuro-genesis and Learning and Memory". *Journal of Neurochemistry*, v. 103, n. 6, pp. 2471-81, dez. 2007.

13.  N. T. Lautenschlager et al., "Effect of Physical Activity on Cognitive Function in Older Adults at Risk for Alzheimer Disease: A Randomized Trial". *JAMA*, v. 300, n. 9, pp. 1027-37, 3 set. 2008.

14.  J. Weuve et al., "Physical Activity, Including Walking, and Cognitive Func-tion in Older Women". *JAMA*, v. 292, n. 12, pp. 1454-61, 22 set. 2004.

15.  A. Yavari et al., "The Effect of Aerobic Exercise on Glycosylated Hemoglobin Values in Type 2 Diabetes Patients". *Journal of Sports Medicine and Physical Fitness*, v. 50, n. 4, pp. 501-5, dez. 2010.

16.  A. S. Buchman et al., "Total Daily Physical Activity and the Risk of AD and Cognitive Decline in Older Adults". *Neurology*, v. 78, n. 17, pp. 1323-9, 24 abr. 2012. Ver também: Rush University Medical Center, "Daily Physical Activity May Reduce Alzheimer's Disease Risk at Any Age". *ScienceDaily*. Disponível em: <http://www.scien-cedaily.com/releases/2012/04/120418203530.htm>. Acesso em: 20 jan. 2014.

## 9. BOA NOITE, CÉREBRO: ALAVANQUE SUA LEPTINA PARA CONTROLAR OS HORMÔNIOS

1.  Para um apanhado geral da relação entre o sono e a saúde, acesse: <http://www.ninds.nih.gov/disorders/brain_basics/understanding_sleep.htm>. Também consulte a obra do dr. Michael Breus, reconhecida autoridade em medicina do sono: <http://www.thesleepdoctor.com/>.

2.  Benedict Carey, "Aging in brain found to hurt sleep needed for memory". *The New York Times*, 27 jan. 2013. Disponível em: <http://www.nytimes.com/2013/01/28/health/brain-aging-linked-to-sleep-related-memory-decline.html>. Ver também: B. A. Mander, "Prefrontal Atrophy, Disrupted NREM Slow Waves and Impaired Hippocam-pal-dependent Memory in Aging". *Nature Neuroscience*, v. 16, n. 3, pp. 357-64, mar. 2013.

3.  C. S. Möller-Levet et al., "Effects of Insufficient Sleep on Circadian Rhyth-micity and Expression Amplitude of the Human Blood Transcriptome". *Proceedings of the National Academy of Sciences*, v. 110, n. 12, 19 mar. 2013.

4.  Para um enorme volume de dados a respeito do sono e estatísticas do quanto dormimos, consulte a National Sleep Foundation em <http://www.nationalsleepfoun-dation.org>.

5.  Ann Lukits, "Sleep's surprising effects on hunger". *Wall Street Journal*, 17 dez. 2012. Disponível em: <http://online.wsj.com/article/SB10001424127887324296604578175681814776920.html>. Acesso em: 20 jan. 2014.

6. T. Blackwell et al., "Associations Between Sleep Architecture and Sleep-disordered Breathing and Cognition in Older Community-dwelling Men: The Osteoporotic Fractures in Men Sleep Study". *Journal of the American Geriatric Society*, v. 59, n. 12, dez. 2011. Ver também: K. Yaffe et al., "Sleep-disordered Breathing, Hypoxia, and Risk of Mild Cognitive Impairment and Dementia in Older Women". *JAMA*, v. 306, n. 6, pp. 613-9, 10 ago. 2011. Ver também: A. P. Spira et al., "Sleep-disordered Breathing and Cognition in Older Women". *Journal of the American Geriatric Society*, v. 56, n. 1, pp. 45-50, jan. 2008.

7. Y. Zhang et al. "Positional Cloning of the Mouse Obese Gene and its Human Homologue". *Nature*, v. 372, n. 6505, pp. 425-32, 1 dez. 1994.

8. E. D. Green et al., "The Human Obese (ob) Gene: rna Expression Pattern and Mapping on the Physical, Cytogenetic, and Genetic Maps of Chromosome 7". *Genome Research*, v. 5, n. 1, pp. 5-12, ago. 1995.

9. Nora T. Gedgaudas, *Primal Body, Primal Mind: Beyond the Paleo Diet for Total Health and a Longer Life*. Rochester, Vermont: Healing Arts Press, 2011.

10. K. Spiegel et al., "Brief Communication: Sleep Curtailment in Healthy Young Men is Associated with Decreased Leptin Levels, Elevated Ghrelin Levels, and Increased Hunger and Appetite". *Annals of Internal Medicine*, v. 141, n. 11, pp. 846-50, 7 dez. 2004.

11. S. Taheri et al., "Short Sleep Duration Is Associated with Reduced Leptin, Elevated Ghrelin, and Increased Body Mass Index". *PLOS Medicine*, v. 1, n. 3, dez. 2004.

12. W. A. Banks et al., "Triglycerides Induce Leptin Resistance at the Blood-Brain Barrier". *Diabetes*, v. 53, n. 5, pp. 1253-60, maio 2004.

13. Ron Rosedale e Carol Colman, *The Rosedale Diet*. Nova York: William Morrow, 2004.

## PARTE III. DIGA ADEUS AOS GRÃOS

## 10. UM NOVO MODO DE VIDA: O PLANO DE AÇÃO DE QUATRO SEMANAS

1. J. Gray e B. Griffin, "Eggs and Dietary Cholesterol: Dispelling the Myth". *Nutrition Bulletin*, v. 34, n. 1, pp. 66-70, mar. 2009.

2. Para maiores informações e acesso a estudos sobre os ovos, entre em <http://www.incredibleegg.org> e leia o artigo de Janet Raloff, "Reevaluating eggs' cholesterol risks", do *Science News*. Disponível em: <http://www.sciencenews.org/view/generic/id/7301/description/Reevaluating_Eggs_Cholesterol_Risks>. Acesso em: 20 jan. 2014.

3. C. N. Blesso et al., "Whole Egg Consumption Improves Lipoprotein Profiles and Insulin Sensitivity to a Greater Extent Than Yolk-free Egg Substitute in Individuals with Metabolic Syndrome". *Metabolism*, v. 62, n. 3, pp. 400-10, mar. 2013.

## EPÍLOGO: A ESPANTOSA VERDADE

1. Organização Mundial da Saúde. Disponível em: <http://www.who.int/chp/chronic_disease_report/media/Factsheet1.pdf>. Acesso em: 20 jan. 2014.

2. Ibid.

# Índice remissivo

tes, 36-41, 97, 105, 119, 121; e estatinas, 105, 107; e exercícios, 209, 218; e fatores genéticos, 12, 84, 146, 160; e níveis de BDNF, 143; e níveis de homocisteína, 238; e placas no cérebro, 40; e restrição calórica, 146-7; e sobrepeso ou obesidade, 40, 133; e vitamina D, 103, 206

amamentação, 101, 163, 170, 202

amêndoas: Salada mesclun ao óleo de amêndoas, 290, em "Flocos de aveia" sem aveia, 271

amendoim, 263

amiloide, 97, 123, 148-9

ancestrais caçadores e coletores, 16, 33-5, 37, 83, 85, 197

ansiedade, transtornos, 53, 161, 164, 166, 173

antibióticos, 92, 162

antidepressivos, 166, 173-4, 177

antioxidantes, 49, 50, 52, 107, 124, 149, 154-8, 197, 206; colesterol no cérebro como, 103; e cúrcuma, 203-4; e doença celíaca, 71; e processo Nrf2, 156-8, 198; e restrição calórica, 148, 198; e suplementos, 155-6

apetite, 147-8; e exercícios, 215; e grelina, 228; e leptina, 226-7; e privação do sono, 222

apneia do sono, 223

apolipoproteína E (ApoE), 160

apoptose, 147, 149

artrite, 48, 167

asma, 48, 101, 108, 158

aspirina, 48

astrócitos, 149

ataque cardíaco, 48, 88, 93, 95, 110-1

ataxia, 66, 69

aterosclerose, 26, 87, 92, 95, 98, 122-3

ATP (adenosina trifosfato), 147

autismo, 48, 53, 62, 71, 149, 161, 167, 170-2

autoavaliação, 24-5

auxílio da tecnologia, 255

aveia, 243

azeite de oliva, 85, 136, 242, 262

azeitonas, 100, 242, 263

banheiro, produtos para, 253

*Barriga de trigo* (Davis), 54, 73

batata, 117-8, 248

BDNF (fator neurotrófico derivado do cérebro): e exercícios, 144, 208, 211-2, 214-5; e restrições calóricas, 145-8, 197-8; funções, 143-4; produção, 143, 151-2

bebidas, 261

beta-hidroxibutirato (beta-HBA), 149, 196-7, 200

"boquinhas", 258, 263; na hora de dormir, 252

Brillat-Savarin, Anthelme, 55

café, 78, 158, 247, 252, 261

café da manhã, receitas: "Cereais" rápidos e crocantes, 272; "Flocos de aveia" sem aveia, 271; Fritada de gruyère e queijo de cabra, 269; Huevos rancheros, 270; Omelete de óleo de coco, 270

cafeína, 245, 251-2, 261

calorias, ingestão média diária, 92, 146

camarão, 263

câncer, 13, 89, 108-9, 122, 131, 147, 158

capacidade atlética, 211-2

capacidade de resistência, 211

caprichos, 259

carboidratos, 42, 76-7, 80, 82, 91, 94, 103; aumento do açúcar no sangue e da insulina provocado pelos, 75, 95,

117-8, 199; aumento do nível de colesterol provocado pelos, 109-11; benefícios à saúde das gorduras versus, 80-113; cheios de glúten, vício, 73-4; como causa primordial do ganho de peso, 99; definição, 117; diabetes e consumo, 96, 99; e a dieta ao longo da evolução humana, 82; e declínio cognitivo, 84; e fome e desejos, 246; fibras nos, 117-8; meta de ingestão, 247; necessidade alimentar humana, 82; processados, como eliminar da cozinha, 241; redução da ingestão, 199-200, 245; refinados, 15; *ver também* dieta pobre em carboidratos e rica em gorduras

cardápio semanal, 263-5

carne, 84, 86, 92-3, 242; Cordeiro grego ao limão, 284; *ver também* carne de boi

carne de boi, 86, 93, 262; Costela suculenta, 276; Filé glaceado ao balsâmico, 275; Steak de wagyu com couve-de-bruxelas, 277

Carpaccio de atum com cebola roxa, salsinha e pimenta rosa, 277

castanhas, 136, 252, 263

células adiposas, 130; citocinas liberadas pelas, 187; leptina nas, 225

cenoura, 243, 248

cereais, 81, 93

"Cereais" rápidos e crocantes, 272

cérebro: açúcar no sangue e encolhimento, 46, 96; cetonas como combustível, 196-8, 200; colesterol, 102-3; e jejum, 196-8; excesso de gordura corporal e degeneração, 131-3; gasto de energia, 195; hipocampo, 132, 149, 214; relação com o sistema digestivo, 205; sinapses, 102, 143, 151, 154; suplementos indicados f, 207; suplementos indicados i, 201; tamanho, 85, 127, 128, 131, 195, 211; *ver também* funções neurológicas; plasticidade

cérebro intestinal ("segundo cérebro"), 177, 204

César, Júlio, 161

cesarianas, 170

cetonas, 149, 199-200; e jejum, 196-8

cetose, 150, 199-200

chá, 78, 158, 243, 261

chirívia, 243, 248

chocolate, 243, 263; Mousse de coco e, 301; Trufas, 301

cintura, circunferência abdominal, 132, 186

citocinas, 49, 62, 68, 72, 166, 172, 187; *ver também* leptina

coco, em "Cereais" rápidos e crocantes, 272

coenzima Q10, 107

cogumelos, Salmão rápido com, 283

colesterol alimentar, 42, 82, 109, 110; e ovos, 243-5

colesterol, níveis, 111; als (doença de Lou Gehrig), 89; e carboidratos, 109-11; e depressão, 174-5; e funções neurológicas, 43-5, 52, 86-7, 102; e funções sexuais, 111-3; e gorduras alimentares, 88, 244; e ldl, 52, 87, 102, 106-9, 126; e risco cardíaco, 52, 82, 88-9, 93; e risco de mortalidade, 89; elevado, risco à saúde, 110; nível geralmente recomendado, 111

comer fora, 248, 257

complexo B, vitaminas, 95, 177, 238

comportamento violento, 174

compras no mercado, 255

comprometimento cognitivo leve, 84

consistência nos padrões diários, 256

Cordeiro grego ao limão, 284

dieta, perda de peso através, 134-6

disfunção erétil (DE), 112

distonia, 57, 68

distúrbios digestivos, 77

doença celíaca (espru), 16, 19, 42, 60-1, 70-2, 166, 205, 239; e amamentação, 170; e autismo, 167, 171; e depressão, 176-7; e dor de cabeça, 183-4; e esquizofrenia e transtorno bipolar, 178; e radicais livres, 71; perspectiva histórica, 63-8; ver também sensibilidade ao glúten

doença da vaca louca, 121, 122

doença de Lou Gehrig, ver esclerose lateral amiotrófica

doenças arteriais coronarianas (DAC), 126-7; e baixa testosterona, 113; e colesterol, 52, 88, 89, 93, 110, 244; e estatinas, 108, 112; e gorduras saturadas, 90, 93; e processos inflamatórios, 48, 108

doenças cardíacas, 13, 23, 52, 119, 136; e gorduras alimentares, 88, 90, 92-4; e níveis de colesterol, 52, 82, 88-9, 93; ver também doenças arteriais coronarianas

doenças cardiovasculares, 90, 95, 108, 136, 221, 244

doenças neurodegenerativas: e proteínas deformadas, 122-3; ver também doenças específicas

doenças vasculares, 107, 120, 125-6, 132

Doidge, Norman, 138

dopamina, 95, 204, 207

dores de cabeça, 53, 158, 161, 181-9; e dieta sem glúten, 69, 182, 184; e fatores de estilo de vida, 187; e gordura abdominal, 186-8; e processos inflamatórios, 71, 183, 187-8; e sensibilidade ao glúten, 55, 69, 181, 183, 185; infantis, 184-5; redução, 188-9; remédios, 181, 185, 251

Edison, Thomas A, 33

Emerson, Ralph W, 219

emoções: e bactérias intestinais, 205; e dor de cabeça, 189

enfisema, 122, 124

enlatada, comida, 262

envelhecimento, 154-5; e declínio cognitivo, 138, 155; e distúrbios do sono, 222; e proteínas deformadas, 123, 125

enxaqueca, 55, 158, 161, 182-3, 186, 189; ver também dor de cabeça

enzima cox-2, 72, 152

EPA, 157

epigenética, 138

epilepsia, 12, 14, 18, 19, 42, 48, 64, 69, 71, 77, 143, 147, 149, 185

epinefrina, 95, 207

esclerose lateral amiotrófica (ALS ou doença de Lou Gehrig), 62, 89, 122, 126, 149, 158

esclerose múltipla, 48, 62, 68, 103, 207

escolhas de estilo de vida, 17; como fazer mudanças, 233, 235-6; e dor de cabeça, 187

Espinafre e alho sauté, 295

espinafre, na Fritada de gruyère e queijo de cabra, 269

espru, ver doença celíaca

esquizofrenia, 71, 100, 143, 172, 178-80

estatinas, 17, 51, 104, 105-7, 109, 174; e Alzheimer, 105-7; e diabetes, 105; e disfunções de memória, 104-6; e testosterona, 112-3; e vitamina D, 108

estimulantes, 164, 228, 251-2

estímulo intelectual, 153-4

estresse, 189, 204

estresse oxidativo, 49, 98, 125-6, 156

Estudo do Coração de Framingham, 44-5, 83, 93, 152-3

evolução, capacidade atlética e, 211-2

exames diagnósticos, 25-6; antes e depois do cumprimento do programa de quatro semanas, 237, 238-9

exercícios 208-18; e BDNF, 143-4, 208, 212, 214-5; e capacidade atlética dos ancestrais das cavernas, 211-2; e dores de cabeça, 187; e neurogênese, 144, 214-6; e risco de Alzheimer, 209-10, 218; e saúde cerebral, 213-6, 248-9; e sensibilidade à insulina, 134, 213, 216; intensidade, 218, 249; semana 2: foco nos, 248-50

exorfinas, 73-4

expectativa de vida, 306

fadiga crônica, 80, 207

fator neurotrófico derivado do cérebro, *ver* BDNF

fibras, 117, 247

fibrose cística, 124, 159

fígado, 82, 90, 96, 101, 108, 113, 124, 141; colesterol produzido, 106, 109, 244; e açúcares, 38, 98, 115, 118-9, 196; e cetonas, 149-50, 197-9; e gordura visceral, 130-1

Filé glaceado ao balsâmico, 275

"Flocos de aveia" sem aveia, 271

fome, 196-7

fome e dieta com base em carboidratos, 247

frango, 84, 93, 252, 262, 263; ao limão, 273; assado rápido, 285; com vinagrete de mostarda, 273; Gazpacho de iogurte e abobrinha com peito de frango marinado ao açafrão, 280

Frango ao limão, 273

Fritada de gruyère e queijo de cabra, 269

frutas, 92, 115-6, 118, 136, 242-3, 261, 263

frutosamina, 26, 237-8

frutose, 115, 119, 152

fumo, 92, 110-1, 119, 124, 251; e dor de cabeça, 187

funções neurológicas: e colesterol, 43-5, 52, 86-7, 102-3; e sensibilidade ao glúten, 42-3, 62-3

funções sexuais, 111-3

gastos com saúde, 306

Gazpacho de iogurte e abobrinha com peito de frango marinado ao açafrão, 280

genes, 71; "frugais", 83; e Alzheimer, 12, 84, 146, 159-60; e danos ao DNA, 50; e desintoxicação, 51, 157-8; e diabetes, 39, 83; e exercícios, 208; e longevidade, 139, 144, 203, 208; e produção de proteínas, 122; e sono, 221; expressão genética e seu impacto, 16; expressão genética e seu impacto, 138-59; mutações, 159

gestação: e cesarianas, 170; sensibilidade alimentar da mãe antes, 179-80

gliadina, 62

glicação, 96, 124-5; e hemoglobina A1 C, 26, 110, 127-8, 217, 237-8; e produtos finais de glicação avançada (AGEs), 120-1, 124-6

glicemia de jejum, 26, 129, 237-8

glicogênio, 99, 150, 196

glicose, 38-9, 76, 96, 98, 104, 115, 117, 119, 199, 204; e teste de glicemia de jejum, 26, 129, 237-8; em períodos de fome, 196, 198; LDL oxidado pela, 52, 87

glioblastoma, 199-200

gluconeogênese, 38, 197

tórios, 48; e restrição calórica, 148, 198; e sensibilidades alimentares, 61; e transtornos cerebrais, 43, 48-9, 62, 68, 71-2, 97, 171; gestão do nível de, 50-1; glúten e dieta rica em carboidratos como estimulantes, 43, 95; sentido geral do termo, 47; síndrome do cólon irritável (IBS), 183, 205

inibidores seletivos da recaptação de serotonina (SSRIS), 173

insônia, 14, 53, 111, 222, 252

insulina, 101, 115, 238; e consumo de carboidratos, 75, 98, 117-9, 199; e proteínas deformadas no pâncreas, 123; e teste de insulina de jejum, 26, 45, 129-30, 237; em comparação com a leptina, 226; exercícios e sensibilidade, 134, 213, 216; perda de peso e sensibilidade, 134-5; *ver também* diabetes

insulina de jejum, 26, 45, 129-30, 237

intestino permeável, 61

intestino, danos relacionados ao glúten, 60-1

iogurte, 205, 243

jantar, horário, 252

Japão, pesquisas sobre saúde, 93, 98

jejum, 147, 158, 196-8; comparação com as dietas cetogênicas, 198, 200; nas buscas espirituais, 198; protocolo, 245; *ver também* restrição calórica

LDL (lipoproteína de baixa densidade), 52, 87, 102, 106-9, 126

Legumes assados da estação, 293

leite, 94, 243; anticorpos maternos, 179

leite de amêndoas, 242, 261

leptina, 115, 224-5, 227-8; sinais de resistência, 227

lipoproteína lipase, 199

listas de compras, 255

longevidade, 34, 44, 53, 102, 151, 208, 225; e níveis de colesterol, 89; e restrição calórica, 147; relação com a genética, 139, 144, 203, 208

Lustig, Robert, 114

magnésio, 95

manjericão, no Pesto de pecorino, 299

manteiga, 84, 92-3, 101, 242, 258, 263

margarina, 60, 91-3, 100, 241, 305

"marmita" para o trabalho, 262

meditação, 151

mel, 115

membranas celulares, 102

memória, 84, 177; e açúcar elevado no sangue, 46, 97; e DHA, 152; e distúrbios do sono, 221-2; e estatinas, 104-6; e exercícios, 144, 208, 213, 216-7; e nível de colesterol, 86, 106; e obesidade, 132; e restrição calórica, 145, 148

Mesmer, Franz Anton, 303-4

metabolismo, 49-50, 81-2, 125, 150, 204, 225; dos diferentes tipos de açúcar, 115-6

metas inegociáveis, 255

milho, 99, 116, 248

"minestrone", líquido, 281

mitocôndria, 147, 149, 157, 197-8, 204; e radicais livres, 155-6

molhos: de alho, 293; de endro, 299; de leitelho, 291; Pesto de pecorino, 299; refogado, 300; *ver também* vinagretes

morte celular, 147, 149

morte, risco, 109, 113, 175

motivadores, 256

Mousse de chocolate e coco, 301

sementes, 242

sensibilidade ao glúten, 16, 19, 42, 55-77; e antigliadina, anticorpos, 62; e cesarianas, 170; e depressão, 166, 176-7; e doenças mentais, 56; e dor de cabeça, 55-6, 69, 181, 183, 185; e esquizofrenia e transtorno bipolar, 172, 179-80; e transtornos cerebrais, 42-3, 62-3, 66-9; e transtornos motores, 57-8, 68-9; sinais, 77; testes para detectar, 26-7, 77, 237, 239, 247; *ver também* doença celíaca

serotonina, 95, 167, 173, 177, 204, 252

Shaw, George B, 80

sinapses, 102, 143, 151, 154

"síndrome da pessoa rígida", 181

síndrome de Tourette, 53, 161, 167-8

sirtuínas, 148, 203

sistema endócrino, 101

sistema imunológico, 61-2, 71, 99, 101, 172; *ver também* transtornos autoimunes

sistema nervoso, 23, 25, 31, 61, 63, 66, 70, 95, 171, 183, 204, 206, 226

sobremesas: Mousse de chocolate e coco, 301; Trufas de chocolate, 301

sobrepeso e obesidade, 13, 15, 40, 82, 91, 115, 117, 119, 147, 249; carboidratos como causa primordial, 99; e comprometimento das funções cerebrais, 40; e degeneração cerebral, 132; e dor de cabeça, 186, 188; e problemas inflamatórios, 226

soja, produtos à base de, 241

sono, 188, 205, 219-28; e envelhecimento, 222; e genes, 221; e grelina, 222, 228; e leptina, 224, 226-7; e manutenção de hábitos regulares, 251; e ritmos circadianos, 223; inadequado, impacto, 220-1; semana 3: foco no, 250, 252-3

Sopa de brócolis com creme de castanha de caju, 286

Sopa de tomate e repolho roxo, 282

sopas: "minestrone" líquido, 281; de brócolis com creme de castanha de caju, 286; de tomate e repolho roxo, 282; Gazpacho de yogurte e abobrinha com peito de frango marinado ao açafrão, 279

suco de frutas, 115, 117

suicídio, 174-6

suplementos para o cérebro, 201-7; início de um regime, 239-40

suprarrenais, glândulas, 207

TDAH (transtorno de déficit de atenção e hiperatividade), 53, 71, 153, 161-4, 166, 168-9; e cesarianas, 170; e diagnóstico, 164; e dieta sem glúten, 163-4, 169; e medicamentos no tratamento, 162, 164, 168

temperatura corporal, 223

temperos, 242

testosterona, níveis, 112-3

tiques, 166-8

tiras de teste de cetona, 200

tireoide, 219, 225

TNF alfa, 72

tomate no refogado, 300

toxinas, 76, 101, 197; *ver também* desintoxicação

transtorno bipolar, 71, 175, 178

transtornos autoimunes, 39, 62, 71, 76-7, 131, 219; diabetes tipo 1, 39, 100; *ver também* doença celíaca

transtornos cerebrais: autoavaliação dos fatores de risco, 24-5; e estatinas, 105-8; e excesso de gordura corporal, 131; e genética, 12; e grãos modernos, 12; e processos inflamatórios, 43,

TIPOGRAFIA Adriane por Marconi Lima
DIAGRAMAÇÃO Osmane Garcia Filho
PAPEL Pólen Soft, Suzano S.A.
IMPRESSÃO Gráfica Bartira, dezembro de 2019

FSC
www.fsc.org
MISTO
Papel produzido
a partir de
fontes responsáveis
FSC® C105484

A marca FSC® é a garantia de que a madeira utilizada na fabricação do papel deste livro provém de florestas que foram gerenciadas de maneira ambientalmente correta, socialmente justa e economicamente viável, além de outras fontes de origem controlada.